W9-BWC-688

LES « REMONTRANCES » DE MALESHERBES

Du même auteur

- Emilie, Emilie, l'ambition féminine au XVIIIe siècle
- L'amour en plus, *coll. Champs.*

ELISABETH BADINTER

LES « REMONTRANCES » DE MALESHERBES

1771-1775

FLAMMARION

CHRONOLOGIE

1721 (6 décembre) : Naissance de Chrétien-Guillaume Lamoignon de Malesherbes, le jour même du supplice du contrebandier Cartouche. Il est le fils de Guillaume de Lamoignon, futur chancelier de France et de sa seconde femme Anne-Elisabeth Roujault.
Le jeune Malesherbes fit des études relativement médiocres au collège des Jésuites Louis-le-Grand avant de recevoir les leçons du brillant parlementaire, l'abbé Pucelle.

1741 : Malesherbes entre dans la magistrature comme substitut du procureur général.

1744 : Il est pourvu d'une charge de conseiller au Parlement.

1746 : Il suit les leçons de Jussieu et se passionne pour l'histoire naturelle et particulièrement pour la botanique.

1749 : Il est reçu en survivance de son père à la place de premier président de la Çour des Aides. Il épouse Marie-Françoise Grimod de la Reynière, dont il aura deux filles, Marguerite en 1756 (future Madame de Rosanbo) et Françoise-Pauline en 1758 (future Madame de Montboissier).

1750 : Son père, nommé chancelier, lui laisse la

présidence de la Cour des Aides et la direction de la Librairie.

1750 : Reçu à l'Académie des Sciences.

1752 : L'affaire de l'*Encyclopédie*. Malesherbes sauve la grande entreprise.

1756 : Remontrances de la Cour des Aides sur la perception du vingtième et la levée du second vingtième.

1758 : Il rédige cinq mémoires sur la Librairie qui ne seront publiés qu'en 1809, bien après sa mort.

1758-1759 : Malesherbes ne parvient pas à faire autoriser la publication de *De l'Esprit* de Helvétius.

1759 : Reçu à l'Académie des Inscriptions.

1759 : Remontrances de la Cour des Aides sur le système des impôts.

1760 : Il permet la publication de *la Théorie de l'Impôt* de Mirabeau.

1761 : Remontrances de la Cour des Aides sur la taille.

1762 : Malesherbes s'expose personnellement aux plus graves sanctions pour faire publier *l'Emile* de Rousseau.

1763 : Remontrances de la Cour des Aides sur l'Affaire Varenne.

1763 : Malesherbes démissionne de la Librairie lors de la disgrâce de son père. Il est immédiatement remplacé par le lieutenant de police.

1768 : Remontrances de la Cour des Aides sur la répartition de la taille.

1770 : Remontrances sur l'affaire G. Monnerat et les lettres de cachet.

1771 (février) : Remontrances sur l'édit de décembre 1770 et l'état actuel du Parlement.

1771-1774 : Malesherbes vit en exil sur ses terres du château de Malesherbes.

1774 (novembre) : Rétablissement de la Cour des Aides et de Malesherbes dans ses fonctions de premier président.

1775 (mai) : Remontrances sur le régime fiscal.

1775 : Election triomphale à l'Académie française.

1775 : Il démissionne de la Cour des Aides.

1775 (juillet) : Nommé Ministre de la Maison du Roi en juillet.

1776 (mai) : Il démissionne de son poste de ministre.

1776-1787 : Malesherbes voyage beaucoup en France, en Italie, en Hollande, en Angleterre et en Suisse.

Il écrit plusieurs mémoires sur l'état civil des protestants.

1787 (mai) : Ministre sans portefeuille, il siège au Conseil avec son cousin Lamoignon, garde des sceaux.

1788 (août) : Malesherbes démissionne.

1788 : De retour dans ses terres, il travaille à un grand mémoire sur les Juifs.

1788 : Il compose un mémoire sur la liberté de la presse.

Décembre 1792-janvier 1793 : Malesherbes assume avec Tronchet et De Sèze la défense de Louis XVI.

1793 (décembre) : Il est arrêté avec sa famille au château de Malesherbes.

21 avril 1794 : Meurt guillotiné avec les siens.

AVANT-PROPOS

MALESHERBES

1771. Malesherbes a cinquante ans. Au faîte de sa gloire, le premier Président de la Cour des Aides part pour un long exil. Regardons-le. La mise est négligée, le jabot barbouillé de tabac. Sa perruque ronde mal peignée est posée de travers. On croirait voir l'apothicaire d'un petit bourg ou le secrétaire de quelque grand magistrat. Le visage ingrat aux traits déjà lourds ne laisse rien paraître de la distinction de l'esprit. Le ventre arrondi rend plus disgracieuse encore une démarche naturellement maladroite qui faisait jadis le désespoir de son maître de danse, le célèbre Marcel. On raconte que celui-ci dut renoncer à lui enseigner les rudiments de son art. Un jour de découragement, il renvoya le fils au père avec le billet suivant : « De ce jeune homme, n'espérez point faire ni militaire, ni magistrat. Un homme d'Eglise peut-être... »

On chercherait vainement dans la silhouette quelque élégance aristocratique. Malesherbes semble peu doué de cette aisance naturelle aux nobles de longue souche. Qui reconnaîtrait en lui l'héritier d'une grande famille de robe? Depuis plus de deux cents ans, en effet, les Lamoignon, ses ancêtres, président aux destinées de la Justice française avec les Maupeou, les Séguier, les Joly et quelques autres. De père en fils, de cousin en neveu, on se passe les toques de Présidents, Présidents à mortier, Premier Président du Parlement. L'un d'eux, cousin de Malesherbes, sera le garde des sceaux, auteur des édits peu populaires proposés à l'Assemblée des Notables en 1787. Une exception cependant : un oncle intendant dans le Languedoc, resté tristement célèbre pour son application trop rigoureuse des édits de Louis XIV contre les Protestants. Décidément non, Malesherbes ne ressemble pas à l'image que l'on se fait d'un homme élevé dans le sérail de la haute magistrature. Fils, de surcroît, d'un Chancelier de France.

A y regarder de plus près, ces négligences, cette maladresse qui ne viennent ni de sa naissance, ni de son éducation [1], révèlent un aspect plus profond de la personnalité de Malesherbes. Non seulement une indifférence complète à l'égard du luxe et de tout apparat, mais surtout un réel mépris de son corps dont il n'attend apparemment aucun plaisir. Il se nourrit beaucoup, mais n'importe comment, comme il se vêt et dort — parfois même en oubliant de se déshabiller avant de se coucher.

Il semble que Malesherbes ne pratiqua ni sport, ni chasse. Homme de robe, il ne fit pas la guerre. Il bougeait peu ce corps, continuellement assis à sa table de travail, tôt au lever du jour et souvent fort tard dans la nuit. La seule activité physique qu'on lui connût fut la marche à pied. Encore que ses promenades eussent toujours pour but quelques raisons scientifiques : enrichir son herbier, ou étudier les moyens d'améliorer la production agricole.

Ce n'est peut-être pas non plus un hasard si on ne lui connaît aucune passion. On ne lui prête pas de maîtresse. Nul ne sait s'il a vraiment aimé une femme. C'est à peine si l'on entend parler de la sienne, la discrète Marie-Françoise Grimod de la Reynière, fille d'un riche fermier général, qui mourra en se suicidant d'une balle de fusil.

Les plaisirs du corps paraissent donc totalement absents de l'univers de Malesherbes. Cet homme d'étude est plus proche de l'ascétisme des anciens ou des jansénistes de Port-Royal que de l'hédonisme de ses contemporains. Il n'y a chez lui aucun goût des jouissances, aucun narcissisme non plus. Oubli du corps, mais souci de l'âme : il y a du Socrate chez cet homme-là.

Cependant l'ascétisme et la rigueur ne signifiaient point chez lui indifférence au monde extérieur. Ami fidèle, tendre et attentionné pour les siens, Malesherbes, comme Socrate, fut attentif aux autres. Toujours prêt à écouter quiconque voulait le voir ou le solliciter. Malesherbes aimait les hommes et recherchait leur contact. Il disait volontiers n'avoir jamais rencontré un individu, aussi humble fût-il, qui ne lui eût appris quelque chose. Il écoutait avec le même intérêt le vieux jardinier du château de Malesherbes qu'un économiste ou un philosophe.

Malesherbes, auditeur exemplaire de confidences, aimait tout autant divertir son entourage. D'apparence terne, cet homme était, en privé, d'une nature enthousiaste et spontanée. Tous ceux qui l'approchèrent s'accordent à le dire d'une grande gaieté et fort sociable. Grand conteur, on ne se lassait pas de l'écouter. Malesherbes avait toujours en réserve les anecdotes les plus plaisantes. Il était si volubile que les mots se bousculaient sur ses lèvres. Il bredouillait parfois sous l'effet de la passion [2] ou de la timidité comme par exemple au Conseil du Roi lorsqu'il fut ministre en 1775. Ce qui fit dire à certains qu'il avait un défaut de parole. En réalité, c'était là la marque d'un homme toujours insatisfait de lui-même qui se reprend souvent pour mieux trouver le terme exact et affiner sa pensée. Le même trait se retrouve dans ses écrits. Inlassablement, Malesherbes corrige, rature et recommence ses travaux. Grâce à cet amour du mot juste et du beau langage qui caractérise son siècle, Malesherbes nous a laissé des discours publics, les célèbres Remontrances, dont les contemporains louaient à l'envie les qualités littéraires.

Cet esprit fin, dont on recherchait si volontiers la compagnie pour son intelligence et sa gaieté, était doué en outre d'une qualité rare, qui manquait tant à son ami Rousseau : un sens très britannique de l'humour. Contrairement à Socrate, Malesherbes était incapable de la moindre ironie à l'égard de ses semblables. Mais il savait, son célèbre sourire au coin des lèvres, se moquer de soi et faire rire à ses dépens. L'abbé de Veri disait à Maurepas en 1775 : « Si vous voulez connaître ses défauts, demandez-les-lui. Personne n'est plus éloquent ni plus ingénu sur ses propres imperfections. » Pour fonder ses propos, Veri rapportait dans son journal une conversation qui avait eu lieu quelque temps auparavant chez M. Blondel avec Boisgelin, Archevêque d'Aix. On y parlait de ministres :

« — Je vois de plus en plus, dit l'Archevêque, que ce n'est ni par l'esprit, ni par les vertus, ni par les idées supérieures qu'on gouverne bien, mais par le caractère.

— Vous avez bien raison, dit vivement Malesherbes. C'est ce qui fait que je ne serai pas bon ministre [3]. Je n'ai pas de caractère.

— Que dites-vous là? répondit M. Blondel en riant, que vous n'avez point de caractère?

— Non, en vérité, je n'en ai point, répondit-il.

— Je vous vois pourtant tenir ferme dans vos idées quand elles sont fixées.

— Mais il n'est pas sûr, reprit-il promptement, que j'en ai de fixes sur les trois quarts des choses. »

En rapportant ces propos, l'abbé de Veri ne put s'empêcher d'ajouter : « Malgré ces aveux qui ne sont pas dénués de fondement, je le désire pour ministre. »

Il n'y avait là nulle coquetterie de la part de Malesherbes, pas le moindre clin d'œil complice à l'interlocuteur qui ne pouvait s'empêcher de sourire de la justesse du trait. Malesherbes n'avait sincèrement pas une haute idée de lui-même. Bien au contraire, il semblait toujours courir après l'image de la vertu qu'il avait héritée du très rigoriste Chancelier, si exigeant sur le chapitre de la morale et des devoirs.

Peut-être déçu de n'être que ce qu'il était, Malesherbes lutta à sa manière avec les armes de l'humour et de la lucidité. Son dernier trait, à cet égard, est bien révélateur de son caractère. Avant de monter sur la charrette qui l'emmenait vers l'échafaud avec sa fille et sa petite-fille, Malesherbes, vieux et presque aveugle, heurta du pied une pierre. Il faillit tomber. Il murmura alors comme pour lui-même : « Mauvais présage. Un Romain, à ma place, eût rebroussé chemin. »

⁂

Au XIXe siècle, tous les biographes de Malesherbes célébrèrent d'un même cœur les vertus du héros et du martyr. Gommant soigneusement toutes les obscurités et les contradictions du personnage, ils dépeignaient un homme si transparent et simple qu'il en perdait toute profondeur et consistance.

Nul ne sembla s'étonner, par exemple, de certains aspects contradictoires de la carrière politique de Malesherbes. Ainsi comment l'ami de toutes les libertés, qui milita avec tant d'ardeur pour la liberté physique, intellectuelle et religieuse de ses concitoyens a-t-il pu occuper par deux fois des fonctions trop souvent liberticides? Comment le défenseur de la liberté d'écrire supporta-t-il son rôle de Directeur de la Librairie [4], c'est-à-dire de chef de la censure? Pourquoi l'opposant farouche au despotisme et aux lettres de cachet se retrouva-t-il précisément ministre de la Police [5] et... des lettres de cachet?

Janus-Bifons, comme nous tous, le vrai Malesherbes est complexe et difficile à atteindre. Il n'a pas, comme d'autres, les qualités de ses défauts, mais qualités et défauts contradictoires. Ainsi le naïf qu'on se plut à décrire sut utiliser la ruse pour mener à bien les affaires qui lui tenaient à cœur. Le modeste qu'il fut assurément n'était pas toujours dénué de vanité. Enfin, l'homme qui choisit volontairement d'assumer la défense du roi, sachant d'avance les risques encourus, fit preuve en différentes occasions d'indécision, d'absence de caractère et même de pleutrerie.

Les contemporains de Malesherbes se plurent à le décrire comme un naïf au cœur droit. Soulavie écrivait dans ses *Mémoires* : « La naïveté était l'ornement principal de son esprit; on voyait sa pensée et ses sentiments se développer sans étude, sans préméditation, et sans efforts ». Il ajoutait que sa spontanéité et sa naïveté avaient été, à la cour, le sujet des plaisanteries des courtisans qui l'appelaient avec une pointe de condescendance « le bonhomme ». Rousseau qui le connaissait fort bien le décrivit dans ses *Confessions* comme « un homme d'une droiture à toute épreuve ». « Naïf », « simple », « franc », « naturel », tels étaient les adjectifs dont on faisait toujours suivre son nom et qui certainement devaient bien décrire un aspect de sa personnalité.

Mais cela ne disait pas tout du personnage. Sa correspondance, des Mémoires secrets et certaines anecdotes viennent nuancer sinon contredire ce premier portrait. Ils nous apprennent que Malesherbes savait très bien mentir et louvoyer de toutes les façons pour parvenir à ses fins. L'affaire de l'*Encyclopédie* en témoigne. Alors qu'il était Directeur de la Librairie, Malesherbes avait manifesté dès le départ la plus grande sympathie pour le travail de Diderot et de ses collaborateurs. Mais à peine le deuxième volume était-il rédigé, que les jésuites, auxquels le père de Malesherbes était fort lié, se déchaînèrent contre certains articles, jugés hérétiques, de l'ouvrage. Le 7 février 1752, un arrêt du Conseil d'Etat interdisait les deux premiers volumes parus avec des attendus très sévères. L'arrêt défendait d'imprimer, de vendre ou de distribuer le moindre exemplaire sous peine d'une forte amende. Pire encore, Malesherbes avait ordre de faire saisir tous les manuscrits des prochains volumes. La grande entreprise semblait bien compromise. Malesherbes, Directeur de la Librairie, fit avertir Diderot qu'il allait être obligé de le saisir. Voici le récit qu'en fit Mme de Vandeul dans ses mémoires :

« Monsieur de Malesherbes prévint mon père qu'il donnerait le lendemain ordre d'enlever ses papiers et ses cartons.

— Ce que vous m'annoncez là me chagrine terriblement; jamais je n'aurai le temps de déménager mes manuscrits et d'ailleurs il n'est pas facile de trouver en vingt-quatre heures des gens qui veuillent bien s'en charger et chez qui ils soient en sûreté.

— Envoyez-les tous chez moi, répondit M. de Malesherbes, on ne viendra pas les y chercher!

En effet mon père envoya la moitié de son cabinet chez celui qui en ordonnait la visite. »

Les manuscrits furent ainsi sauvés et l'avenir de l'*Encyclopédie* préservé. Malesherbes avait évité le pire, derrière le dos du Chancelier son père, en utilisant les armes de la ruse la plus effrontée. L'homme de loi détournait la loi au profit de la culture. C'était la première fois que Malesherbes prenait parti pour les libertés contre une loi trop oppressive. Cela ne devait pas être la dernière.

Près de vingt-cinq ans plus tard, Malesherbes décida de rédiger des Mémoires en faveur de l'état civil des protestants. A cette occasion encore il fit preuve d'une habileté psychologique et dialectique redoutable pour désarmer les adversaires fanatiques des Huguenots. Sachant que la raison est souvent impuissante contre les préjugés et qu'il ne fallait pas heurter de front l'intolérance, il sut utiliser les chemins les plus détournés pour parvenir à son but. Il feignit de ne pas manifester son opinion et se « contenta d'offrir à ceux qui pouvaient le contredire des faits et des raisonnements qui détruisaient leurs préjugés en feignant de les respecter [6] ». Sa plaidoirie volontairement mesurée emporta l'assentiment d'une grande partie du public et aboutit à l'édit de tolérance. Malesherbes avait gagné cette cause difficile grâce à un art consommé de la persuasion [7] qui n'excluait pas toujours une certaine dissimulation.

Sa modestie était célèbre. Son peu d'ambition aussi. Alors que son ami le Comte de Sarsfield l'exhortait en 1777 à voir l'empereur Joseph II, véritable « despote éclairé » qui voyageait en France et souhaitait le rencontrer, Malesherbes lui fit cette réponse : « ... Je n'ai jamais été un homme public que malgré moi. Pendant que je l'ai été je me suis occupé que de petits objets parce que c'était ceux de mon département... Je ne me suis occupé de rien de grand et de digne de l'attention de l'empereur pendant mon ministère [8]. » Et Malesherbes refusa de quitter sa retraite, pensant que le fait de chercher à être vu et entendu de l'empereur n'était que présomption.

Les anecdotes abondent en ce sens, qui manifestent toutes une véritable horreur du paraître et de l'auto-satisfaction publique. Mais par ailleurs, un autre aspect de Malesherbes se révèle dans certaines pages de sa correspondance [9]. On y découvre un homme fort sensible à l'opinion d'autrui, qui tient par-dessus tout à sa réputation d'intégrité. Certes, Malesherbes a toutes sortes de bonnes raisons pour justifier son attitude. Mais on peut y voir aussi le désir secret de ne pas décevoir le public qui lui fit maintes fois de véritables ovations : ainsi en 1771, dans les rues de Paris, lorsque Président de la Cour des Aides il refusa de se soumettre aux ordres du Roi qui lui interdisait de parler en faveur du Parlement dispersé. En 1775, de nouveau, lors de son élection à l'Académie française, où le public debout l'avait longuement acclamé, comme jadis il avait applaudi Voltaire.

L'opinion éclairée aimait Malesherbes parce qu'il incarnait, à ses yeux, l'opposition au despotisme, la résistance courageuse et désespérée au fameux coup d'Etat de Maupeou. Or Malesherbes ne voulait pour rien au monde compromettre ce capital d'approbation chèrement acquis. C'est pourquoi il résista tant aux propositions ministérielles faites à deux reprises par Turgot. Il craignait de ternir sa réputation en passant de l'opposition au pouvoir, de la critique aux responsabilités. Dans une lettre à M. datée de 1776 [10], Malesherbes avoue qu'il « jouissait avec plaisir » de l'enthousiasme du public. Avec perspicacité, il ajoutait « que ceux qui sont parvenus à ce faîte de gloire ne peuvent descendre sans tomber dans l'humiliation. Je savais que le moyen de m'en faire déchoir était de m'appeler au ministère... ».

Ainsi Malesherbes attribuait à certains proches du Roi, qu'il ne nommait pas, le projet machiavélique de le faire entrer au gouvernement pour le perdre et se défaire d'un opposant redoutable. La démarche était plausible. Mais en l'occurrence seuls ses amis l'avaient appelé au pouvoir. C'était l'abbé de Veri, Maurepas, Turgot qui avaient œuvré en ce sens et convaincu le jeune Roi peu enthousiaste à l'idée de voir entrer « un encyclopédiste » dans sa Maison.

L'anxiété de Malesherbes frôlait ici un sentiment de persécution presque paranoïaque. A moins qu'il n'ait masqué par ces arguments une autre angoisse plus profonde encore : la peur du pouvoir et des responsabilités gouvernementales. Ses pressentiments se révélèrent d'ailleurs exacts. Son passage au ministère de la Maison du Roi fut très décevant. L'opposant qui avait si bien résisté au pouvoir royal se trouvait comme paralysé lorsqu'il lui fallait dire non à un solliciteur. Il avouait lui-même à l'abbé de Veri : « J'ai trop envie, par nature, de trouver que quiconque entre dans mon cabinet a raison. »

Malesherbes fut de ces hommes qui préférèrent l'opposition, aussi risquée soit-elle, aux responsabilités gouvernementales, fussent-elles les plus brillantes. Il percevait comme un piège ce qui n'était que difficultés inhérentes au pouvoir. Il savait bien qu'on ne gouverne pas sans choisir les uns au détriment des autres ni sans trancher dans le vif des intérêts. Que cela ne se fait pas sans brutalité ni une certaine forme de manichéisme. Qu'enfin, nul homme politique n'est à l'abri de la haine et de la rancœur d'une partie de ces concitoyens. Or, Malesherbes aimait qu'on l'aimât et ce n'était pas là la moindre de ses faiblesses. Il souffrait d'une certaine pusillanimité qui stérilisait son action politique.

En août 1774, s'il refuse à Turgot, qui le lui propose, le poste de Garde des sceaux, c'est non seulement parce que, ancien défenseur de la Magistrature, il se croit mal placé pour la remettre en ordre, mais aussi parce qu'il a peur du jugement de ses collègues. Il l'écrit à Turgot : « Je ne veux pas me rendre odieux ni laisser croire un seul instant que j'abandonne par ambition mes principes et mes confrères. » Et pourtant il est aussi le premier à dire et écrire que cette remise en ordre est de toute nécessité.

Un an plus tard, en juin 1775, Malesherbes n'a plus d'aussi bons motifs à opposer aux sollicitations pressantes de ses amis qui le supplient littéralement d'accepter le Ministère de la Maison du Roi. Il a beau alléguer sa répugnance pour de tels postes, proclamer son incapacité aux tâches ministérielles et finir par faire la sourde oreille, ses amis ne désarment pas. Ils vont jusqu'à le réveiller en pleine nuit pour obtenir son consentement. Malesherbes fit preuve alors de la plus grande indécision, donnant sa parole un soir puis la reprenant le lendemain, le tout en proie au plus violent conflit intérieur. La raison lui commandait d'accepter le poste qu'on lui offrait. Il savait bien que Turgot avait besoin de sa présence au gouvernement pour l'appuyer dans sa politique libérale; son refus, n'ayant cette fois aucun prétexte d'honneur ou d'efficacité, serait assimilé à un défaut d'amitié; enfin, ayant sans cesse adjuré le Roi de faire des économies, de supprimer les lettres de cachet et en un mot de libéraliser sa politique, il trouvait là la meilleure occasion de réaliser ses vœux. Mais ses angoisses pesaient d'un poids tout aussi lourd dans la balance, rendant ainsi toute décision impossible. Malesherbes avait peur, peur de déplaire à la jeune Reine qui lui préférait Sartine pour ce poste, peur aussi de ternir son image aux yeux du public [11], peur surtout de se découvrir à lui-même sa propre incapacité à gouverner. Il fallut donc un ordre écrit péremptoire du Roi pour qu'il se résolût enfin à accepter ses nouvelles fonctions.

Cet épisode est révélateur d'un aspect timoré du personnage. Il coïncide mal avec d'autres péripéties de la vie de Malesherbes. Le même qui craignait tant d'affronter l'hostilité de la Reine, quand il avait fallu accepter un poste qu'elle réservait à un autre, fut pourtant celui qui osa accomplir auprès d'elle une mission dont personne ne voulait se charger. Marie-Antoinette soutenait son ami le Comte de Guines, ambassadeur de France à Londres, et s'opposait à son rappel souhaité par Vergennes, Turgot et d'autres ministres. Malesherbes lui-même ministre se dévoua pour parler à la Reine au risque d'encourir un peu plus sa défaveur. A ce propos, il écrivit : « C'est moi qui ai fait la démarche parce qu'il était nécessaire qu'elle fut faite et que je voyais que d'autres ministres évitaient de le faire pour des considérations qui leur sont personnelles. Pour cette même raison, je ne les ai point prévenus, pour ne pas les compromettre. » Le courage fut cette fois récompensé puisque la Reine voulut bien suivre son conseil, sans lui en tenir la moindre rigueur.

C'est à soixante et onze ans, vieux et fatigué, que Malesherbes fit preuve du plus grand caractère, en proposant au Roi prisonnier d'assurer sa défense. En apparence, aucune indécision, ni tergiversation ne précédèrent cette démarche. Du moins nul ne fut témoin de ses débats intérieurs. C'était pourtant le don de sa vie qu'il faisait à un Roi qui ne lui avait jamais manifesté une sympathie excessive. Il est probable qu'une fois encore, ce fut l'image de la vertu paternelle qui fut le moteur de son action. Acte gratuit, puisque nul ne le sollicita pour cette tâche. Le Roi avait demandé assistance à un avocat célèbre, Target, qui avait refusé d'assumer cette défense-là. Tronchet, pressenti à son tour, accepta la mission malgré certaines répugnances.

Selon le témoignage de proches, Malesherbes prit sa décision après le 20 juin 1792. Le 11 décembre, il adressa la lettre qui suit au Président de la Convention par laquelle il se portait volontaire.

« Citoyen-Président,

« J'ignore si la Convention donnera à Louis XVI un Conseil pour le défendre et si elle lui en laissera le choix; dans ce cas, je désire que Louis XVI sache que, s'il me choisit pour cette fonction, je suis prêt à m'y dévouer.

« Je ne vous demande pas de faire part à la Convention de mes offres, car je suis bien éloigné de me croire un personnage assez important pour qu'elle s'occupe de moi. Mais j'ai été appelé deux fois au Conseil de celui qui fut mon maître, dans un temps que cette fonction était ambitionnée de tout le monde : je lui dois le même service lorsque c'est une fonction que bien des gens jugent dangereuse. Si je connaissais un moyen pour lui faire connaître mes dispositions, je ne prendrais pas la liberté de m'adresser à vous. J'ai pensé que dans la place que vous occupez, vous aurez plus de moyens que personne pour lui faire passer cet avis.

« Je suis avec respect, Citoyen-Président,

Lamoignon Malesherbes. »

Louis XVI accepta l'offre spontanée de son ancien ministre [12]. Celui-ci eut à peine 10 jours, avec ses collègues, pour préparer la défense du Roi. Les avocats passèrent leurs journées au Temple et leurs nuits à préparer leur plaidoirie. Plus juridique qu'émouvante, celle-ci fut presque convaincante.

Lors des débats, Malesherbes acheva de se désigner comme la prochaine victime de ce procès. Son attitude manqua à deux reprises de réserve et de prudence. Malesherbes ne défendit pas le Roi du bout des lèvres. Il ne fit pas mine de prendre du recul par rapport à son maître. Il continua, malgré le nouvel usage, d'appeler Louis XVI « Sire » ou « Majesté ». Le député Treilhard qui l'avait entendu cria à l'adresse de Malesherbes : « Qui vous rend si hardi de prononcer ici des mots que la Convention a proscrits? » Malesherbes avait alors répondu : « Mépris pour la vie! » Certains affirment qu'il aurait même ajouté : « Mépris pour vous! »

Après le dépouillement du scrutin et le prononcé de la peine de mort à une très faible majorité [13], les trois avocats reprirent tour à tour la parole. Ils demandèrent qu'on appliquât au Roi les dispositions habituelles de la loi qui exigeaient, pour la condamnation, le nombre de voix égal aux deux tiers des votants. Quand vint le tour de Malesherbes de prendre la parole, les larmes l'empêchèrent de parler. Ce n'était plus qu'un vieil homme qui bafouillait et qui ne put que demander qu'on lui accordât un court délai. A cet instant, Robespierre se leva et déclara qu'il voulait bien pardonner ces larmes versées sur le sort de Louis XVI mais qu'il fallait rejeter la demande de la défense.

Après le procès et la mort du Roi, Malesherbes confiera à un ami [14] : « Le regard de Robespierre me suit partout. J'entends encore le ton dont il m'a dit qu'il voulait bien me pardonner mes larmes. Cet homme doit me haïr beaucoup car il voudrait passer pour vertueux et assurément nous ne le sommes pas de la même manière. On me fatigue beaucoup en me parlant de mon beau dévouement; je n'en vois pas le mérite, mais il en acquerra un peu si la mort en est le témoignage. Si j'avais un fils, je craindrais beaucoup pour lui, mais j'espère qu'on ne me poursuivra pas dans ma fille. »

Malesherbes devinait bien son destin inscrit dans un regard, mais il se trompait dans ses espoirs. C'est chez lui, à Malesherbes, où il s'était réfugié en attendant d'assister la Reine à son procès [15], qu'on vint l'arrêter un jour de décembre 1793 en même temps que sa fille, sa petite-fille et son mari, le frère de Chateaubriand. Détenus quelques mois à la prison de Port-Libre, ils furent exécutés le même jour, le 21 avril 1794, par la même lame.

Personnage contradictoire, s'il en fut, Malesherbes se laisse mal définir d'une phrase. L'homme qui tremblait de déplaire à une toute jeune Reine n'avait pas hésité, deux fois dans sa vie, à combattre sans défaillance des pouvoirs autrement plus puissants et menaçants. Une première fois, en 1771, il avait farouchement résisté au pouvoir absolu et défendu la cause du peuple auprès du Roi. Son action lui avait valu de longues années d'exil. Plus de vingt ans plus tard, on retrouvait le même homme dans l'enceinte de la Convention, toujours en position d'avocat. Malesherbes défendait cette fois la vie du Roi auprès du tribunal du peuple. Une fois encore il était du côté des vaincus contre la puissance du moment. Cette attitude en apparence contradictoire obéissait pourtant à une certaine cohérence. Malesherbes était un défenseur né, obsédé par le souci de la dignité humaine. Indigné par l'état des prisons, hostile aux lettres de cachet et à la peine de mort, il fut l'un des hommes les plus sensibles de son siècle aux fameux Droits de l'Homme. Et pour Malesherbes, le Roi était moins le symbole de la royauté qu'un homme qu'il fallait défendre. En outre, cet homme, il le rappelait dans sa lettre du 11 décembre, avait été son maître. La fidélité, mais surtout l'honneur, lui commandaient d'être là encore à ses côtés. La noblesse, selon lui, ne gisait que dans ces vertus. Peut-être était-ce à ses yeux l'ultime moyen de prouver que son ordre était toujours debout. Le vieil homme en mourut, comme il l'avait pressenti.

Mais cette mort donnait à la vie de cet intellectuel son unité et sa signification. Il avait toujours préféré prendre sur lui-même plutôt que sur les autres. A l'heure de l'épreuve, c'est lui-même qu'il sacrifia à la défense d'un autre. Ce choix ultime éclaire un destin.

NOTES

1. Malesherbes fit ses études au Collège des Jésuites Louis-le-Grand, véritable pépinière des meilleurs esprits du siècle.

2. Dans ses *Mémoires Secrets,* Bertrand de Molleville le décrivait ainsi : « Sa tête était pleine d'idées, d'anecdotes, de connaissances en tout genre, et sa vivacité en causait seule le désordre. Sa conversation pouvait se comparer au mouvement irrégulier et perpétuel d'une liqueur bouillante. »

3. Quelques semaines plus tard, le 21 juillet 1775, Malesherbes acceptera, contre son gré, le poste de secrétaire d'Etat à la Maison du Roi.

4. La tâche du Directeur de la Librairie consistait à accorder ou refuser à un ouvrage la permission de la publication. Pour chaque livre, il devait nommer les censeurs, veiller à ce qu'ils accomplissent honnêtement leur tâche, enfin attribuer à bon escient les diverses autorisations de paraître : privilèges, permissions scellées, permissions tacites.

5. Le Secrétaire d'Etat de la Maison du Roi avait d'importants pouvoirs de police et d'administration. Ses fonctions étaient très proches de celles de l'actuel Ministre de l'intérieur.

6. Notice historique de Lamoignon Malesherbes.

7. Séduit par ce talent, Louis XVI voulut lui confier une cause plus difficile encore. Le jour même où le Conseil accorda l'état-civil aux protestants, le 17 novembre 1787, le Roi dit à Malesherbes : « Monsieur de Malesherbes, vous vous êtes fait protestant; moi maintenant je vous fais juif : occupez-vous d'eux. » Malesherbes accepta cette tâche, mais n'eut pas le temps de la mener à bien. Le problème juif ne sera réglé que par la Révolution.

8. Malesherbes avait été secrétaire de la Maison du Roi de 1775 à 1776.

9. Publiée en partie par P. Grosclaude dans *Malesherbes et son Temps.*

10. *Malesherbes et son Temps,* p. 105.

11. Il écrivit à Turgot : « Vous me faites entrer aujourd'hui (au gouvernement) pour être chassé demain... avec humiliation. »

12. Malesherbes et Tronchet décidèrent le 17 décembre

de s'adjoindre un jeune et brillant avocat bordelais, Romain de Sèze.

13. 366 députés votèrent la mort sans condition; 319 la détention; 36 la mort conditionnelle; 28 furent absents ou ne votèrent pas.

14. Ch. Lacretelle : *Histoire de la Révolution,* tome V.

15. Début septembre, Malesherbes demanda à être le conseil de Marie-Antoinette. On lui opposa un refus et on ne voulut même pas lui donner un passeport pour Paris.

CHAPITRE I

LE PRÉSIDENT ET SA COUR

1. LA COUR DES AIDES

Malesherbes laissa dans l'histoire le souvenir du défenseur exemplaire qui assista Louis XVI lors de son procès. D'autres se rappellent encore le rôle important qu'il joua à la tête de la Librairie. Mais peu gardent de lui l'image même qu'en avaient ses contemporains, celle du haut magistrat, le premier président de la Cour des Aides.

Juridiction souveraine, la Cour des Aides avait été établie pour statuer sur le contentieux en matière d'impôts. Ses attributions et son statut définitif ne se précisèrent qu'au cours d'une longue évolution. Il fallut presque un siècle de transformations successives pour que cette Cour prît les traits de celle que dirigea Malesherbes. Les tâtonnements qui présidèrent à sa création sont largement dus à l'ambiguïté et l'imprécision de la notion d'impôts qui régnait alors. Ambiguïté dont on retrouve les traces jusque dans les remontrances écrites par Malesherbes.

Longtemps les impôts furent considérés comme une « Aide » volontairement consentie au Roi par ses sujets. Aide toute provisoire qui ne pouvait être levée sans l'autorisation de l'Assemblée des Etats Généraux. C'est seulement à partir de 1360-1370 que le consentement donné une fois par les Etats Généraux fut tacitement reconduit sans nouvelle convocation de l'Assemblée et qu'une aide fut levée sans autorisation explicite. Cette exception ne fit pas loi. Il faudra attendre encore longtemps pour que s'impose l'idée d'un impôt définitif.

Puisque les « Aides » étaient en principe et demeurèrent près d'un siècle essentiellement provisoires, la Monarchie ne pouvait guère songer à établir, pour connaître le contentieux de ces aides, une Cour qui fût définitive. L'ordonnance du 28 décembre 1355 ne constitue donc qu'un lointain acte de naissance de cette Cour. Elle avait bien institué des Aides pour pallier les nécessités de la guerre. Mais celles-ci, prévues pour un an, devaient cesser avec les hostilités. Cependant, et c'est là la lointaine filiation avec notre Cour des Aides, l'ordonnance prévoyait également que ces aides seraient levées et administrées par des représentants des Etats Généraux. Ces représentants, nommés pour un an, furent appelés « Députés particuliers » ou « Généraux des Aides ». Ils avaient pour fonction essentielle d'empêcher les fraudes, les vols et les abus qui accompagnaient les levées d'argent. Leurs attributions étaient multiples et presque illimitées : à la fois administratives, disciplinaires et judiciaires.

Peu à peu, contrairement à ce que l'on pensait sous Charles V ou Charles VI, les aides gagnèrent en durée et l'idée se forma d'instituer pour elles un tribunal permanent. Dupont-Ferrier [1] suppose que cette première Cour des Aides apparut dès 1370. Mais pendant vingt ans, la Cour des Aides fonctionna de façon très intermittente selon que les aides étaient votées ou supprimées. En 1380, fait suffisamment exceptionnel pour être souligné, le roi Charles V lui-même, sur le point de mourir, supprima les aides. La Cour fut donc mise en sommeil.

C'est en 1390 que la Cour des Aides fut définitivement constituée, avec la double mission de garder le Roi contre les fraudes et de protéger le peuple contre les excès de la perception. La spécialisation des « Généraux des Aides » esquissée par Charles V (1370) et précisée par Charles VI (avril 1390) fut expressément décrétée par Charles VII en 1425. Désormais ils appartiendront soit à la justice, soit à l'administration des Aides. Ainsi les deux fonctions judiciaires et administratives tendront de plus en plus à se séparer.

Malgré les avatars qu'elle subit tout au long du règne de Louis XI, la Cour des Aides ne sera plus mise en question. Au contraire, elle sera décentralisée aux quatre coins de France, en raison des mauvais moyens de communication et de circulation. Dès le début du XVe siècle, la Cour des Aides de Paris, dont relevaient toutes les finances extraordinaires du royaume, parut incapable de faire face aux nombreuses fraudes et abus qui avaient lieu sur tout le territoire. Les Généraux des Aides surmenés par leurs chevauchées à travers les élections demandaient grâce. Charles VI décida donc de créer une sorte de « filiale » de la Cour des Aides de Paris en 1409 pour le Languedoc et la Guyenne avant même de les doter d'un Parlement. En 1450 il fit de même en Normandie, un demi-siècle avant de la gratifier elle aussi d'un Parlement. Que la lignée provinciale des Cours des Aides ait précédé celle des Parlements suffit à montrer leur importance judiciaire. Mais il faut aussi en apprécier les conséquences politiques : grâce à cette « régionalisation » administrative, la centralisation qui s'accentuait alors pouvait sembler moins pesante aux populations.

A la fin du XVe siècle, soixante-treize élections dépendaient encore de la Cour des Aides de Paris. C'était trop. Le XVIe siècle créa donc de nouvelles Cours des Aides. Cependant, la Cour des Aides de Paris conserva toujours sa primauté et son prestige. Elle demeura leur doyenne et les autres, ses filiales. Charles VI insista sur ce point dans des lettres patentes de 1437. Les filiales, insista-t-il, devaient agir à l'instar de la Cour dont elles étaient un démembrement. Cette précision est nécessaire pour mieux comprendre les polémiques violentes qui opposèrent, dans la deuxième moitié du XVIIIe siècle, les Cours souveraines au pouvoir royal sur le thème de la théorie des classes [2].

Au XVIe siècle, et jusqu'à sa suppression en 1791, la Cour des Aides, nullement orientée vers la technique financière [3], devient un organe exclusivement judiciaire. Elle a alors une double compétence. D'une part, elle enregistre, après le Parlement, les édits relatifs aux finances extraordinaires (taille, gabelle, Aides, et plus tard le vingtième et la capitation). Et son droit de vérification et d'enregistrement s'accompagne, comme pour le Parlement, du droit de remontrances [4]. D'autre part, et c'est là l'essentiel de son travail quotidien, la Cour des Aides est juridiction d'appel pour tous les procès jugés en première instance par les administrateurs des finances extraordinaires : élections, greniers à sel, maîtres des ports et bureaux des traites. Elle doit statuer sur les délits commis par les officiers, les refus de paiement, la contrebande, etc. La Cour des Aides doit donc constamment trancher les litiges qui opposent ceux qui sont imposables, les plus défavorisés, le peuple, et les agents ou officiers de l'administration royale ainsi que les fermiers et leurs commis. Par cette voie aussi en protégeant les uns ou favorisant les autres, la Cour des Aides prend des décisions politiques qui dépassent largement le simple cadre juridique. Sous la présidence de Malesherbes, la Cour des Aides pencha du côté du peuple. Les décisions et les remontrances de cette période en témoignent. On y juge beaucoup plus sévèrement les exactions des fermiers, les abus des officiers et des subdélégués de l'intendant, que les fraudes des contrebandiers.

Bien placée par ses fonctions pour constater les vexations quotidiennes, le despotisme et l'arbitraire des agents de l'Etat jusqu'au dernier échelon de la hiérarchie, la Cour des Aides de Malesherbes a choisi son camp. Elle s'érige en défenseur de la cause du peuple. Cette attitude est plus nette chez elle que chez les autres Cours et notamment le Parlement de Paris qui la coiffe en quelque sorte lors de l'enregistrement des édits. Comment s'en étonner quand on compare le personnel de l'une et l'autre de ces Cours? D'une façon générale, les conseillers à la Cour des Aides sont d'origine plus modestes que les membres du Parlement. Venant de la petite noblesse et plus généralement de ce qu'on appellerait aujourd'hui la bonne bourgeoisie, les conseillers, certes annoblis par leur charge, n'ont pas dans leurs rangs [5], comme le Parlement de Paris, les grands seigneurs qui formaient jadis la Cour des Pairs. Si on examine la liste des conseillers qui siégèrent à la Cour durant la présidence de Malesherbes, on peut être surpris de n'y trouver aucun des grands noms de l'aristocratie française. Les Lamoignon ne sont que l'exception qui confirme la règle. Il est vrai que le titre et la charge de conseiller à la Cour des Aides étaient moins prestigieux et moins profitables que ceux du Parlement. Seuls les privilèges fiscaux étaient à peu près communs aux membres des deux Cours. Cette différence de condition explique en partie les différences d'attitude d'une Cour à l'autre. Car si la Cour des Aides ne fut pas exempte de réflexes de classe, notamment quand il s'agissait de défendre ses privilèges fiscaux, elle se comporta souvent de manière moins égoïste et conservatrice que le Parlement de Paris.

2. L'ACTION COMMUNE DE MALESHERBES ET DE LA COUR DES AIDES

Une constatation s'impose : la Cour des Aides est peu connue, pour ne pas dire ignorée de nos contemporains. Les historiens de l'ancien régime gardent d'elle le souvenir d'une Cour, non point inactive, mais modeste et plutôt calme. Pendant plusieurs siècles, elle joue effectivement les seconds rôles auprès du Parlement. Elle ne sort de sa réserve que durant la dernière période de son histoire de 1756 à 1775. Car elle entend prendre part au conflit qui oppose le Roi et ses Parlements et qui se terminera comme on le sait, par l'anéantissement des deux adversaires. C'est donc sous la présidence de Malesherbes, pendant près de vingt ans, que la Cour des Aides va faire entendre une voix originale qui a la faveur du public. Pourquoi cette apparition tardive de la Cour des Aides sur la scène politique française? Pourquoi, à l'inverse, n'entend-on plus guère parler d'elle après 1775? C'est à peine si l'on connaît le nom du successeur de Malesherbes, Barentin [6].

Pour comprendre le rôle politique éphémère, mais

important, joué par la Cour des Aides, il faut tenir compte de la conjonction de plusieurs facteurs. La situation économique et politique particulièrement difficile favorisait l'intervention de la Cour des Aides. La personnalité de Malesherbes lui donna vie, éclat et prestige. L'entente très étroite qui régnait entre la Cour et son président fut un élément déterminant de l'apparition de la Cour des Aides sur la scène politique. Malesherbes n'a joué un grand rôle politique que parce qu'il fut président d'une Cour souveraine qui faisait toujours bloc avec lui. C'est sa fonction de grand magistrat qui le rendit populaire et le fit redouter du pouvoir. A l'inverse, la Cour des Aides gagna la faveur du public parce qu'elle apparaissait à ses yeux sous les traits de Malesherbes dont on admirait le courage et l'intégrité. Chacun servit l'autre. Grâce à la Cour des Aides, Malesherbes personnifia mieux que quiconque la résistance de la magistrature à l'arbitraire gouvernemental. Grâce à Malesherbes, la Cour des Aides devint un centre névralgique de l'opposition au pouvoir absolu. Comme subjuguée par son président, elle le suivit dans toutes ses démarches, même si çà et là elle redoutait certaines audaces de Malesherbes. A plusieurs reprises, le président dut peser de toute son autorité pour faire accepter telle ou telle nouveauté fiscale par sa Cour. Il en fut ainsi, par exemple, pour qu'elle entérine les nouveaux essais de taille tarifiée dans la généralité de Paris. Mais ces faits mineurs n'entamèrent jamais la bonne entente entre le président et sa Cour, ni leur accord dans leur opposition au pouvoir autoritaire. Les épreuves mêmes ne compromirent pas cette solidarité profonde en présence des événements qui commandèrent l'action publique de la Cour des Aides.

a) *Les raisons économiques et fiscales*

Parmi les causes de cette action figurent au premier chef une situation économique alarmante et une politique fiscale incohérente et injuste. La guerre de sept ans (1756-1763) accentua et révéla une crise économique qui couvait depuis longtemps sans que le public ni les Cours n'en aient eu réellement conscience. La raison de cette ignorance était le secret absolu qui entourait la gestion financière de l'état monarchique. Nul ne connaissait le chiffre exact des charges annuelles de l'Etat et l'emploi des impôts levés sur le peuple. Le mystère soigneusement entretenu par le Roi et son contrôleur général permettait l'augmentation discrétionnaire du produit des impôts ainsi que leur affectation comme bon leur semblait. L'idée de rendre des comptes et de fournir des justifications était tout simplement insupportable au Roi. Louis XV eut d'ailleurs l'occasion, à plusieurs reprises durant son règne, d'exprimer son exaspération à ce sujet. Il le fit à chaque fois sur le ton autoritaire et méprisant qu'il adoptait quand il sentait son pouvoir contesté. Mais le voile jeté sur les dépenses publiques était une arme à double tranchant. Par cette ignorance soigneusement entretenue, le public croyait le Roi beaucoup plus riche qu'il ne l'était en réalité. Cette illusion rendait plus cruelle encore l'aggravation des impôts et la violation répétée des engagements. Et plus incompréhensible la multiplication des emprunts. Les Français qui ne savent et ne comprennent rien de leur fiscalité ne payent plus sans murmurer. Scandalisés par les prodigalités et gaspillages de la cour qu'ils constatent, ils se persuadent qu'une meilleure administration mettrait fin aux dilapidations de la cour, aux bénéfices jugés scandaleux des traitants et parviendrait aisément à balancer les recettes et les dépenses.

Dès la deuxième moitié du XVIIIe siècle, le Parlement et la Cour des Aides de Paris se font un devoir de traduire le mécontentement de l'opinion publique. Pendant quinze ans, ils protestent contre presque tous les édits créant de nouveaux impôts ou augmentant les anciens. L'esprit d'opposition avait trouvé là son meilleur prétexte. La défectueuse organisation fiscale lui servit d'aliment et justifia désormais ses critiques.

La Cour des Aides, de par ses fonctions, était donc la mieux placée pour mener le combat et soutenir l'opposition. Encore fallait-il qu'elle eût ce courage et une voix talentueuse par l'intermédiaire de laquelle s'exprimer! La réalité financière était cependant très différente des supputations populaires. Le déficit était tellement important que les économies les plus rigoureuses n'auraient pas suffi à réduire l'écart entre les revenus et les charges du trésor. Dès 1756, les recettes de l'Etat (253 millions de livres) étaient déjà fort inférieures aux dépenses (près de 320 millions de livres). Ce déficit fut considérablement aggravé par la guerre de sept ans (1756-1763) menée par la France contre l'Angleterre et la Prusse. Cette guerre fut la source de plusieurs sérieuses difficultés intérieures car elle ne put être soutenue qu'en augmentant démesurément les charges du budget. Pendant le temps que durèrent les hostilités, le déficit dépassa certaines années le chiffre de deux cents millions de livres et les défaites successives irritèrent un peu plus la nation déjà fort mécontente. Malgré sa puissance économique et militaire, la France n'était pas en état de supporter les dépenses d'une guerre. La Monarchie en s'engageant vingt ans plus tard dans la guerre d'Indépendance des Etats-Unis ne se relèvera pas de cette nouvelle épreuve financière.

Manquant de crédit le Roi accabla le peuple d'impôts. Tous les contrôleurs généraux qui se succédèrent de 1756 à 1769 pensaient en effet que les frais occasionnés par la guerre devaient être couverts par le produit de taxes extraordinaires. Mais ils continuèrent de les lever, contrairement à l'usage, même après la fin des hostilités. Sans rentrer dans le détail de tous les impôts levés durant cette période, notons quelques-unes des étapes de cette escalade fiscale : le premier vingtième créé par Machault en 1749 fut doublé en 1756 et triplé en 1760. En 1758 un don gratuit extraordinaire fut levé sur les villes, bourgs et seigneuries du royaume. En 1759, le bail des Fermes Générales fut modifié d'autorité. Les nouveaux droits exigés sur les objets de consommation soulevèrent d'ailleurs une opposition unanime. En 1760 on double la capitation des non-taillables, mesure qui touche, entre autres, directement les magistrats. Deux ans plus tard on augmente la taille et en 1763 on élève les droits sur le sel et les droits d'entrée à Paris.

Cependant en septembre 1759, le déficit annuel était estimé à 217 millions. L'Etat était acculé à la faillite. Il suspendit pour un an le remboursement de toutes les sommes, ce qui créa de grosses perturbations dans les affaires et ne facilita pas les emprunts qu'il était pourtant obligé de contracter. L'exaspération des populations fut profonde. Elle s'accrut d'année en année en voyant les impositions, décrétées temporaires durant la guerre, prorogées jusqu'en 1767 [7]. Certains n'oubliaient pas non plus l'échec de Silhouette pour taxer les objets de luxe. Bien sûr un tel impôt n'eut pas résolu les problèmes du trésor. Mais il aurait eu valeur de symbole au moment où les gaspillages de la cour faisaient de plus en plus figure d'insulte à la misère publique.

Déjà hostiles à l'accroissement des impôts et aux emprunts lors de la déclaration de guerre en 1756, les Cours Souveraines prirent ostensiblement la défense des contribuables. Dès 1759, les Remontrances modifièrent certains de leurs thèmes et utilisèrent un nouveau vocabulaire. On parle à présent de « violences contraires aux droits de la Nation », ce qui a pour effet d'alerter l'opinion publique. On commence à se demander si effectivement la Nation n'a pas de droits, à tout le moins en matière d'impôts. C'est le moment choisi par la Cour des Aides pour se lancer dans une vigoureuse contestation de la fiscalité qui verra son apogée dans les dernières Remontrances de 1775. La critique politique s'ensuivra naturellement.

Dès 1759, la Cour des Aides se livre à la discussion approfondie du système des impositions et adopte en septembre des Remontrances qui font déjà figure de réquisitoires. Elle affirme que les Français sont d'autant plus imposés qu'ils sont plus misérables. Elle déplore les exemptions et le régime de faveur à l'égard des puissants qui se traduisent par un surcroît de charges pour les autres. Elle constate enfin que l'inégalité en matière d'impôts se double d'injustice et vexations intolérables à l'égard des plus faibles. C'est l'occasion pour la Cour des Aides d'entamer le procès du mode de perception des impôts « plus ruineux que les impôts eux-mêmes ». Formule excessive mais qui fera fortune. En conclusion, elle réclame des impositions fixes, proportionnelles et uniformes pour rendre plus juste la répartition, soustraire les malheureux aux vexations et à la tyrannie des collecteurs, et diminuer les frais énormes de la régie. C'était déjà tout un programme, note Gomel[8], que l'Assemblée constituante devait s'approprier plus tard.

Ces Remontrances venant du corps le plus qualifié en matière fiscale ne restèrent pas sans effet. Elles furent remarquées de l'opinion éclairée et contribuèrent notablement à déconsidérer le système des impositions. Le Roi comprit la menace que constituaient de telles critiques. Il y répondit en 1760 par une lettre autoritaire en des termes qui annoncent le futur Discours de la Flagellation.

La paix signée en 1763, la Cour des Aides récidive ses critiques contre les édits prorogeant les impôts extraordinaires. Ignorante, comme l'ensemble des Français, de la situation réelle des finances, elle s'attendait elle aussi à des dégrèvements d'impôts et non des prorogations. Les Remontrances de juillet 1763 firent le procès des principaux impôts existants (taille, vingtième, capitation) et condamna sans appel leurs poids excessifs. Constatant l'épuisement de l'Etat, Malesherbes affirmait qu'il était impossible de lever de nouveaux impôts sur ce peuple exsangue. La seule issue pour le Roi, disait-il, serait la transformation profonde de la manière de lever et répartir les impôts. Mais, une fois de plus, le Roi resta sourd aux conseils de sa Cour, comme à ceux de toutes les autres, et répondit par les arrêts cassants de septembre 1763.

L'opinion éclairée se rangea du côté de la Cour des Aides. Les Parlements de province stimulés par elle renchérirent dans le même sens. Applaudies par maintes brochures qui reprennent leurs arguments, soutenues par les philosophes et les économistes, les Cours comprennent que leur combat est enfin franchement populaire. Elles montent progressivement le ton et acèrent leurs critiques. Elles tiennent là leur meilleure arme dans la bataille qu'elles entendent mener contre la monarchie absolue.

b) *Les principes de la contestation fiscale*

La contestation fiscale de la Cour des Aides s'organise autour de trois thèmes essentiels : une théorie de l'impôt héritée du Moyen Age et rectifiée par Montesquieu; une remise en question du nombre et de l'inégalité des impôts empruntée aux Physiocrates; enfin, une critique sévère du mode de perception des impôts que Malesherbes et sa Cour déduisent de leur pratique quotidienne. Tout ceci débouche naturellement sur la critique politique de l'administration royale.

La théorie de l'impôt qui sous-tend les Remontrances de la Cour des Aides et la pensée de Malesherbes repose sur deux principes. Le premier, fort ancien, affirme que les impôts ne peuvent être levés sans le consentement du peuple réuni en Etats Généraux. Le second, que les impôts ne devraient jamais dépasser les besoins de l'Etat.

Le vote de l'impôt était donc tenu pour un droit imprescriptible de la nation. Ce droit d'accorder ou refuser « l'aide » au Roi avait une double origine, économique et morale. Au départ les revenus du domaine de la couronne et les aides féodales suffisaient aux besoins de l'Etat. Mais à mesure que les charges augmentèrent, le Roi, notamment quand il faisait la guerre, fut obligé de demander aux Etats de l'aider. Ceux-ci avaient le sentiment de faire une offrande gratuite et comprenaient mal la nécessité sociale des impôts et le devoir de la puissance publique. L'idée que la protection et la conservation des droits des particuliers, liberté et propriété, ne pouvait s'effectuer qu'en sacrifiant une partie de ces mêmes droits, resta longtemps étrangère à la mentalité de nos ancêtres et à la morale de l'époque. La théorie des droits naturels énoncée par Aristote et reprise par saint Thomas affirmait en effet que la propriété était un droit imprescriptible de l'individu. Par conséquent, nul ne pouvait prendre le bien d'autrui sans son autorisation. Les impôts ne pouvaient donc être exigés contre le gré des propriétaires sous peine de commettre un vol. Cette idée que l'impôt est un don volontaire de l'individu qu'on ne peut en aucun cas lui extorquer de force persista plus ou moins implicitement jusqu'à la Révolution Française. On la retrouve, bien qu'atténuée, sous la plume de Malesherbes dans les Remontrances de la Cour des Aides. En 1763 il rappelle que « les peuples étaient autrefois consultés pour la levée de nouveaux impôts par l'organe des Etats Généraux ». Et, sur un ton feutré, recommande au Roi en 1768 de prendre au moins l'avis de ses Cours en l'absence des Etats Généraux, avant d'établir des impôts. En 1770 encore, Malesherbes défend énergiquement le droit d'enregistrement des lois bursales au nom du « droit primitif de la nation de s'imposer elle-même ».

Le second principe de la théorie fiscale adoptée par la Cour des Aides assure que les impôts ne devraient jamais dépasser les besoins de l'Etat. Cette deuxième idée, largement développée par Montesquieu [9] atténue le sentiment primitif national antagoniste aux impôts en les définissant comme un mal nécessaire. Ils sont, dit Montesquieu, « une portion que chaque citoyen donne de son bien pour avoir la sûreté de l'autre ou pour en jouir agréablement ». Mais les nécessités de l'Etat ne se limitent pas à la sauvegarde de la propriété et liberté privée. Montesquieu inclut aussi celles qui résultent de la création et du fonctionnement des grands services publics. Après avoir défini l'impôt, Montesquieu pose ainsi la grande règle qui doit présider à son établissement et à ses limites : « Pour bien fixer ces revenus, il faut avoir égard et aux nécessités de l'Etat et aux nécessités des citoyens. Il ne faut prendre au peuple sur ces besoins réels pour des besoins de l'Etat imaginaires. » Le critère de distinction entre besoins réels et besoins imaginaires était difficile à établir. Mais qui ne pensait en ce milieu du XVIIIe aux prodigalités, au luxe et au gaspillage de la Cour? Malesherbes, adepte de cette théorie, dit bien haut ce que d'autres se contentaient de murmurer. Dans les Remontrances de 1775 il fait l'éloge du vertueux Louis XII qui, « malgré sa passion pour la guerre ne se crut jamais permis d'employer les moyens qui auraient été onéreux à ses sujets... qui eut le courage de s'exposer aux reproches d'avarice de ses courtisans parce qu'il savait que si l'économie d'un Roi peut être censurée par quelques hommes frivoles ou avides, sa prodigalité fait couler les larmes d'une nation entière ». Malesherbes rappelle très directement au jeune Louis XVI que la gloire de ses ancêtres est encore payée par les générations présentes. Leur « magnificence et libéralité ont fait créer les impôts et les dettes qui existent encore aujourd'hui ».

Comme Montesquieu, Malesherbes pense qu'on doit d'abord déterminer la somme totale que le Roi veut percevoir sur son peuple. Que cette somme ne doit jamais dépasser les besoins réels de l'Etat. Qu'enfin, les revenus publics se mesurent non pas à ce que le peuple *peut* donner mais à ce qu'il *doit* donner. Malesherbes, comme Montesquieu, est farouchement hostile à toute indétermination de l'impôt. En 1775 Malesherbes dira au Roi « qu'une imposition réelle dont la somme totale n'est pas fixée est une injustice commise envers la nation ». En vertu de ce principe de la détermination de l'impôt Malesherbes et avec lui toutes les Cours souveraines furent foncièrement opposées à l'impôt indéfini sur le revenu. Depuis 1756 ils poursuivirent ensemble le but de transformer l'impôt de quotité en impôt de répartition ce qui avait, à leurs yeux, l'avantage d'éliminer en partie le risque d'arbitraire de l'administration.

La théorie de l'impôt consenti et limité conduisit Malesherbes et la Cour des Aides à la remise en question de la diversité et de l'inégalité des impôts. Ce deuxième thème de la contestation de la Cour des Aides est proche des théories physiocratiques dont Malesherbes était familier sans se compter cependant parmi les membres de cette école.

L'idée de l'impôt unique n'était pas complètement nouvelle. On la trouve déjà sous la plume de Locke, avant d'être introduite en France par le Marquis d'Argenson. Mais c'est surtout grâce aux physiocrates et particulièrement à Mirabeau père que l'idée connut, vers les années 1760, un succès considérable dans notre pays. L'originalité des Economistes consistait à réclamer un impôt unique qui fût direct et prélevé sur les produits nets des terres. Promoteurs de la réforme mise en œuvre en 1789 de l'égalité devant l'impôt, ils rejetaient exemptions et privilèges. Leur popularité tenait à deux propositions : la simplicité de l'impôt unique et l'égalité devant cet impôt. En demandant que les impositions soient rendues moins accablantes pour les contribuables, ils avaient renforcé l'attention sur l'injustice et l'arbitraire de celles-ci.

Nul ne peut affirmer que Malesherbes et la Cour des Aides allèrent aussi loin que les Physiocrates. Dans aucune des Remontrances, rédigées par Malesherbes, on ne trouve la nette revendication de l'impôt unique. Nulle part non plus celle de l'abolition de tous les privilèges fiscaux. Enfin, Malesherbes, plus proche de Gournay que du reste de l'école, ne reprit jamais l'idée d'un impôt pesant exclusivement sur la terre.

D'une façon générale on ne peut pas dire que les Cours soutinrent franchement la cause des non-privilégiés. Ils réclamaient certes la diminution des droits de consommation, l'amélioration de la taille, mais jamais l'égalité de tous les citoyens devant l'impôt. Malesherbes sur ce point ne fit pas exception. On pourrait d'ailleurs se demander s'il ne fut pas freiné par sa Cour plus prudente et conservatrice que lui. Mais sans aller jusqu'à réclamer l'égalité de tous, il sut néanmoins mener le combat contre le poids excessif des impôts trop inégaux pour être justifiables. La taille, dont le contentieux relevait uniquement de la compétence de la Cour des Aides, et la corvée illustraient cette inégalité insupportable. On était bien, suivant l'expression populaire, taillable et corvéable à merci selon les hasards de la naissance. Ces impôts n'étant levés que sur les personnes et biens roturiers, le clergé, la noblesse et officiers supérieurs et financiers en étaient exemptés. Finalement, seuls les plus pauvres devaient payer non seulement la taille, mais ses accessoires, les taxes additionnelles établies sous différents prétextes [10]. En juilet 1768, Malesherbes stigmatise cet impôt détesté comme « le plus dur... supporté par les citoyens les plus pauvres et les plus utiles ».

Dans un même esprit de plus grande justice fiscale, Malesherbes soutint en 1776 le projet de Turgot de remplacer la corvée royale par un impôt payable par tous. Il fut le seul magistrat de renom à lutter pour un tel changement. Il est vrai qu'il avait quitté alors la Cour des Aides depuis un an. Il y consacra un mémoire entier dont l'argumentation était simple mais audacieuse. Elle reposait tout entière sur l'idée de justice : il était juste que l'impôt ne pèse plus entièrement sur une seule catégorie sociale : les démunis qui ne possèdent pour la plupart que leurs bras comme source de revenus. C'était là un langage neuf sous la plume d'un homme de robe et l'expression d'un désintéressement suffisamment rare pour être remarqué.

D'autre part, si la Cour des Aides n'expose nulle part, dans les Remontrances, la théorie de l'impôt unique, elle prend souvent parti pour la diminution et la simplicité des impôts [11]. Les préférences économiques de Malesherbes n'y furent pas étrangères. Pour le comprendre, il faut se souvenir qu'il fut directeur de la Librairie, fonction qu'il assuma pendant une quinzaine d'années, en même temps que celle de président à la Cour des Aides. En 1760, il donna un appui décisif au Marquis de Mirabeau pour que puisse être publié son célèbre ouvrage *la Théorie de l'impôt* relançant la théorie de l'impôt unique. L'ouvrage imprimé et diffusé sans être revêtu d'aucune permission publique ni tacite avait assurément bénéficié de la bénédiction secrète de Malesherbes. Ceci nous renseigne assez bien sur les relations que Malesherbes entretenait avec Mirabeau et sur ses bonnes dispositions à l'égard de son livre. On connaît d'autre part les nombreuses amitiés de Malesherbes dans le milieu des économistes. Grand admirateur de Gournay, Intendant du commerce, ami de jeunesse de Turgot, Malesherbes ne fut pas insensible à un certain nombre de leurs idées : le rejet des impôts indirects et de la Ferme générale, le libéralisme et la suppression des douanes intérieures. Autant de réformes qui, si elles avaient été accomplies, auraient notablement diminué le nombre des impôts.

*
**

Le dernier grand thème de la contestation menée par Malesherbes et la Cour des Aides concerne le mode de perception des impôts. Il ne s'agit plus là de théories économiques mais de pratique fiscale. Ce troisième chef d'accusation est tout entier né de la réalité quotidienne de la levée des taxes. Ce thème en apparence le plus bénin est peut-être le plus important parce qu'il touche la vie de la majorité des Français. Le peuple qui ne comprend même pas la nécessité de l'impôt est excédé par les vexations et les injustices répétées des petits commis. On peut même affirmer qu'il ne voit que ces dernières sans considération pour les besoins réels de l'Etat.

La Cour des Aides qui devait juger les litiges opposant les agents de l'administration aux contribuables était la mieux à même pour juger de la réalité fiscale et des vices de la perception. Mieux que quiconque elle sut dénoncer l'arbitraire qui présidait aux évaluations des rôles, à la répartition de l'impôt et à la forme de leur levée.

Reprenons un instant le cas de la taille et voyons comment s'opérait sa répartition et sa levée. Après avoir décidé, chaque année, du montant global du brevet de la taille, le conseil du Roi envoyait des lettres patentes aux intendants de chaque généralité leur ordonnant de procéder à la répartition de la taille entre les paroisses et les communautés de chacune des élections. Celle-ci était entièrement discrétionnaire. Inégale entre les généralités, la répartition était aussi inégale entre les paroisses, à la merci de l'autorité des personnes puissantes de la paroisse. La répartition individuelle était évidemment la plus durement ressentie. Il fallait d'abord évaluer les revenus de chaque taillable et dresser les rôles. Cette série d'opérations était exécutée à tour de rôle par les propriétaires eux-mêmes : on les appelait les collecteurs. Ceux-ci, souvent totalement illettrés et brutaux, opéraient au gré de leurs préférences et inimitiés, favorisant les amis et les collecteurs de demain et frappant à outrance ceux réputés solvables. Obligés de respecter les taxes d'office, véritables faveurs profitant à un certain nombre de taillables, les collecteurs étaient déclarés responsables de l'acquittement total de l'impôt. En vertu du principe des contraintes solidaires, en cas de non-payement du montant total de la taille (par suite de l'insolvabilité des collecteurs ou autres motifs), les principaux habitants de la paroisse étaient alors contraints solidairement de parfaire l'impôt. De là s'ensuivaient des haines et des accusations mutuelles, des procès interminables et des difficultés inextricables pour l'administration.

Comme dans les pays de taille personnelle, la capitation des taillables se levait sur les mêmes rôles que la taille, on retrouvait là encore les mêmes problèmes et les mêmes sujets de mécontentement.

La perception du vingtième n'était pas plus brillante. La répartition des rôles par les contrôleurs de l'intendant était tout aussi arbitraire. En dépit des réclamations réitérées de la Cour des Aides, le contentieux de cet impôt relevait principalement de l'intendant. Résultat : les contribuables, dans l'impossibilité de faire accueillir leurs réclamations se sentaient dans la dépendance des préposés. Les tentatives de fraudes particulièrement importantes entraînaient une inquisition des collecteurs plus odieuse encore. Ces hommes peu instruits, ignorants des réalités locales, eurent recours systématiquement à l'espionnage et à la délation. La Cour des Aides de Malesherbes ne cessa jusqu'aux Remontrances de 1775 de dénoncer ces procédés et de réclamer la fixité des rôles du vingtième. Dès juin 1761, la Cour des Aides s'élève contre la clandestinité de l'établissement des rôles du vingtième. Elle demande qu'ils fussent déposés au greffe des élections et communiqués aux intéressés. Elle laissait entendre que si l'administration tenait secrets les rôles c'était pour mieux dissimuler la masse des injustices et erreurs qu'elle commettait.

Partant de cette constatation que le secret et la clandestinité favorisent l'arbitraire et l'injustice, la Cour des Aides portait la critique sur un autre terrain. Tout naturellement, de la critique des commis au dernier échelon de l'administration, elle passait à celle des intendants et des fermiers, puis à celle de leurs patrons communs, le Conseil des Finances du Roi. C'était s'en prendre aux pouvoirs exhorbitants du Contrôleur général, et même si elle le niait aux pouvoirs du Roi. La contestation fiscale débouchait sur une critique politique : les structures de l'Etat monarchique absolu étaient implicitement mises en question.

C'est Malesherbes qui inaugura dès 1756 le grand combat des Cours contre les sentences du Conseil du Roi. Celui-ci jugeait bien, en dernier recours, les réclamations des particuliers contre les agents du fisc. Et cela de deux façons : d'une part, en créant des tribunaux administratifs sous la toute-puissance de l'intendant; d'autre part, en évoquant ou cassant les arrêts rendus par la Cour des Aides. Malesherbes n'aura de cesse de démasquer l'hypocrisie et l'inutilité de tout recours devant le Conseil du Roi. Car le Conseil, disait-il, n'est qu'une fiction. Il n'est jamais réuni pour juger d'une réclamation. C'est en réalité le Contrôleur général, assisté de l'intendant des finances dont les services sont mis en cause, qui prend la décision dans la solitude de son cabinet. Plus lucide encore, Malesherbes montre que le Contrôleur général ayant d'autres préoccupations prend les décisions que son intendant lui souffle. En général, toute réclamation au Contrôleur d'un particulier passait par l'intermédiaire de son intendant qui y joignait un rapport où il présentait les faits de manière à motiver le rejet de la pétition. Ainsi c'était celui dont on se plaignait qui décidait de votre sort. En juin 1761, la Cour des Aides passe franchement à l'attaque : « Ces appels des ordonnances des commissaires départis au Conseil de votre majesté ne sont jamais jugés que par un seul homme ». Un peu plus loin, elle conclut : « Quelle que soit la forme d'un gouvernement, chaque citoyen doit avoir un recours contre l'injustice; et ce recours devient inutile si l'auteur de l'injustice est le seul dépositaire de la pièce qui peut la prouver. »

Malesherbes adhère tout à fait aux théories de Montesquieu qui affirmait qu' « il y a par la nature des choses une espèce de contradiction entre le conseil du monarque et ses tribunaux [12] ». Contestant, pour les raisons évoquées, le principe d'une justice administrative, il affirmait en août 1770 : « Les ministres n'ont point de juridiction contentieuse et leurs bureaux ne sont pas des tribunaux ».

Ces critiques n'atteignaient pas seulement le « Conseil » des finances, mais à travers lui, tout l'appareil étatique mis en place depuis 1661 par la réforme de Colbert. Cette réforme avait achevé de centraliser tous les pouvoirs dans les mains du Roi et de ses ministres. On se souvient que par cette réforme, Colbert avait notablement diminué les pouvoirs financiers du Chancelier en lui ôtant la désignation et la direction principale des intendants. Dès cet instant, la Monarchie administrative se développa non plus à partir du département de la justice mais de celui des finances. L'esprit d'administration allait concurrencer l'esprit de justice qui avait jusqu'alors inspiré la royauté. La gestion administrative devait l'emporter, et pour longtemps, sur la justice. C'était le début de la longue histoire du centralisme administratif.

Malesherbes et sa Cour prirent conscience, bien avant d'autres, des dangers d'une situation qu'on qualifierait aujourd'hui de « bureaucratique ». Ils pesèrent la menace d'un tel pouvoir pour les libertés individuelles, la dénoncèrent haut et fort pendant près de vingt ans, suggérant çà et là des mesures anti-centralisatrices. Ils furent vite entendus de l'opinion car chacun, dans sa vie quotidienne, avait eu affaire à l'administration. Les Remontrances de la Cour des Aides contribuèrent ainsi à cristalliser un mécontentement diffus des contribuables. Grâce à cette offensive, l'opinion prenait conscience d'une part du défaut de garantie juridictionnelle en matière de contentieux administratif et d'autre part de l'irresponsabilité du personnel de l'administration. Les intendants, véritables représentants du Roi, dans leur généralité, n'en furent que plus détestés. Mais à travers eux on visait maintenant le « despotisme ministériel ». Du despotisme ministériel au despotisme royal tout court, il n'y avait qu'un seul pas. Malesherbes et sa Cour le franchirent.

c) *Les raisons politiques*

Les raisons économiques et fiscales furent sans aucun doute, dès 1750, les principales sources de conflit entre les Cours et le pouvoir. Elles donnèrent l'occasion renouvelée de remettre en cause la Monarchie absolue. Mais elles étaient surtout le symptôme d'un vice et d'une incertitude constitutionnelle. Car à travers l'impôt, ou « aide » du peuple, c'est tout le problème des droits de la nation qui se posait. Par conséquent, le droit de veto des Cours qui disaient la représenter en l'absence des Etats Généraux.

Deux droits coutumiers s'opposaient dans cette affaire. La coutume moyenâgeuse du libre octroi de l'impôt qui reconnaissait aux Etats Généraux le droit de le refuser. La coutume instaurée au XVIIe siècle, par une sorte de coup de force insensible, de ne plus consulter les Etats Généraux. Le Roi se contentait de faire enregistrer par ses officiers des Cours souveraines tous les édits ayant trait aux impôts — celles-ci n'ayant à l'origine et en principe ni droit de veto ni pouvoir pour représenter le peuple.

Puisque coutume faisait droit, on objectait souvent que la dernière était la bonne et que la première avait progressivement disparu sous le poids grandissant de la seconde. Mais c'était oublier que les Etats Généraux n'avaient jamais été officiellement supprimés. Bien au contraire, ils étaient souvent évoqués, avec nostalgie par les uns, avec crainte de les voir ressurgir chez les autres. Ainsi en 1756, le marquis d'Argenson, qui observait l'opposition croissante des Cours, notait dans ses mémoires qu'elle conduisait « tout net à l'assemblée des Etats Généraux du royaume ».

Il ne s'agit pas ici de trancher une question de droit, d'analyser les différentes lois (dites fondamentales, essentielles ou générales) du royaume pour conclure à la légitimité de l'une ou l'autre des causes. Mais il convient d'observer que l'absence des Etats Généraux permit l'émergence successive de deux forces, pouvoir absolu et corps judiciaire qui ne tarderont pas à entrer en conflit. De voir par quels processus la Monarchie absolue engendra sa propre opposition. D'analyser enfin quelle part la Cour des Aides prit à ce combat et l'originalité de ses positions par rapport aux autres corps.

Les derniers Etats Généraux avaient été réunis en 1614 à la demande de la régente Marie de Médicis. On garda le souvenir de querelles infinies entre les trois ordres. Mais l'on retint surtout leur prétention à être un pouvoir constituant. Ils furent vite dissous au nom du Roi. Dès lors les monarques successifs, qui avaient seuls pouvoir pour les convoquer, omirent tout simplement de le faire. Les Etats Généraux tombèrent donc en désuétude, moins par l'effet de la coutume que par la volonté du Roi. La Monarchie entendait ainsi asseoir son pouvoir absolu à l'abri de tout contrôle. Le Roi pouvait affirmer que l'Etat et lui ne faisaient qu'un. Il n'y avait plus aucun pouvoir intermédiaire ou représentatif pour venir troubler cette unité idéale entre le Roi et son peuple.

Cependant, si l'unité fut si souvent proclamée par ces monarques successifs, n'était-ce point qu'elle n'allait pas si facilement de soi? A deux reprises, Louis XV prit brutalement la parole pour fustiger toutes les tentatives de contestation du dogme de l'unité. Une première fois le 3 mars 1766 : ce fut le discours bien nommé de la flagellation. On entendit le vice-chancelier Maupeou parlant au nom du

Roi, rappeler : « Comme s'il était permis d'oublier que c'est en ma personne seule que réside la puissance souveraine... que l'ordre public tout entier émane de moi, que j'en suis le gardien suprême; *que mon peuple n'est qu'un avec moi et que les droits et les intérêts de la nation, dont on ose faire un corps séparé du monarque* [13], sont nécessairement unis avec les miens et ne reposent qu'en mes mains. » A qui s'adressait-il? Au Parlement de Paris et à travers lui à toutes les Cours souveraines.

Ce rappel des principes de la Monarchie absolue n'avait pas suffi. Les Cours firent la sourde oreille. Le même Maupeou, cette fois Chancelier, revint une dernière fois à la charge avant la dissolution du Parlement, dans le préambule de l'édit de décembre 1770 : « Nous voulons rappeler à nos Cours les principes dont elles ne doivent jamais s'écarter : *nous ne tenons notre couronne que de Dieu; le droit de faire des lois,* par lesquelles nos sujets doivent être conduits et gouvernés, *nous appartient à nous seul* [14], sans dépendance et sans partage. »

Ce qui est rappelé est la très importante théorie de l'origine divine du pouvoir que les Cours d'ailleurs n'ont jamais ouvertement contestée. Elles feindront de l'admettre dans sa totalité, en bloc, mais s'arrangeront discrètement pour la grignoter peu à peu.

Cette théorie d'origine scolastique repose sur le principe augustinien selon lequel tout pouvoir, et donc toute souveraineté, viennent de Dieu. En conférant au Souverain son pouvoir, Dieu lui accorde en partie ses propres facultés. Rappelons-nous Leibnitz dans *la Cause de Dieu* énumérant les attributs divins : omnipotence, omniscience, toute bonté. Ne sont-ce pas là les mêmes propriétés dont se pare le Roi? Il dit aimer son peuple (toute bonté); savoir mieux que lui-même ce qui lui convient (omniscience); être le seul à pouvoir exaucer ses vœux (omnipotence). Il est le bon père, le pasteur de son peuple, troupeau d'enfants...

Les Cours n'ont jamais ouvertement remis en cause la bonté et la toute-puissance du monarque. Bien au contraire, elles ne se lassent pas de les rappeler dans leurs Remontrances. Elles s'étendent d'autant plus volontiers sur ces vertus qu'elles commencent à discuter le troisième attribut royal, son omniscience. Le Roi, disent-elles, peut être victime d'amnésie, de surdité ou d'aveuglement. Pour chacune de ces déficiences, les corps politiques se proposent comme remède, montrant ainsi leur importance et même leur nécessité politique.

Il peut en effet arriver que le Roi « oublie » certaines lois fondamentales ou positives. Les corps politiques, dépositaires de ces lois sauront lui rendre la mémoire. Le remède est donc emprunté à Montesquieu qui avait repris et développé la théorie du dépôt des lois vieille de deux siècles. Ecoutons-le : « Le dépôt des lois ne peut être que dans les corps politiques qui annoncent les lois quand elles sont faites et *les rappellent quand on les oublie*. L'ignorance naturelle à la noblesse, son inattention, son mépris pour le gouvernement civil exigent qu'il y ait un corps qui fasse sans cesse *sortir les lois de la poussière où elles seraient ensevelies* [15] ».

D'autre part, le Roi, disent les Cours, peut être soit aveuglé, soit rendu sourd. Non par égarement personnel, partialité ou égoïsme. Mais parce qu'on peut lui troubler la vue d'une mauvaise lumière ou faire autour de lui un brouhaha qui assourdisse les murmures, les paroles et même les cris du peuple.

Qui donc fausse la vue ou l'ouïe du Roi, sinon ceux qui ont intérêt à le faire. Son administration d'abord qui agit en son nom et l'informe en retour des problèmes locaux. Or, cette administration aux ramifications tentaculaires bloque l'information à son profit et dissimule au Roi la réalité de son pays. Cette administration censée représenter le Roi auprès de son peuple, être le Roi lui-même, fait en vérité office d'obstacle et de barrage : miroir opaque qui déforme le réel. De même, la cour et les puissants en général forment une enceinte autour du Roi. Enceinte bruyante qui atténue et même annule les rumeurs extérieures à Versailles. Le Roi peut croire dans son cabinet de travail que la France silencieuse est heureuse.

Tous les Parlements et la Cour des Aides en particulier développent couramment le thème de l'information tronquée. Que de fois ne lit-on pas dans leurs Remontrances : « Sa Majesté ne voit pas que... On cache au Roi... ». Ces propos, parfois injustes à l'égard de l'administration, sont néanmoins souvent vrais. Ceci permet aux Cours de revendiquer le statut de corps intermédiaire entre le Roi et son peuple. Officiellement non pas pour constituer un pouvoir à côté du pouvoir royal, mais pour faire office d'informateurs : informer le peuple des volontés royales et faire connaître au Roi les besoins du peuple. Ils se veulent en quelque sorte « ministres de l'information » ou « porte-voix du peuple ».

Si l'omniscience du Roi est mise en défaut par ceux à qui profite son ignorance, les Cours ont, quant à elles, beau jeu d'accuser cette déficience. Il était habile de commencer par là, sans jamais démentir la toute bonté du Roi, ni directement sa puissance, ce qui aurait été dangereux et peut-être mal entendu de l'opinion. Que le Roi se trompe faute d'information n'est pas un mal. Tout au plus une erreur, bien excusable quand tant de gens participent à cette entreprise de tromperie. Sa bonté et son amour pour le peuple sont donc saufs. Les apparences de soumission également.

Mais le prétexte est donné aux Cours de prétendre au statut d'intermédiaires que l'absence des Etats Généraux avait fait officiellement disparaître. Elles ont beau jeu de proclamer les Etats Généraux seuls authentiques représentants de la nation. En attendant le jour lointain de leur convocation, et faute de mieux disent-elles, elles se pensent et s'affirment « courroies de transmission » entre le monarque et les sujets. Darigrand, l'un des leurs, peut écrire en 1763, sûr d'exprimer leur pensée : « Actuellement la nation n'a plus que vous... Veut-on faire taire cet unique organe [16]? »

Mais le statut de pouvoir intermédiaire est équivoque et déborde la condition d'informateur. Montesquieu, dont les Cours s'inspirent ici largement, parle des « pouvoirs intermédiaires, subordonnés et dépendants, *canaux* moyens par où coule la puissance... dont le prince est la source [17] ». En apparence un monarque tout-puissant auquel les Cours sont subordonnées. La réalité est différente quand on analyse le mot « canaux ». Montesquieu, par ce terme, utilise le modèle mécanique qui fit fortune au XVIIe siècle. Descartes et avec lui les Iatromécaniciens [18] ne parlaient-ils pas souvent de canaux? Et notamment quand ils voulaient décrire les veines du corps humain. On peut tenter la comparaison des veines et des Cours souveraines. Les unes véhiculent le sang dans l'organe biologique, les autres disent transmettre l'information dans le corps social. Deux organes qui ne doivent leur survie qu'à des canaux. Comme le sang, l'information doit circuler et irriguer tous les organes qui renvoient à leur tour l'information. En revendiquant le statut de canaux, les Cours cherchaient, sans le dire, à s'approprier une immense puissance. Car qui contrôle l'information détient bientôt le pouvoir.

En s'attaquant par des moyens détournés au dogme de l'omniscience royale, la Magistrature mettait aussi en péril une autre vérité établie : celle de l'omnipotence du Roi. Dans l'optique des Cours souveraines, il allait de soi que la toute-puissance est vaine quand elle est mal informée. Nuisible, pour ne pas dire maléfique pour ceux sur qui elle s'exerce. Un pas encore et le troisième dogme, la toute bonté, que l'on ne contestait pas au Roi, allait, à son tour, basculer dans l'inutilité.

L'absence des Etats Généraux permit donc successivement d'asseoir la Monarchie absolue et de rendre plausibles par la suite les prétentions des Cours à partager le pouvoir sinon à se l'approprier. Cette absence profitait aux deux parties également. Ce qui explique le peu d'empressement de la plupart des Parlements avant les années 80 à réclamer la convocation des Etats Généraux.

Les Cours, prétendant *représenter* la nation dans le consentement aux impôts « dans l'intervalle » des Etats, si ceux-ci étaient réunis, elles eussent dû leur remettre le pouvoir national de consentir à ces lois. Quand enfin elles réclamèrent les Etats Généraux en 1787, elles prirent soin d'accommoder les usages. Refusant d'abdiquer leur propre droit de vérifier les lois, y compris les lois fiscales, elles décidèrent que les Etats Généraux à venir statueraient pour les impôts perpétuels et qu'elles décideraient des taxes urgentes et limitées. Objectivement les Etats Généraux ne pouvaient que gêner les prétentions des Parlements puisque ceux-ci n'avaient pas hésité à s'emparer de toutes les prérogatives de ceux-là. C'est ici qu'il nous faut revenir à la politique de la Cour des Aides et particulièrement aux options de Malesherbes qui prit ses distances à l'égard des Parlements.

***

Malesherbes et les parlementaires firent bien un bout de chemin ensemble. Mais leurs voies se croisèrent et s'éloignèrent insensiblement. La solidarité dont la Cour des Aides fit preuve courageusement à l'égard du Parlement en 1771 a, trop souvent, masqué les différences de point de vue entre les deux corps.

La Cour des Aides et les Parlements étaient bien d'accord pour revendiquer la fonction de « dépositaires des lois », souscrire ensemble au titre « d'intermédiaire » entre le Roi et le peuple, et aux rôles « d'organes » de la nation. Mais là s'arrêtaient les aspirations de la Cour des Aides. Elles n'ont jamais, sous l'égide de Malesherbes, prétendu représenter le peuple et se substituer aux Etats Généraux. Bien au contraire, Malesherbes est le tout premier président d'une Cour souveraine à réclamer la convocation des Etats Généraux dès 1761. Sa position sur ce point est très originale et fort en avance sur son temps. Cette idée, à laquelle n'aurait pas souscrit Montesquieu, n'avait en 1761 ni la faveur des Parlements ni le soutien des économistes physiocrates. L'opinion publique elle-même ne l'entendit pas de suite. Il réitéra cette demande à plusieurs reprises de 1761 à 1775, notamment dans les Remontrances de 1763 où il « supplie le Roi de bien vouloir écouter ses peuples eux-mêmes par la voix de leurs députés dans une convocation des Etats Généraux du royaume ».

Cette constante réclamation de Malesherbes montre qu'à ses yeux sa Cour, ni aucune autre, n'avait reçu mandat pour parler au nom du peuple. Malesherbes a souvent dit que le peuple devait s'exprimer lui-même et directement. Il semblait se méfier des intermédiaires qui pouvaient bien à leur tour faire obstacle à la parole du peuple. Un passage de son mémoire sur les Corvées (1776) est fort révélateur de cette méfiance. Malesherbes y conseillait à Turgot de passer outre les objections des parlementaires atteints dans leurs privilèges fiscaux. Son argument en dit long sur la représentativité des parlementaires : « Ceci est un procès entre les riches et les pauvres. Or, de qui le Parlement est-il composé? De gens riches par comparaison avec le peuple et tous nobles puisque leurs charges donnent la noblesse... Des grands de l'Etat dont le plus grand nombre a des terres qui payeront l'imposition et ne payaient pas la corvée. »

La position de Malesherbes est donc claire. Les Cours ont raison de vouloir être les médiateurs entre le Roi et son peuple, mais dans l'attente d'Etats Généraux de la nation qu'elles doivent appeler de leurs vœux. Nul autre n'a qualité pour parler au nom du peuple et les Cours doivent savoir qu'elles ne remplissent cette fonction que momentanément et faute de mieux. Les Parlements avaient tendance à oublier l'aspect provisoire de leurs fonctions. Dans ce pays privé d'assemblées délibérantes, ils s'étaient, en vertu d'usages séculaires, arrogés le droit de parler au nom de la nation avec le soutien de l'opinion publique.

Lorsque Malesherbes redemanda formellement la convocation des Etats Généraux dans les dernières Remontrances du 6 mai 1775 son cri ne fut pas entendu de tous. Il n'existait pas encore de sérieux mouvements d'opinion en ce sens. Depuis plus d'un siècle et demi que les Etats ne s'étaient pas assemblés, rares étaient ceux qui envisageaient la possibilité de les réunir dans un délai relativement rapproché. De plus, régnait la conviction qu'un Roi tel que Louis XV ne consentirait pas à entrer en relations avec les représentants des trois ordres de la nation. Lorsque le jeune Louis XVI accéda au trône, le peuple mettait tous ses espoirs en sa « bonté » et lui faisait confiance pour faire progresser le pays. Il fallut d'amères déceptions, succédant aux premières illusions, pour amener, une quinzaine d'années plus tard, le vœu général d'un recours aux Etats Généraux.

Cet aspect de la politique de la Cour des Aides est révélateur de son originalité. Apparemment plus docile que le Parlement de Paris, la Cour des Aides ne s'est jamais manifestée par des grèves, cessations de services ou insolences à l'égard du pouvoir. Malesherbes était respectueux de la Monarchie, comme son père le Chancelier. Et même lorsque son opposition s'intensifiera après la disgrâce de son père, Malesherbes, qui dira de rudes et cruelles vérités au Roi, n'utilisera jamais les différents procédés de chantage des Parlementaires.

Mais cette résistance, apparemment plus feutrée de la Cour des Aides, dissimulait peut-être une opposition plus corrosive, efficace et crédible que celle des Parlements. Les deux corps politiques visèrent bien la même cible : le pouvoir absolu. Mais leurs motivations n'étaient pas les mêmes. Les Parlements plaidaient trop souvent pour affermir les pouvoirs de leur corps. La Cour des Aides plaidait pour le peuple.

Lorsque Malesherbes revendiquait les droits de la nation, ce n'était pas là plaidoyer *pro domo*.

L'opinion éclairée le savait et accordait au président de la Cour des Aides un crédit qu'elle ne lui retira jamais. Lorsqu'il dénonçait les abus de pouvoir, les dénis de justice, on savait bien entendre le défenseur des libertés publiques et individuelles.

Ces combats lui valurent la haine des ministres, la méfiance du Roi et l'amour du public. Jamais, avant lui, n'avait-on osé réclamer avec tant d'insistance contre les actes arbitraires qui violèrent ces libertés. On avait bien vu, rapporte Boissy d'Anglas, les Parlements se plaindre de l'emprisonnement ou de l'exil de quelques-uns de leurs membres et adresser au Roi des Remontrances indignées. Mais il n'était pas encore arrivé que la liberté d'un simple citoyen fût l'objet de la sollicitude des magistrats.

Malesherbes donna l'exemple et fit de l'affaire Monnerat le procès exemplaire de l'injustice et des atteintes aux libertés individuelles. Monnerat, marchand forain de Limoges, avait été arrêté sous inculpation de contrebande. Il passa vingt mois dans les fosses et cachots de Bicêtre, sans jamais pouvoir s'expliquer sur son innocence. Quand celle-ci fut reconnue il intenta, devant la Cour des Aides, un procès à la Ferme Générale demandant des dommages et intérêts. L'abbé Terray, prouvant ainsi la collusion entre l'administration et les financiers, fit évoquer l'affaire au Conseil. Monnerat fut arrêté de nouveau. La Cour des Aides s'obstina, malgré les arrêts d'évocation et de cassation, à garder connaissance de l'affaire et fit arrêter le Fermier Général qui avait obtenu, contre Monnerat, une lettre de cachet. Elle présenta à deux reprises de violentes Remontrances contre les droits d'évocation et de cassation employés constamment en faveur des Fermiers Généraux et leurs commis. Ce conflit brutal entre la Cour des Aides et le Contrôleur général

Terray ne sera pas étranger à la dissolution de cette Cour un an plus tard.

Mais l'affaire Monnerat avait été l'occasion de rendre publiques des pratiques liberticides laissées dans l'ombre des cabinets de l'administration. En partant des procédés arbitraires dont les préposés de la Ferme Générale procédaient contre ceux qu'ils suspectaient de fraude, Malesherbes élargissait son propos et visait l'administration dans son ensemble. Il rappelait les droits imprescriptibles de tout individu, notamment celui de n'être jamais condamné avant d'être entendu, de se plaindre quand on avait été victime d'une injustice. Enfin, il stigmatisait des procédés dont personne ne semblait mesurer le danger pour les libertés : délation, lettres de cachet, détention illégale, tortures dans les prisons, conditions inhumaines de détention.

Le modeste Monnerat était une figure exemplaire des libertés bafouées, puisqu'on lui avait refusé jusqu'à la liberté de se plaindre. Mais son cas était aussi d'une grande banalité. Ils étaient nombreux ceux qui devaient se taire et se soumettre. Ce fut le grand mérite de Malesherbes de s'intéresser à ceux qui ne rencontraient qu'indifférence. Son honneur fut d'avoir plaidé la cause de la liberté, lui qui n'en manquait pas.

Le trait qui marque le mieux la distance qui séparait Malesherbes de la cause de la Magistrature est peut-être l'opinion qu'il avait d'elle. Il l'exprima à plusieurs reprises, toujours en privé, pour ne pas nuire au corps auquel il appartenait. Il faisait essentiellement deux reproches aux magistrats. D'abord d'être plus sensibles à leurs intérêts de corps qu'à ceux du peuple. D'essayer ensuite de s'emparer d'un statut et d'un pouvoir qui ne leur appartenaient plus.

Opposition intéressée, préjugés de classe? Nul ne pouvait plus en douter après les avoir vu s'opposer aux édits libératoires supprimant corvée, jurandes et corporations. Necker n'avait pas tort de noter dans son Mémoire Secret de 1778 que l'opposition des Cours aux impositions était d'autant plus vive qu'elles les touchaient plus directement. C'est ainsi que les Parlements se déchaînèrent en 1763 devant la tentative du ministre pour établir le centième denier sur les immeubles fictifs, c'est-à-dire entre autres sur les offices. Qu'ils réclamèrent vigoureusement contre la double capitation qui touchait personnellement les membres des Cours. Mais il serait injuste de s'en tenir là. Les Parlements luttèrent contre toutes les formes de fiscalités, y compris celles qui ne les atteignaient pas directement. Leur opposition, même intéressée, était l'unique recours de la nation, son seul organe de protestation. L'opinion publique leur était profondément acquise. Reconnaissante quand ils parlaient du peuple, même s'ils ne parlaient pas toujours pour lui. Malesherbes, conscient de ce fait, écrivait en 1772 : « Il est fâcheux de voir abattre une puissance quelque illégitime qu'elle fût, lorsqu'elle servait de barrière au despotisme. »

Puissance nécessaire pour s'opposer au despotisme, les Parlements outrepassaient leurs droits. Profitant de leur popularité grandissante, ils voulaient dominer l'administration et avoir droit de veto à l'égard de la politique royale. Sans mandat pour le faire, ils entendaient disposer à leur gré des « propositions » du Roi. En un mot constituer un pouvoir autonome aristocratique et non se limiter au simple rôle « d'organes » du peuple.

Malesherbes lucide à l'égard des ambitions parlementaires écrivait non sans ironie : « Dans le temps que j'avertissais qu'en réservant exclusivement aux Parlements, comme on l'a fait depuis deux siècles, la fonction de stipuler les droits du peuple, on avait établi une aristocratie parlementaire, je parlais contre les corps dans lesquels ma famille... occupe depuis longtemps les premières places. »

En un temps où cette politique était bien dépassée, le 22 novembre 1790, Malesherbes fit le point sur sa position passée, dans une lettre à son ami Boissy d'Anglas :

« Si j'ai quelques droits à l'estime publique, c'est pour avoir été le défenseur des droits du peuple dans un temps où ce rôle ne conduisait pas, comme à présent, à devenir une des puissances de l'Etat; c'est pour avoir combattu, le plus fortement que j'ai pu, le despotisme ministériel, lorsque, par ma position, je pouvais aspirer aux faveurs du Roi... on m'a rendu justice que... je n'avais jamais été mêlé aux attaques publiques et aux négociations secrètes. On m'a su gré particulièrement de ce qu'étant magistrat, je n'ai jamais réclamé pour la magistrature aucune prérogative qui pût faire ombrage aux autres citoyens... De ce qu'en revendiquant pour les Cours de justice la prérogative de porter aux souverains les plaintes du peuple, j'ai toujours observé que cette éminente fonction n'était réservée aux magistrats que parce que la nation n'avait pas de représentants [19] choisis par elle... »

NOTES

1. *Les Origines et le premier siècle de la Chambre ou Cour des Aides de Paris.*

2. Cette théorie affirmait que tous les parlements de province étaient naturellement, « organiquement » liés au Parlement de Paris. Ils disaient ne former qu'un seul corps et une seule classe. De leur côté, les Cours des Aides revendiquaient ces mêmes liens entre elles. Si bien que si l'une des Cours entrait en conflit avec le gouvernement, toutes ses Cours-sœurs se solidarisaient avec elle. Cette théorie faisait donc peser sur le pouvoir la menace d'une grève générale de ses officiers-magistrats.

3. La technique financière relevait de la compétence de la Chambre des Comptes, aussi ancienne que le Parlement de Paris puisque les délégués aux comptes étaient pris dans le personnel de la Curia Regis. Elle était chargée de vérifier les comptes des agents financiers et de trancher, sous l'autorité du Roi, tous les incidents et litiges que soulevait cette vérification.

4. Par la voie des remontrances, la fonction judiciaire de la Cour des Aides allait, grâce à Malesherbes, et comme le Parlement, se transformer en rôle politique.

5. Mémoires de Dionis de Séjoris. Elles donnent un aperçu du milieu social des conseillers à la Cour des Aides de Paris :

— 25 % : fils d'officiers de la Cour des Aides;

— 24 % : fils de titulaires de charges inférieures de judicature et finance;

— 13 % : fils de seigneurs vivant de leur terre;

— 12 % : fils de secrétaires du Roi et de la Maison et Couronne de France;

— 14 % : fils de pères exerçant des professions libérales.

6. Barentin : futur garde des sceaux de Louis XVI, nommé à ce poste en septembre 1788, en remplacement du cousin de Malesherbes, Lamoignon.

7. Date de prorogation du second vingtième.

8. Historien des causes financières de la Révolution française.

9. Dans l'*Esprit des Lois* (I, XIII).

10. Elles entraient pour un tiers dans le total de la contribution exigée des taillables. Pendant longtemps il n'y eut qu'un seul brevet de taille. Mais en 1767, on imagina d'émettre deux brevets : l'un applicable au principal de la

taille, l'autre aux accessoires. Le montant du premier fut bien rendu immuable. Mais celui du deuxième resta variable selon les besoins du trésor.

11. Malesherbes reprochait à la multiplicité des impôts de revenir trop cher au peuple imposé. Jusqu'en 1775, il dénonça l'armée de commis et autres collecteurs qui vivaient aux frais des contribuables. Darigrand estima à 200 000 le nombre des hommes nécessaires à cette tâche. Par opposition l'impôt unique paraissait beaucoup moins onéreux pour le peuple et plus avantageux pour l'Etat.

12. *Esprit des Lois*, I, livre I, ch. VI.

13. Souligné par nous.

14. Souligné par nous.

15. *Esprit des Lois,* II, ch. IV.

16. Epître au Parlement de France.

17. *Esprit des Lois,* II, ch. IV.

18. Système médical qui ramenait toutes les forces vitales à des actions mécaniques.

19. Dans la même lettre, Malesherbes notait un peu plus loin : « Dans le temps où il fut aisé de prévoir qu'il allait y avoir une convocation d'Etats Généraux, j'ai averti le Roi que l'ancienne forme des Etats ne devait pas subsister, parce qu'elle introduirait une aristocratie également funeste à lui et au reste de la nation... Celle de la Noblesse et du Clergé qui, au fond, sont le même corps. »

CHAPITRE II

LES REMONTRANCES DE 1771 ET 1775

Selon l'*Encyclopédie* la remontrance « est l'action de remontrer ou représenter quelque chose à quelqu'un ». Le terme n'implique ni nuance péjorative, ni connotation morale. Remontrance ne signifie pas réprimande ou semonce, mais « montrer à nouveau » à quelqu'un qui a mal vu ou mal compris.

Les Cours souveraines avaient la liberté de faire des remontrances au Roi lorsqu'elles trouvaient quelques difficultés sur les ordonnances, édits ou déclarations qui leur étaient envoyés pour être enregistrés. Avant de procéder à l'enregistrement elles vérifiaient que les textes ne comportaient ni abus, ni inconvénient, c'est-à-dire rien qui puisse contrevenir aux lois essentielles du royaume. Mais ce droit de remontrance n'entraînait aucun droit de véto à l'égard des dispositions royales. La Remontrance était un simple conseil que le Roi pouvait ne pas suivre. Les Cours pouvaient insister auprès du Roi en lui présentant les itératives remontrances. Mais si le Roi persistait encore dans son projet, les Cours devaient se soumettre et procéder à l'enregistrement. Les Remontrances ne pouvaient donc en aucun cas mettre un obstacle infranchissable à sa volonté.

Le droit de remontrance était considéré par les Rois comme un acte gratuit de bienveillance et de tolérance envers leurs sujets, un hommage à la justice et à la raison. Mais le Monarque de droit divin se méfiait de cet usage qui semblait remettre en cause son omniscience. Louis XIV, par la déclaration de 1673, sut annuler les effets d'un tel usage sans supprimer la nécessité de l'enregistrement ni le droit de remontrances. L'hypocrisie était à son comble. On feignait de respecter les formes. Mais les droits des Parlements étaient vidés de leur substance.

Le système de l'enregistrement préalable instituait que les Parlements devaient enregistrer immédiatement, sans réserves ni modifications, l'édit qui leur était adressé. Ils pouvaient présenter au Roi des remontrances dans un délai très court. Mais quelle que fût la réponse, il leur était défendu de les renouveler. C'était donc rendre illusoires les remontrances, puisqu'elles n'intervenaient qu'après l'enregistrement accompli.

Les Cours ne recouvrèrent leurs droits anciens quant à l'enregistrement et aux remontrances qu'à la mort de Louis XIV. Elles les obtinrent du Régent contre l'annulation du Testament de Louis XIV.

Sous Louis XV, à l'époque de la présidence de Malesherbes, les Remontrances eurent un rôle prépondérant qu'elles n'avaient jamais eu jusqu'alors. Non point que le droit de remontrance fut devenu un droit de résistance. Elles n'étaient toujours que « droit de parler... puis d'obéir ». Mais ce droit de parler était devenu essentiel parce que public. Alors que la tradition exigeait que les Remontrances restassent secrètes, elles étaient à présent imprimées clandestinement et largement propagées. A une époque où n'existaient encore ni tribune ni presse politique, la divulgation des remontrances joua un rôle prépondérant sur l'opinion. Elles furent lues avec passion parce que pour la première fois la politique devenait publique. On assistait à un véritable débat entre les Cours et le pouvoir qui prenaient l'un et l'autre l'opinion à témoin. Insensiblement l'opinion devenait une force considérable. Bientôt on ne pourrait plus la limiter à ce seul rôle de spectateur.

Quand les Cours proposaient de modifier, ou refusaient d'enregistrer une loi, c'était dans leurs Remontrances qu'elles faisaient valoir leurs arguments. A cette occasion, elles exposaient leur manière de voir sur les affaires publiques. Le pouvoir royal, de son côté, était souvent contraint d'user de la même arme et publiait fréquemment ses répliques. Au lieu d'un entretien confidentiel du Prince avec ses magistrats, s'ouvrait un débat public dont la nation était témoin.

Comme les remontrances répandues étaient presque toujours celles qui présentaient l'intérêt le plus général, le public faisait l'apprentissage de la politique. Il prenait conscience, grâce aux Cours, des ressorts essentiels du gouvernement et des abus de l'administration. Sous l'emprise de ces discours, il apprenait à discuter, critiquer et prendre parti.

L'influence de ces textes sur le public se révéla aussi importante que celle des œuvres philosophiques. Leur poids était d'autant plus grand qu'ils bénéficiaient d'un caractère officiel, à la fois juridique et solennel. Ce qui pouvait apparaître comme rêverie et utopie sous la plume des philosophes, prenait un tout autre aspect dans le cas des magistrats. Directement mêlés à la pratique politique ils étaient plus crédibles, donc plus efficaces que les intellectuels, même si Malesherbes remarquait en toute honnêteté « qu'on ne peut pas prétendre que toutes les propositions avancées dans chacune des remontrances soient des vérités qu'il n'est plus permis de discuter [1] ». Belle preuve de modestie de la part d'un magistrat qui en composa, quant à lui, plus d'une vingtaine entre 1756 et 1775.

Celles que nous publions ici sont, nous semble-t-il, les plus importantes. Elles modifièrent les unes et les autres très sensiblement l'opinion publique et lui donnèrent des armes pour mieux se libérer. Les contemporains de Malesherbes les discutèrent comme Voltaire, ou les applaudirent comme la majorité. Mais tous s'accordèrent à les trouver décisives dans le combat qui opposait les Cours au pouvoir absolu.

1. LES REMONTRANCES DE FÉVRIER 1771

a) *Les circonstances de leur rédaction*

Les circonstances politiques, dans lesquelles furent rédigées les Remontrances du 18 février de 1771, sont exceptionnelles. Elles marquent l'aboutissement d'une opposition vieille de plus de vingt ans et l'extrême tension entre le pouvoir royal et sa magistrature. Rappelons dans leur succession chronologique les étapes de la lutte qui se livrait depuis quelques mois entre le pouvoir et le Parlement de Paris.

A l'origine, il ne s'agissait que d'un conflit localisé en Bretagne mettant aux prises le Parlement et le Commandant en chef de la région, le Duc d'Aiguillon. Mais très vite, l'affaire de Rennes provoqua l'intervention des autres Parlements de France, surtout ceux de Paris et de Rouen.

En mars 1770, le Parlement de Bretagne ouvrait une information contre le Duc d'Aiguillon pour sollicitations de témoin lors d'un procès de magistrats bretons. Le Duc d'Aiguillon obtint d'être jugé par la Cour des Pairs à Paris. Mais en juin, Louis XV arrêta ce procès qui risquait de compromettre son gouvernement. Il déclara le Duc irréprochable. Le 2 juillet, le Parlement rendait un arrêt excluant le Duc d'Aiguillon des fonctions de la Pairie, malgré l'absence des Princes et des Pairs. En septembre le Roi faisait défense au Parlement de Paris de s'occuper de l'Affaire du Parlement de Bretagne et se faisait remettre toutes les pièces concernant l'affaire du Duc d'Aiguillon. A la rentrée judiciaire, le 28 novembre, le Président Lamoignon, cousin de Malesherbes, préparait, selon Augeard, une dénonciation au Parlement de la conduite de Maupeou dans l'affaire du Duc d'Aiguillon. Maupeou le prit de vitesse et adressa, dès le 3 décembre, au Parlement un édit modestement intitulé « Règlement de discipline » qui comportait trois articles. Mais le préambule de cet édit, qui dressait le catalogue des récentes entreprises parlementaires, constituait une remise au pas brutale de la magistrature. Il leur interdisait d'user des termes « d'unité », « d'indivisibilité » ou de « classes » par lesquels les Parlements prétendaient être un seul et même corps et de correspondre entre eux (1er article); de cesser leur service et de donner des démissions combinées (2e article); et de retarder l'enregistrement des édits après leurs premières remontrances (3e article). Le tout sous peine de forfaiture et de confiscation d'offices.

L'édit fut imposé par lit de justice le 7 décembre. Le Parlement de Paris arrêta ses remontrances et suspendit ses fonctions. Les lettres de Jussion succédèrent aux Remontrances. Dans la nuit du 19 au 20 janvier, une lettre de cachet fut remise par des mousquetaires à chacun des membres du Parlement qui furent sommés de reprendre leur service.

Le 21 janvier, cent trente parlementaires furent exilés et un arrêt du Conseil décidait de la confiscation de leurs charges. Le 24 janvier, le Conseil d'Etat était installé comme Parlement intérimaire. A la fin du mois, après la protestation de la plupart des Princes de sang, c'est au tour des Parlements de province de protester avec énergie, les uns après les autres.

Au nom de sa Cour, Malesherbes rédigea des remontrances qui furent lues et approuvées le 18 février 1771. En fait, ce texte avait été écrit vers la fin janvier si l'on en croit les confidences de Malesherbes à son ami Augeard. « Je vais vous lire les Remontrances de la Cour des Aides que j'ai faites et qui paraîtront sous quatre semaines. Je suis certain d'être au moins exilé, mais rien ne pourra jamais m'empêcher de faire parvenir la vérité au trône... [2] »

Ces Remontrances sont une sévère critique de l'Edit de décembre 1770. Le ton y est d'autant plus dur que le discours est désespéré. C'est un réquisitoire contre le despotisme à la française, « système destructeur qui menace la nation entière ». Malesherbes ne cite jamais le nom de Maupeou. Un « on » pudique sert d'accusé tout au long du texte : « On veut inspirer la terreur à tous les corps de l'Etat... on a fermé tout accès à la vérité. » Mais qui ne voit pas que ce « on » ambigu dépasse largement la personne de Maupeou. A travers Maupeou, c'est tout le système gouvernemental qui est visé et son responsable suprême, le Roi. Car si

Maupeou a pu opérer ce qu'on appela un tel « coup d'Etat », c'est bien que le germe du despotisme était au fondement de la Monarchie française.

Montesquieu, dans *l'Esprit des Lois,* avait fort bien montré les dangers inhérents à l'absolutisme royal d'un Louis XIV ou Louis XV, germe de mort de la Monarchie authentique. Despotisme et monarchie, disait-il, sont l'un et l'autre le pouvoir d'un seul homme sur un peuple. Mais ce qui les distingue radicalement c'est la manière dont le Roi et le despote exercent le pouvoir. Le monarque gouverne par l'intermédiaire et avec le conseil de corps subordonnés et dépendants, dépositaires des lois fondamentales. Sa puissance est limitée par la Constitution du royaume. Le despote, comme l'avaient déjà vu Bodin et Locke, ne connaît aucune limite à sa puissance. Aucune loi fondamentale, aucun dépôt des lois à respecter. Son seul désir est loi fondamentale du royaume. Dans un cas, le peuple est gouverné selon la justice et la raison par définition universelle. Dans l'autre, on observe une « multitude » d'hommes, sans véritables liens entre eux, livrés à l'arbitraire des désirs changeants d'un seul individu. Le despote n'inspire que la haine et la crainte que l'on doit à la force. Jamais l'amour et le respect qui ne vont qu'aux Rois soucieux du bien de leur peuple.

Selon Malesherbes, la France de Louis XV avait basculé du côté du despotisme. Toutes les conditions étaient réunies : le mépris des lois (édit de décembre 1770), le favori tout-puissant (Maupeou), la crainte qu'on veut inspirer à un peuple dispersé et silencieux. Les limites furent longtemps incertaines entre les deux régimes. Mais l'action de Maupeou rendait claire une situation ambiguë depuis plus de cent ans. L'ambiguïté venait de la distorsion entre la forme du gouvernement et sa pratique. Les apparences monarchiques dissimulaient tant bien que mal une réalité despotique.

En février 1771, les libertés publiques et même les libertés individuelles étaient menacées par l'anéantissement du Parlement de Paris. L'inamovibilité des charges des magistrats, seule garante de l'inviolabilité des lois, avait été rayée d'un coup de plume. En dispersant l'ancien Parlement réticent pour lui substituer des Conseils supérieurs tout à sa discrétion, Maupeou avait débarrassé le Roi des dernières entraves à son pouvoir. De ce fait l'autorité du Roi n'était plus légitime. Il n'était plus qu'un despote régnant sur un peuple esclave.

En sortant du domaine de la légalité, le Roi n'avait pas seulement commis une faute à l'égard de son peuple, mais aussi une maladresse qui pouvait menacer son autorité et le trône de sa dynastie. En bafouant les lois essentielles de son royaume, il avait ouvert un débat public sur les fondements de la Monarchie. C'est bien ainsi que débutent les Remontrances de la Cour des Aides : « Son respect pour Votre Majesté lui aurait fait désirer de n'avoir jamais à discuter ces premiers principes qui sont le fondement de l'autorité des Souverains. » Deux pages plus loin, nous lisons que « l'examen des lois propres à la Monarchie est toujours dangereux ».

En effet, puisqu'il n'y a point en France de véritable Constitution, on peut discuter à l'infini sur les lois fondamentales du royaume. Une coutume en remplaçant une autre, on a beau jeu de refaire la liste de ces lois en fonction des intérêts du parti auquel on appartient. Pour les magistrats, les enregistrements libres et l'inamovibilité des charges sont au nombre de ces lois. Pour le Roi, non.

L'essentiel fut très bien vu par Malesherbes : le Roi, sans le vouloir, avait ouvert un débat sur le droit public français. Il ne pouvait en sortir qu'un sentiment d'incertitude sur les fondements de la Monarchie absolue. A ce propos, Malesherbes confiait à Augeard : « Sur le droit public, vous êtes dans la plus grande ignorance, et vous la partagez avec 24 millions de Français. Au surplus, c'est une grande question de savoir s'il est intéressant pour la puissance royale et le bonheur des peuples de trop les éclairer sur cette matière; ce qu'il y a de certain, c'est que le Chancelier fait la plus grande faute possible en administration et en politique vis-à-vis du Roi et de ses successeurs; il élève et suscite un problème dont la solution peut un jour changer la Constitution du royaume et même la dynastie. »

Dans les Remontrances de 1771, Malesherbes utilise très habilement la faute du Chancelier : « Vos édits et vos actes ont ouvert un débat sur les lois fondamentales du royaume. Craignez qu'il remette en cause les plus anciennes lois de la Monarchie, comme celles qui règlent la succession de la couronne et qui l'ont conservée dans votre maison depuis tant de siècles. » Sous-entendu, en versant dans l'illégalité, vous remettez en cause la légitimité de votre pouvoir.

Cette action de la Cour des Aides était désespérée pour ne pas dire suicidaire. Malesherbes le savait qui confiait à ses amis que ces Remontrances lui vaudraient l'exil. Avec moins de courage, la Cour des Aides eût pu garder le silence en attendant que la tempête se fut calmée. Elle n'était pas directement menacée par la réforme de Maupeou et rien ne la forçait à déclarer formellement qu'elle ne reconnaissait point les nouveaux corps de magistrature. Boissy d'Anglas explique fort bien l'intervention de la Cour des Aides : ceux qui avaient quelque mois auparavant défendu les droits d'un seul citoyen obscur (Monnerat) ne pouvaient plus se taire quand l'oppression, selon lui, menaçait de frapper toute la France. Même si les conseillers de la Cour n'étaient pas particulièrement visés par cette mesure, ils étaient aussi les gardiens des droits de la nation et des libertés publiques. En se taisant, ils se rendaient complices d'un acte de despotisme.

Malesherbes et sa Cour prirent parti, en toute connaissance de cause, sans la moindre illusion, sur la suite des événements. Ils savaient que l'affaire Monnerat, quelques mois auparavant, avait exaspéré l'administration du Roi contre eux. La Cour des Aides qui avait alors menacé de continuer la procédure, malgré l'arrêt d'évocation, avait jeté un défi au pouvoir royal. Dès cette époque, la Cour des Aides ne doutait plus du sort qui allait lui être réservé. Dans les Remontrances du 17 août 1770, elle disait publiquement n'avoir plus d'illusions : « En admettant qu'on ne nous supprime point, la cassation de nos arrêts et les perpétuelles évocations consacrent notre anéantissement. En frappant tous nos actes de nullité, vous nous ôtez jusqu'à notre raison d'être. Vos peuples se demandent si votre Cour des Aides n'est donc plus une Cour souveraine et si elle relève désormais du Ministre des Finances. »

La résistance inflexible dont fit preuve la Cour des Aides en 1771 avait donc des antécédents importants. Mais nul ne peut nier la part déterminante prise par Malesherbes dans ce conflit aigu. Il stimula ses conseillers qui peut-être sans lui n'auraient pas eu tant d'audace. Dans une lettre du 24 mars à la Vrillière, ministre de la Maison du Roi, Malesherbes s'expliqua sur son rôle et son action personnelle. « Dans le cas où on proposerait des partis violents contre la Cour des Aides... je vous prie de ne pas croire que ce soit une résolution inspirée par la faveur momentanée du public... Toutes les fois que *j'ai écrit* au nom de la Cour des Aides des Remontrances qui devaient d'autant plus irriter les ministres qu'elles seraient plus raisonnables et plus à l'abri de toute réponse, *j'ai prévu* quels ennemis j'allais attirer à ma compagnie, et *j'ai toujours été déterminé* à prendre le parti que *je prends*[3] aujourd'hui (même) si les choses étaient portées à la dernière extrémité. »

La Cour des Aides se présenta plusieurs fois à Versailles. Elle demandait audience au Roi pour lui remettre ses Remontrances. Après plusieurs tentatives, le Roi les reçut moins d'une minute pour leur dire : « Je ne recevrai pas les Remontrances de la Cour des Aides quand elles concerneront des affaires qui ne lui sont pas propres. Et moins encore quand, avant de me les présenter, elle leur aura laissé acquérir une publicité qu'elles ne doivent jamais avoir. »

Il est vrai que Malesherbes avait pris soin de faire imprimer clandestinement les Remontrances aussitôt adoptées par la Cour. Elles avaient pénétré partout avec un succès énorme. Témoin de ce succès, Bachaumont note dans les *Mémoires secrets* : « Les remontrances de la Cour des Aides ont fait une fortune prodigieuse dans le public et les copies s'en sont multipliées à tel point qu'il n'est plus de maison où on ne trouve ce manuscrit. Tous les bons Français veulent les lire et regardent leur auteur, non seulement comme le défenseur de la magistrature, mais comme le Dieu tutélaire de la Patrie. »

La Cour des Aides fut couverte de gloire et ses Remontrances traitées de chef-d'œuvre : « L'ouvrage le plus éloquent jamais produit par la magistrature » note Lacretelle. Mais le pouvoir ressentit ce succès comme une ultime provocation. Malesherbes qui savait sa Cour perdue avait préféré rendre son cri public et partir la tête haute. Il n'y avait là nulle recherche d'une vaine gloire, mais la volonté d'alerter l'opinion du danger qui la menaçait.

b) *Analyse des Remontrances de 1771*

L'édit de Maupeou est remarquable par sa cohérence et sa rigueur. Les trois mesures prises apparaissent comme les conséquences naturelles des prémisses contenues dans le préambule. Celui-ci comportait trois parties : la description des faits incriminés (théories et attitudes des magistrats), le rappel de la théorie du droit divin et la conclusion sur l'incompatibilité des deux prémisses. Les mesures prises par l'édit supprimaient la contradiction au bénéfice de la thèse absolutiste. Les théories parlementaires, renvoyées dans le camp de l'incohérence, étaient réduites à zéro. Leurs revendications, sous la plume de Maupeou, prenaient l'aspect d'usurpations à l'égard du pouvoir légitime.

La critique de ce texte était délicate et ce d'autant plus que les faits reprochés aux magistrats étaient exacts. Depuis plusieurs années, ils résistaient avec acharnement à l'enregistrement de certains édits, allant parfois jusqu'aux cessations de service et démissions collectives qu'ils justifiaient par la théorie selon laquelle ils formaient les classes d'un corps unique.

Les Remontrances de la Cour des Aides contournèrent cet obstacle avec habileté. Malesherbes reconnaît les faits antérieurs à l'édit et minimise leur portée. Par contre, il insiste sur les événements postérieurs à l'édit et dramatise leurs effets. Feignant d'avoir mal compris le préambule de l'édit, Malesherbes redéfinit la théorie du droit divin en la vidant de son contenu. Il excuse l'attitude des parlementaires avant décembre 1770 et justifie leur action après la promulgation de l'édit au nom de la théorie des droits du peuple. Dès lors, une nouvelle incompatibilité se fait jour, cette fois entre les prémisses de Malesherbes et l'action de Maupeou. Le président de la Cour des Aides la résout à l'inverse du chancelier et marque son édit du sceau de l'incohérence et du despotisme. En posant d'autres définitions et postulats, Malesherbes parvenait évidemment à des conclusions différentes. En usant d'un vocabulaire nouveau, Malesherbes substituait une logique à une autre. Et l'on assistait à un véritable dialogue de sourds entre le pouvoir royal et sa magistrature, bien que les deux partis affirmassent combattre pour la même cause : le bonheur du peuple.

Car c'est bien le thème du bonheur des peuples et des droits de la nation qui sert de fil directeur à l'argumentation des Remontrances de Malesherbes. Mais là où les monarchistes traditionnels invoquaient l'amour du Roi comme condition première du bonheur de ses sujets, la nouvelle idéologie répondait en termes de droit de la nation et devoirs du monarque. Les mots ont ici toute leur importance, car les rapports du souverain et de ses sujets ne sont plus exactement les mêmes que ceux qui lient un monarque à la nation. La première expression indique une relation de soumission et de possession. La seconde insiste sur l'aspect autonome des deux entités en présence.

Dans les Remontrances publiées ci-contre, on ne trouve pas moins de quinze fois les expressions « droits de la nation », « intérêt ou cause du peuple ». Mais peu de fois le terme de « sujets », utilisé d'ailleurs de façon ambiguë. Une fois par exemple de manière ironique : « Veut-on forcer les plus fidèles sujets à rappeler à leur maître les lois que la providence lui a imposées en lui donnant la couronne? » Une autre fois, quelques lignes plus loin, en parlant de « soumission volontaire de vos sujets », expression dans laquelle l'idée de volonté vient limiter celle de soumission.

Ce n'était pas les premières Remontrances à invoquer les droits sacrés de la nation. Que de fois n'avait-on entendu Malesherbes parler des droits de tout peuple qui n'est pas esclave! Ces droits naturels dont parlait déjà Aristote et que les jurisconsultes avaient réclamés de nouveau avec une insistance qui les avait fait entendre de tous les esprits libéraux. Sûreté de sa vie, liberté de sa personne, propriété de ses biens, tels étaient les droits imprescriptibles de tout citoyen qui, à ce prix-là, acceptait d'être sujet. Malesherbes était de ceux qui avaient lu avec avidité les théoriciens du droit naturel et jugeaient essentiel cette trilogie des droits. Mais dans les Remontrances précédentes, Malesherbes se contentait d'évoquer ces droits comme un acquit qui ne demandait plus de justifications. Il évitait ainsi d'aborder le nœud du problème, à savoir la délicate question de l'origine de ces droits et du fondement de la monarchie. En 1771, il n'était plus temps de biaiser et de faire semblant d'accepter ce à quoi on ne croyait plus. Pour récuser le discours royal, il fallait en revenir à l'essentiel, c'est-à-dire au principe qui le rendait possible : la théorie de l'origine divine du pouvoir.

Malesherbes accepte la formule augustinienne, mais la développe et la complète de telle sorte qu'elle en perde toute force. Certes, Dieu est

« *l'origine* de toutes puissances légitimes, mais le plus grand bonheur des peuples en est toujours *l'objet* et la *fin* »; la cause finale l'emporte sur la cause motrice qui s'efface peu à peu du discours de Malesherbes jusqu'à disparaître complètement. Les Remontrances se terminent par une phrase qui fit fortune : « La cause que nous défendons aujourd'hui est celle de tout ce peuple par qui vous régnez et pour qui vous régnez. » Oubli volontaire ou lapsus révélateur, Malesherbes ne mentionne même plus la cause divine du pouvoir royal. Le peuple est cette fois l'unique source, le seul objet de la puissance du monarque. C'était en quelque sorte inverser les rapports de force. Car en prenant la formule de Malesherbes à la lettre, on comprend que le pouvoir du Roi ne dépend que de la bonne volonté de la nation. Dans cette optique, le peuple a une puissance originelle qu'il délègue au Roi pour mieux assurer ses propres droits. C'est semble-t-il le sens des derniers mots : « pour qui vous régnez ».

Sans le dire ouvertement, Malesherbes fait sienne la théorie du contrat primitif entre le Roi et la nation. Il dit au Roi : « Ne nous refusez pas la satisfaction de croire que vous êtes aussi redevable de votre pouvoir à la soumission volontaire de vos sujets et à cet attachement pour votre sang auguste qui nous a été transmis par nos ancêtres. » Le lien qui unit la nation à son Roi est donc à la fois volontaire et affectif. A l'origine, un peuple libre s'était choisi un roi et l'amour héréditaire avait fait le reste. Mais une question reste en suspens que les magistrats n'osent pas poser au XVIIIe siècle : si la nation n'aime plus son Roi, si elle ne veut plus se soumettre à ses volontés, que doit-il advenir? S'il y a contrat originaire entre les deux parties, l'autorité politique et la souveraineté en général ne sont plus que des établissements humains. Ce que les hommes ont fait, ils peuvent le défaire. Dès lors, le droit de résistance devient légitime. L'idée de soumission dans le texte des Remontrances ne doit donc pas nous tromper. Le modèle théorique de Malesherbes n'est pas emprunté à Hobbes, mais plutôt aux théoriciens du droit naturel et aux thèses historicistes sur les premières races. L'Etat français n'est pas le Léviathan. Les actes du souverain ne sont pas au-dessus de toute contestation. Le peuple n'a pas à aliéner ses droits naturels en échange d'une hypothétique paix civile. Tous les droits ne sont pas d'un même côté et tous les devoirs de l'autre. Le contrat auquel il est fait allusion est une convention synallagmatique qui crée au profit ou à la charge des deux parties, royauté et nation, des droits et obligations réciproques.

Le peuple a le devoir d'obéir au souverain jusqu'aux limites de ses droits naturels. Mais si le monarque passe ces bornes, le contrat perd toute validité. Comme Burlamaqui et Barbeyrac, dont il fut grand lecteur, Malesherbes laisse bien entendre que si le pouvoir vient du peuple, celui-ci n'a pu le conférer au Roi qu'avec la réserve tacite qu'il gouvernerait pour le bien de ses sujets. Autrement dit, les gouvernants ont le devoir de faire le salut de l'Etat et les gouvernés le droit de résister à la tyrannie d'un Prince qui fait de son pouvoir un usage contraire au bien public.

Si les termes mêmes de « contrat » ou de « pacte » ne sont pas mentionnés dans ces Remontrances [4], l'idée y est pourtant omniprésente. Elle n'était pas nouvelle sous la plume des magistrats et de Malesherbes en particulier. Déjà dans les Remontrances sur l'affaire Monnerat en 1770, on pouvait lire que « les droits du peuple sont aussi imprescriptibles que ceux du souverain ». Les droits de la nation se dressaient en face de ceux du monarque. On était fort loin de l'idéal monarchique traditionnel et de l'union presque physique entre le Roi et ses sujets. Mais puisque les lois anciennes qui modéraient les gouvernements n'étaient plus respectées, puisque leurs gardiens étaient exilés, puisque enfin aucune autorité n'avait pu retenir le despotisme du chancelier, Malesherbes ne pouvait plus qu'invoquer la loi naturelle et les droits de la nation. Ce discours dangereux pour le pouvoir, Malesherbes le soulignait lui-même, ne pouvait déboucher que sur des questions et des exigences plus gênantes encore.

Selon Malesherbes, le troisième article de l'édit Maupeou portait gravement atteinte aux droits de la nation. En limitant la liberté d'enregistrement des Parlements, le pouvoir, disait-il, se donnait les moyens d'imposer n'importe quelle loi, y compris celles contraires aux lois fondamentales. C'était bien, selon Malesherbes, ce qui s'était passé deux mois à peine après le lit de justice du 7 décembre. Devant le refus d'obéissance des magistrats, Maupeou n'avait pas hésité à employer les grands moyens : exil des 130 récalcitrants et confiscation de leurs charges sans procédure ni jugement. Il y avait là, selon la Cour des Aides, une triple atteinte aux droits du peuple : la liberté, la propriété et la sécurité des sujets n'étaient plus assurées. Dans une lettre à Boissy d'Anglas, une vingtaine d'années plus tard, Malesherbes confirmait cette thèse des Remontrances : « Je n'ai insisté pour l'inamovibilité des charges de juges, pour leur faire conserver l'intégrité de leurs fonctions et la liberté de leurs suffrages, que parce que je regardais ces droits, et que toute la nation les regardait alors comme la sauvegarde des propriétés, de la liberté et la vie des citoyens. »

Selon la thèse parlementaire, le troisième article de l'édit était liberticide à un double titre. D'abord il portait atteinte à une loi considérée par les magistrats comme fondamentale et sacrée, ensuite parce que, disaient-ils, du respect de celle-ci dépendaient toutes les autres. En limitant le droit d'enregistrement au droit de remontrance préalable et en interdisant aux magistrats de s'opposer ensuite à l'exécution des édits sous peine de sanctions, Maupeou, à peu de choses près, en revenait aux pratiques du siècle précédent. On laissait aux magistrats le droit de vérifier la nouvelle loi, de délibérer et de donner conseil. Après quoi, il fallait plier. La liberté de l'enregistrement ne dépassait pas celle de la délibération. La raison en était simple : selon les monarchistes, le droit d'enregistrement ne fut jamais droit de décision et d'opposition. Et si la loi proposée se révélait, après vérification, contraire aux anciennes lois du royaume, c'était au Roi de décider laquelle lui importait le plus.

Les magistrats qui s'appelaient volontiers gardiens des lois fondamentales ne pouvaient admettre que le Roi passât outre leur conseil, ni *a fortiori* qu'il puisse, par un simple édit, supprimer ce qu'ils regardaient comme la garantie du maintien de ces lois. Mais l'ambiguïté même du concept de loi fondamentale laissait le débat ouvert. Mis à part les lois de la succession du royaume, reconnues par tous comme fondamentales, les autres, comme le droit d'enregistrement et de remontrances ou l'inamovibilité des offices, n'avaient jamais été reconnues comme telles par le pouvoir royal. Les magistrats, quant à eux, feignaient de l'ignorer et affirmaient qu'elles constituaient les garanties indispensables des droits naturels des individus. Ils embarrassaient le pouvoir en rappelant que le respect de ces droits était une loi fondamentale essentielle à tous les peuples, quel qu'en soit le régime.

Malesherbes reprit tous ces thèmes à son compte. Il dit : en forçant les magistrats à enregistrer n'importe quelle loi, vous ôtez toutes barrières à vos volontés, tout obstacle à vos caprices. Vous pouvez donner forme de loi à toutes les injustices et porter atteinte aux droits nationaux les plus sacrés. Plus personne dans ce royaume ne sera à l'abri de l'arbitraire ou d'une foucade du grand favori. Avec habileté Malesherbes montrait au Roi que son pouvoir même en sortait amoindri. Car enfin s'il n'y a plus de lois sacrées et intouchables, alors celles-là mêmes qui ont fait le Roi et légitimaient sa puissance pouvaient être modifiées.

Les événements de janvier 1771 étaient à la fois l'application de l'édit de décembre et l'illustration des propos de Malesherbes. Des menaces on était passé aux sanctions : les magistrats exilés s'étaient vus privés de leur office. Quelle garantie restait-il de la liberté des sujets? Les magistrats qui étaient d'abord les officiers du Roi n'étaient certes pas indépendants au sens où on l'entend aujourd'hui. Ils ne constituaient pas une force autonome. Mais le fait qu'ils achetassent leur charge et qu'ils fussent inamovibles leur conférait une certaine liberté à l'égard du pouvoir. Dans un mémoire rédigé vers 1773, Malesherbes écrivait que « Les Juges pourvus d'une charge achetée valaient infiniment mieux que ceux qui, sous le nom du Roi, étaient nommés par la faveur et dont la complaisance pour leurs protecteurs était le prix de leur nomination ». Quant à avoir une justice de classe, par vénalité ou faveur royale, mieux valait encore la première solution. Sur ce point, Malesherbes prit le parti de Hume et Montesquieu contre Voltaire qui considérait la vénalité comme un des vices de l'ancienne Monarchie. Dans une lettre à Montesquieu, du 10 avril 1749, Hume confiait que les abus que peut entraîner la vénalité des charges n'étaient pas graves comparés aux avantages qu'elle procurait en rendant les Cours plus populaires. Montesquieu surenchérissait en expliquant que la vénalité et l'hérédité étaient autant de moyens de renforcer la résistance des Parlements à l'autorité du pouvoir central. Les magistrats ne devant rien au monarque étaient plus à l'aise pour présenter leurs remontrances et même refuser, le cas échéant, d'enregistrer les édits royaux. Selon Montesquieu magistrat lui-même, la vénalité des charges travaillait à la cause de la liberté. Même si elle était la prérogative d'une aristocratie suffisamment argentée, elle restait une arme contre la centralisation autoritaire du pouvoir absolutiste.

Cette théorie était insupportable au pouvoir royal aux yeux duquel rien ne pouvait justifier la résistance de ses officiers. Selon Maupeou, l'inamovibilité des juges n'était point la loi sacrée invoquée par Malesherbes mais tout au plus une loi consacrée par l'usage. Cependant, en exilant les parlementaires et en confisquant leurs charges, le chancelier ne s'en prenait pas seulement à une antique coutume, il touchait aussi au sacro-saint droit de propriété, loi essentielle de tout royaume. La confiscation des charges achetées était ressentie unanimement comme une atteinte au droit naturel de tous. Si l'on pouvait dépouiller des magistrats, sans procédure ni jugement, alors aucune fortune, aucun bien n'étaient à l'abri de la cupidité de quelques hommes. Malesherbes savait qu'en insistant sur cette atteinte aux lois naturelles, il mettait le public de son côté. Il enfonça donc, comme à plaisir, le clou de l'illégalité, de l'injustice, et de l'arbitraire.

Tremblons, disait-il, car à présent, nous sommes sous la coupe d'un chancelier despote qui peut prendre nos biens, nous exiler et nous condamner sans nous entendre. Non seulement le peuple n'a plus pour le défendre ses vrais magistrats, mais il risque de surcroît en une occasion ou une autre de souffrir le même sort qu'eux. Malesherbes étendait le conflit originairement limité à un seul corps et faisait prendre conscience à l'opinion que les libertés publiques étaient menacées.

Très adroitement, il changeait les termes de l'équation traditionnelle. A la formule monarchiste : le Roi est l'incarnation du peuple, ou le Roi = l'Etat, il substituait cette autre : le malheur des magistrats = le malheur de l'Etat = le malheur de la nation. A présent l'Etat n'était plus le Roi, mais la nation qui est au-dessus des Rois. Le changement de vocabulaire révèle une profonde transformation idéologique. Que le Roi n'incarne plus l'Etat en sa personne et son corps explique sa surdité et son aveuglement. Le cordon ombilical était comme rompu entre lui et son peuple. Peut-être même n'avait-il jamais existé que dans les propos royaux et l'imagination populaire. En 1771, l'image de l'unité organique était devenue bien trouble. A peine si l'on en apercevait les contours et la forme. Le discours officiel restait le même, mais la réalité avait changé. Il apparaissait comme un pur exercice de style. Une rengaine dont on n'écoutait plus les paroles. A la place de l'unité, la dualité était apparue nettement. On ne voyait plus un Roi incarnant son peuple, mais deux entités distinctes : le monarque et la nation. En 1771, la scission n'était pas encore opposition. Le côte à côte ne s'était pas transformé en face à face. Les deux entités ne faisaient encore qu'un précisément grâce au moyen terme que constituait la magistrature. Interprète des uns, défenseur des autres, elle atténuait l'égoïsme du Roi et l'exaspération du peuple. Ecran ou intermédiaire entre les deux forces, la magistrature servait de tampon. Ses remontrances étaient les seules occasions pour l'opinion publique d'entendre un discours plus proche de ses préoccupations ou de ses indignations. Les juges, sans le savoir, servaient de soupape de sécurité au régime monarchique absolu.

En supprimant brutalement ces intermédiaires, Maupeou ne voyait pas qu'il laissait face à face le Roi et la Nation. Malesherbes fut bien le seul à s'en être aperçu qui demanda la convocation des Etats Généraux. Comme il n'y avait plus ni « protecteurs », ni « interprètes », ni « intercesseurs », ni « défenseurs » du peuple, il ne restait au Roi qu'à « Interroger la nation elle-même puisqu'il n'y a plus qu'elle qui puisse être écoutée de Votre Majesté ».

Par cette demande, Malesherbes tendait au Roi le piège que le Parlement n'avait pas osé, ou pas voulu lui tendre. Dans ses conversations avec Augeard, Malesherbes sut fort bien analyser les raisons de l'erreur et de la maladresse du Parlement dans cette affaire. S'étant accaparé indûment du droit d'enregistrement en matière d'impôt, qui à l'origine n'appartenait qu'aux Etats Généraux ou Provinciaux, il eût fallu que le Parlement de Paris se démît officiellement de cette charge. Après la publication de l'édit de décembre, le Parlement de Paris n'aurait pas dû adresser des Remontrances au Roi, mais lui remettre en mains propres une lettre respectueuse le remerciant d'avoir bien voulu le rendre à son institution, c'est-à-dire à une simple Cour de justice dépositaire des lois de son royaume et chargée de leur maintien et de l'exécution; « que désormais, en matière d'emprunt et d'impôt, il devait s'adresser à ses sujets ». Le Parlement aurait ainsi fait coup double : il aurait reconquis toute la considération dont il jouissait au début du règne de Louis XV. Il aurait aussi fort embarrassé le pouvoir. Car en arguant de son incompétence en matière d'impôt, et il lui aurait été facile de le démontrer, le Parlement de Paris forçait le Roi à requérir le consentement de la nation. C'est-à-dire à convoquer les Etats Généraux. Le Parlement n'eut pas le courage, ni la générosité de se démunir d'une prérogative usurpée, depuis près de deux siècles, à la nation. La Cour des Aides eut cette audace [5]. Mais hélas, elle n'avait pas le poids politique du Parlement de Paris et l'opinion publique, encore inconsciente de ses droits, ne comprenait pas l'enjeu de son combat.

c) *Leurs conséquences*

Cependant les Remontrances ne furent point sans conséquences. Elles suscitèrent immédiatement des réactions et diverses prises de position. A plus long terme, elles devaient inspirer plusieurs textes de l'opposition au pouvoir absolu.

L'un des premiers résultats de ces Remontrances fut d'effrayer les magistrats tentés de siéger dans le nouveau Parlement. Malesherbes avait déconsidéré par avance tous les « jaunes » prêts à collaborer avec le Chancelier. On ne trouvera, avait-il dit, pour remplir le nouveau tribunal « que des sujets, qui en acceptant cette commission, signeront leur déshonneur. Les uns qui par ambition voudront bien affronter la haine publique. Les autres qui s'y dévoueront avec respect, mais qui y seront forcés par l'indigence; les uns par conséquent déjà corrompus, les autres qui ne tarderont pas à l'être ».

L'avertissement solennel ne passa pas inaperçu. Le Chancelier lui-même en ressentit le coup, d'autant plus que l'édit du 23 février venait de créer six Conseils Supérieurs pour remplacer le seul Parlement de Paris. Il était donc urgent de trouver des magistrats pour les composer. La Cour des Aides, consciente de la portée de son argument récidiva l'avertissement dans les représentations qu'elle fit le 9 mars : « Les magistrats du Conseil n'ont aucune qualité pour remplir cette fonction. » L'embarras de Maupeou fut extrême car la réquisition du Grand Conseil ne pouvait suffire. Il fallait encore s'assurer le concours des gens du Roi et celui des officiers inférieurs de justice, greffiers, huissiers et procureurs. Les avocats généraux, comme Séguier, le procureur général Joly de Fleury et ses substituts se firent bien un peu tirer l'oreille, mais finirent par reprendre leurs fonctions. Les greffiers montrèrent plus de fermeté [6]. Malgré ces résistances farouches, Maupeou réussit par force ou persuasion à constituer les 6 nouveaux Conseils Supérieurs. Nombreux furent ceux qui finalement préférèrent subir la défaveur du public plutôt que d'affronter la haine du gouvernement.

Les Remontrances eurent une autre conséquence, celle-là prévue de longue date par Malesherbes : la dissolution de la Cour des Aides. Elle eut lieu le 9 avril, à 8 heures du matin, sous le commandement du Maréchal de Richelieu. Trois jours auparavant, Malesherbes avait déjà reçu une lettre de cachet l'assignant à résidence dans ses terres de Malesherbes. La suppression de la Cour apporta une dernière déconvenue au Chancelier. Il avait espéré ramasser, dans ces débris, quelques magistrats pour son nouveau Parlement. Mais la presque totalité des Conseillers refusèrent cette collaboration et restèrent fidèles, quoiqu'il en coûtât à certains [7], à la résistance. Seuls huit d'entre eux acceptèrent de violer les engagements qu'ils avaient pris d'accord avec leurs confrères.

D'autre part, les Remontrances, accueillies avec enthousiasme par l'opinion publique, avaient suscité des réactions mitigées chez les philosophes et les économistes peu enclins à soutenir la cause des parlementaires. Tout en reconnaissant le courage de Malesherbes et l'intérêt de son texte, certains regrettaient qu'il ait paru dégager le Parlement de toutes responsabilités. C'est ce qu'il ressort d'une lettre de Condorcet adressée à Turgot [8] dans laquelle on peut lire : « Il y a de très belles Remontrances de la Cour des Aides. Tout ce qu'il y a de vrai et de bon à dire en faveur du Parlement y est énergiquement, noblement exprimé; les torts que peut avoir le Parlement et les côtés faibles de la cause y sont déguisés et palliés avec adresse. » Il est vrai que Condorcet et Turgot se méfiaient des parlementaires dont ils avaient peu apprécié bon nombre d'actions rétrogrades. En outre, le bon physiocrate qu'était Turgot trouvait leurs prétentions politiques exhorbitantes et dénuées de tout fondement. Cependant aussi nuancés fussent-ils, ces commentaires n'étaient point hostiles à l'égard du parti pris de la Cour des Aides. Même si on discutait du détail de l'argumentation, on applaudissait à son initiative.

La réaction la plus cruelle contre ces Remontrances fut un écrit de Voltaire intitulé : *Réponse aux Remontrances de la Cour des Aides* [9]. Encouragé par Maupeou qui fit largement diffuser la brochure, Voltaire laissait libre cours à son ironie et son dédain. Le Chancelier ne pouvait trouver meilleur avocat pour une cause qui jusque-là n'avait suscité que l'hostilité résolue de l'opinion. Si Voltaire vint prêter son concours inespéré au Chancelier, ce ne fut point en raison d'une amitié particulière pour celui-ci, encore moins par hostilité à l'égard de Malesherbes qu'il connaissait depuis longtemps [10]. Mais le vieil homme de Ferney trouvait là l'excellente occasion de régler ses comptes avec le Parlement qu'il haïssait. Outre qu'il avait toujours critiqué la vénalité des offices et la cherté de la justice [11], Voltaire avait encore sur le cœur les réquisitoires et les arrêts sanglants des parlementaires. Combien d'écrits n'avaient-ils pas fait brûler? Et comment oublier l'affaire Calas et le supplice du Chevalier de la Barre?

La réponse de Voltaire commençait par rendre un hommage venimeux à Malesherbes : « Les Remontrances sont d'autant plus éloquentes que le fond de la question n'a pas été plus entamé par elles que par le Parlement, c'est-à-dire point du tout; et que l'auteur, débarrassé du soin de discuter les faits, s'est livré aux mouvements de son cœur patriotique et de son génie supérieur. » Ensuite Voltaire s'employait à montrer le bien-fondé des six nouveaux Conseils Souverains, glissant au détour d'une phrase quelques mots approbateurs pour les nouveaux magistrats qui acceptaient d'y siéger. Ceux que Malesherbes avait voulu culpabiliser, Voltaire s'employait au contraire à les réconforter. Il alla même jusqu'à les féliciter. Puis il concluait, comme il avait commencé, avec le même dédain. Certes, il regrettait l'exil des anciens magistrats, mais affirmait tout aussitôt qu'il ne durerait pas. La crise actuelle passerait comme toutes les autres. On aurait vite fait de l'oublier : « Que n'oublie-t-on pas dans Paris? »

L'intervention de Voltaire dans ce débat qui l'opposait au Chancelier fut ressentie par Malesherbes comme un véritable coup de Jarnac. Il en éprouva plus de tristesse que d'amertume [12]. Que de fois le Malesherbes, Directeur de la Librairie, n'était-il pas venu au secours du philosophe, en facilitant la publication de ses ouvrages. Quelques années plus tard, Malesherbes peu rancunier pardonnait [13] à Voltaire et consacrait même une partie de son Discours d'entrée à l'Académie Française à « l'homme qu'il considérait comme la gloire de son siècle ». Voltaire lui répondit en le remerciant et en laissant percer le regret de son action passée : « J'ai été malheureusement un peu coupable envers vous; et assez mal à propos [14]. »

Mises à part ces réactions immédiates, les Remontrances eurent aussi des conséquences plus lointaines et peut-être plus importantes. Une série de brochures [15] reprirent en chœur l'essentiel de leur thèse, se faisant ainsi l'écho de leur pensée. On y affirmait que le Roi ne tenait son pouvoir que du consentement populaire et que la nation avait le droit de prendre part à la gestion de ses affaires. Parmi les plus célèbres, il faut citer *le Tableau de la Constitution Française* composé par le comte de Lauraguais. Certaines des expressions utilisées par Malesherbes avaient fait fortune et on les reproduisaient presque telles qùelles. On se souvient que Malesherbes avait conclu en rappelant au Roi qu'il régnait par et pour le peuple. De même, les très importantes *Maximes de Droit Public* soutinrent que « Les Rois sont faits pour les peuples et non les peuples pour les Rois ». Les rédacteurs de ces *Maximes* affirmaient en outre, comme Malesherbes, que la nation avait le droit de s'assembler elle-même en Etats Généraux. Ils allaient même au-delà du Président de la Cour des Aides, en ajoutant : sans convocation du Roi.

Les Remontrances avaient donc non seulement répondu à une attente du public [16], mais elles avaient aussi largement contribué à l'éclairer et à préciser sa pensée. A la fin du règne de Louis XV, les Français commençaient à prendre conscience de la nécessité d'un contrepoids au pouvoir royal. Ils appelaient de leurs vœux quelque autorité qui pût au moins prendre la défense de leurs intérêts. Montesquieu, Président du Parlement de Bordeaux, n'avait pas prêché dans le désert. A une échelle plus modeste, Malesherbes, autre Président d'une grande Cour, avait bien été entendu. Son prestige était immense quand il partit pour un long exil.

2. L'EXIL ET LE RÉTABLISSEMENT DE LA COUR DES AIDES

Assigné à résidence le 6 avril 1771, Malesherbes ne quittera pas ses terres pendant plus de trois ans. A peine lui accordera-t-on une autorisation de séjour à Paris pour se rendre au chevet de son père mourant [17]. Durant cette longue période de solitude forcée, l'ancien Président de la Cour des Aides ne cessera de méditer sur la crise passée. Il fallait en tirer des leçons. Celui qui en avait été l'un des acteurs cédait le pas à l'analyste. L'heure n'était plus aux propos passionnés de l'homme public, mais à la réflexion objective du solitaire.

S'interrogeant sur les causes du conflit entre le pouvoir et sa magistrature, Malesherbes fut obligé de faire la part des torts. Certes le gouvernement avait agi en despote. Mais la cause des parlementaires n'était pas dénuée d'ambiguïté ni leur action passée à l'abri de tout reproche.

Dès février 1771, au plus fort de la crise, Malesherbes confiait déjà en privé à son ami Augeard [18] qu'il ne trouvait pas la conduite du Parlement irréprochable : « Si cette Cour de Justice avait eu une démarche plus franche, ce ne serait point elle qui serait exilée mais le Chancelier. Elle a un esprit de corps qui la perdra et nous tous et même la Royauté. » Le propos était prophétique et, en même temps, ne manquait pas d'étonner dans la bouche de l'homme qui venait de rédiger les Remontrances que l'on sait. Augeard en fit la remarque et Malesherbes poursuivit non sans cruauté que cette Cour ne cédait pas seulement à l'esprit de corps, mais qu'elle était aussi le théâtre d'ambitions personnelles peu honorables : « Le Parlement de Paris n'est que la Cour de Justice du Roi... Et si par gloriole ou par d'autres motifs encore plus coupables, elle n'avait pas voulu tenir à ce prétendu droit d'enregistrement en matière d'impôt [19], elle n'aurait pas été pendant ce règne exilée quatre fois; elle finira par être anéantie. La Magistrature a toujours été menée par dix ou douze intrigants, plus habiles que d'autres, qui s'embarrassaient fort peu de ce qu'arriverait au corps et à l'Etat, pourvu que leur ambition désordonnée et leur avidité en fait d'argent fussent rassasiées. »

Malesherbes n'était donc pas dupe des véritables ressorts de l'action parlementaire, et l'exprimait sans détour en privé. Ambition, esprit de corps, volonté de s'emparer de l'autorité royale, tels étaient les motifs secrets que masquait une phraséologie qui se voulait populaire. Comment, à notre tour, ne pas être surpris de la distance qui sépare les discours publiés de Malesherbes de ses propos privés. Il s'en expliqua lui-même à deux reprises : en 1774 auprès de Turgot et à son cousin le Baron de Breteuil deux ans plus tard.

Lorsque Turgot fut appelé au gouvernement durant l'été 1774, il écrivit à Malesherbes pour lui demander un plan de rétablissement des Parlementaires et lui proposer la charge de Garde des Sceaux. Le 5 août [20], Malesherbes répondit qu'il lui ferait volontiers parvenir ses travaux, mais qu'il ne pouvait accepter le poste qu'on lui offrait. Car il était nécessaire, disait-il, de mettre fin à la puissance de la Magistrature, mais ce n'était pas à lui, qui avait toujours lutté pour affirmer ses droits, de se faire l'instrument de cette politique. Il justifiait son attitude : « Je suis connu de bien des gens pour n'être pas parlementaire, mais pour avoir défendu la cause de la Magistrature quand j'ai bien cru que la cause des Parlements était celle de la Nation, mais j'ai toujours avoué les abus et la nécessité de les réformer. »

Dans la lettre au Baron de Breteuil du 27 juillet 1776 [21], Malesherbes était encore plus explicite sur ses sentiments : « J'ai passé ma vie dans la Magistrature en qui réside en France ce qui dans d'autres pays s'appelle le parti de l'opposition. J'ai donc été dans l'opposition parce que je me suis trouvé dans des circonstances où j'ai cru le devoir, et j'y ai mis plus de chaleur qu'un autre, parce que j'ai suivi mon caractère... Je n'ai jamais connu de ménagement ni de politique et j'ai toujours marché à découvert et le premier... Il s'en fallait cependant de beaucoup que je ne fusse parlementaire et sur cela voici quels ont toujours été mes principes. Je regarde la Magistrature comme un corps nécessaire à conserver dans notre constitution parce que ce corps est le gardien des lois qui règlent les intérêts des citoyens, et qui sont leur unique sauvegarde contre les entreprises du despotisme... Voilà pourquoi j'ai toujours résisté à Messieurs de Maupeou et Terray qui, après avoir été comme moi dans l'opposition, avaient voulu anéantir la Magistrature... Mais il n'en est pas de même de l'administration et, tout Magistrat que j'étais, j'ai toujours pensé qu'on ne doit pas donner une influence principale, dans l'administration, aux Parlements... parce que la Magistrature n'est point en France un corps choisi par la Nation et ayant mission d'elle, que nos magistrats au contraire ne sont choisis que dans un seul ordre de citoyens, et par conséquent ont une foule de préjugés [22] et d'intérêts contraires au vrai bien de l'Etat. »

Malesherbes pensait que le Parlement, comme tous les corps, était disposé à abuser de son pouvoir. Et si on lui avait donné la puissance qu'il réclamait, il en aurait vite abusé autant que les ministres. De plus, ajoutait Malesherbes, la facilité avec laquelle les magistrats prenaient un ton despotique rendait les affaires intraitables avec eux. Enfin, l'un des plus grands reproches faits à l'ancien Parlement concernait ses cessations de service. Les démissions collectives [23] qui avaient pour but d'embarrasser le gouvernement et de lui faire peur n'étaient pas du tout populaires. Malesherbes, comme beaucoup d'autres, condamnait cette démarche illicite qui ne portait pas seulement atteinte à l'autorité royale mais aussi aux droits des justiciables.

Toutes ces raisons inclinaient Malesherbes à souhaiter le retour des anciens Parlements, non sans leur avoir imposé certaines conditions au préalable. Ayant beaucoup médité, durant son exil, aux moyens d'apaiser le conflit entre les magistrats et le pouvoir royal, il savait, en bon médiateur, qu'il fallait éviter à la fois le triomphalisme des uns et l'humiliation des autres. Il est intéressant de noter que Malesherbes n'avait pas attendu la fin de la crise et l'exil pour réfléchir aux conditions d'une réconciliation. Dès février 1771, au moment même où il rédigeait les sévères Remontrances que l'on sait, le Président de la Cour des Aides travaillait déjà à un projet d'accomodement. Il espérait donc que la rupture entre le gouvernement et la magistrature pourrait être encore évitée!

C'est à la demande d'un personnage non identifié que Malesherbes avait composé ce premier plan, vers la mi-février, afin qu'il soit remis en bonnes mains à Versailles. En résumé, il faisait les propositions suivantes : le Roi surseoirait à l'application de l'édit de décembre et ferait enregistrer une loi nouvelle qui contiendrait les dispositions de l'article deux de l'édit contre les démissions collectives, assouplirait l'article premier sur les relations entre les Cours et passerait sous silence l'article trois. Ainsi Malesherbes pensait que les concessions exigées étaient acceptables par les deux partis et qu'alors le pire pourrait être évité.

Ce premier projet tomba aux oubliettes et fut ignoré du gouvernement peu disposé à faire la moindre concession. L'heure n'était pas à la négociation, mais à l'écrasement de l'ennemi. Louis XV excédé par le Parlement ne rêvait plus que de le mettre à genoux. On avait été trop loin de part et d'autre pour songer déjà à faire le moindre pas dans le sens inverse de la réconciliation. La Magistrature fut donc mise au pas et remplacée par un personnel plus conciliant à l'égard du pouvoir. Beaucoup pensèrent que le gouvernement l'avait définitivement emporté et que l'ancien Parlement était bel et bien brisé. Malesherbes ne fut pas de ceux-là et passa l'essentiel de son temps à réfléchir aux moyens de réconcilier le Roi avec son ancienne Cour. Les nombreux mémoires retrouvés dans ses papiers sur ce thème en sont la preuve [24].

Dans une lettre adressée à une amie très intime, Mme Douet, datée du 24 juin 1772 [25], Malesherbes fait état d'un plan qu'il avait élaboré en vue du rétablissement de la Magistrature. L'idée directrice reposait sur la séparation possible du Roi et de son Chancelier. Il pensait que la disgrâce de Maupeou pourrait être la condition du retour en grâce de ses ennemis. Pour ce faire, il faudrait avoir recours aux Princes de sang qui avaient déjà manifesté publiquement contre le coup de force de Maupeou. Ce plan reposait essentiellement sur la connaissance du caractère royal et n'était pas dénué d'un certain cynisme. Malesherbes tenait le raisonnement suivant : le Roi, avide d'autorité et très attaché au despotisme, n'a pas grande amitié pour son Chancelier. Il le sacrifierait volontiers si on lui faisait comprendre qu'il pourrait asseoir encore mieux son autorité par d'autres méthodes que celles utilisées par Maupeou. Alors, il renverrait son chancelier et serait dans la nécessité de rappeler les Parlements. Malesherbes comptait sur les Princes pour effectuer cette manipulation psychologique. Ils devaient, conseillait-il, s'adresser au Roi en prenant grand soin de ne pas heurter son penchant au despotisme.

Malesherbes ne se faisait pas grande illusion sur les résultats immédiats de la démarche des Princes. Mais il pensait néanmoins qu'elle devait être tentée. Ce qu'on n'obtiendrait pas aujourd'hui, peut-être pourrait-on l'obtenir en d'autres temps. Il faut, écrivait-il à Mme Douet, semer dès maintenant pour récolter plus tard.

Malesherbes ne se découragea pas et continua de rédiger de nombreux mémoires sur cette question dans les années qui suivirent. Au courant de ces travaux, Turgot lui demanda, dès son entrée au Ministère en 1774, de lui faire parvenir un résumé de ses idées. Dans une lettre de septembre 1774 [26], Malesherbes récapitule le processus le plus souhaitable de rétablissement de l'ancienne Cour. Le Roi devra rétablir les Parlements, mais entérinera en même temps comme définitivement acquis tous les actes des nouvelles Cours. Il devra aussi affirmer solennellement qu'il ne supportera plus à l'avenir aucune cessation de service sous peine de forfaiture. Enfin, pour le cas où les magistrats reviendraient à leur ancienne attitude de désobéissance, le Roi établirait un Grand Conseil qui devrait reprendre immédiatement les fonctions laissées vacantes par les rebelles. Ainsi « quand ce tribunal sera rétabli, on pourra défendre efficacement au Parlement de cesser le service, on aura un corps pour le remplacer et on y obligera ce corps en le créant ou le rétablissant [27] ». Cette dernière mesure était d'une grande habileté psychologique. En enregistrant la création du Grand Conseil en même temps qu'on recomposait la Magistrature, on préparait le public à porter ses procès au Grand Conseil en cas de besoin. Dès lors l'opinion ne pourrait plus accuser ce tribunal de trahir d'autres confrères. Enfin, pour ôter tout caractère de menace à l'égard du seul Parlement, Malesherbes introduisait une clause de réciprocité. Dans le cas où le Grand Conseil cesserait le service, le Parlement serait à son tour habilité à juger de toutes les causes du Grand Conseil.

Cette fois le nouveau Roi écouta les propositions de Malesherbes et prit la décision, en octobre 1774, de rappeler l'ancien Parlement. Celui-ci fut réinstallé dans un lit de justice le 12 novembre, ainsi que la Cour des Aides et le Grand Conseil. En même temps qu'il était réintégré dans ses fonctions de Président, Malesherbes voyait l'essentiel de ses idées agréé. Le Parlement revenait bien sous condition puisqu'on lui imposait une ordonnance de discipline. Le dispositif prévu en cas d'une nouvelle rébellion était celui-là même qu'il avait imaginé durant l'exil : le Parlement ne pourrait plus cesser de rendre la justice sous peine de forfaiture et de voir le Grand Conseil se substituer immédiatement à lui.

Malesherbes remportait donc une grande victoire contre ses ennemis d'hier qui ne voulaient plus entendre parler de l'ancien Parlement et les pessimistes qui ne croyaient plus son retour possible. Il eut, une fois encore, le succès modeste et sut, lors du rétablissement de sa Cour, faire un discours d'apaisement à ses conseillers. Les malheurs passés ne devaient pas, disait-il, être le prétexte aux attendrissements ni à l'acrimonie. De cette terrible crise, Malesherbes se contentait de tirer les leçons. Il les exposa au Roi, dans son discours d'inauguration, sous la forme négative de cinq maximes funestes de gouvernement :

— que la puissance n'est jamais aussi respectée que lorsque la terreur marche devant elle;

— que l'Administration doit être un mystère caché aux regards du peuple;

— que toutes les représentations du peuple, ses supplications même sont des commencements de révolte;

— que l'autorité est intéressée à soutenir tous ceux qui ont eu le pouvoir en main, lors même qu'ils en ont abusé;

— enfin, que les plus fidèles sujets du Roi sont ceux qui se dévouent à la haine du peuple.

La forme négative dépeignait le règne de Louis XV. A Louis XVI de les inverser pour que la France soit gouvernée selon les bons principes. Malesherbes posait donc là, sans le dire, les jalons des prochaines Remontrances.

3. LES REMONTRANCES DU 6 MAI 1775

a) *Les circonstances de la rédaction*

Le 10 mai 1774, le Roi Louis XV meurt. Le peuple, dans sa majorité, veut croire qu'ont disparu avec lui le despotisme, l'arbitraire, les vexations et les souffrances quotidiennes. La venue du nouveau Roi est ressentie comme celle d'un nouveau monde où justice et liberté peuvent trouver place. En renvoyant les ministres exécrés par le peuple, en rappelant les anciens Parlements, Louis XVI semble faire table rase du lourd héritage grand-paternel. L'heure est à l'espérance et même à l'enthousiasme. On espère d'autant plus de ce jeune Roi que l'on désespérait du vieux. Tout paraît possible. Une nouvelle France peut naître. Il ne suffit pour ce faire, pense-t-on, que Louis XVI ait bien toutes les vertus qu'on lui prête volontiers. Car dans ce pays sans véritable constitution, tout dépend de la personne du Roi. De ses lumières, de sa générosité, de son caractère. A l'avènement de chaque nouveau souverain, le peuple reporte sur sa personne les espoirs déçus par son prédécesseur. Lorsque Louis XVI monte sur le trône, la nation croit, non sans quelque naïveté, que le bonheur est pour demain. On pense que le jeune Roi sera l'homme des grandes réformes nécessaires pour faire sortir la France du carcan absolutiste soigneusement construit par l'aïeul Louis XIV. Le souverain qui saura se dépouiller d'une partie de son pouvoir au profit du peuple, et modifier un système tout à son avantage exclusif.

En ce début de l'année 1775, l'opinion publique n'est qu'éloge des vertus du jeune Roi. Formules incantatoires ou volonté de persuasion, on ne parle que de la bonté de Louis XVI, de sa modestie, de son dévouement au bien public. En un mot : l'homme est bon. Il ne reste qu'à éclairer le souverain et le sort des Français sera changé.

L'espérance fut à son comble lorsque Louis XVI remplaça les ministres haïs de l'ancien règne par des hommes libéraux. A Maupeou, Terray, d'Aiguillon, Bourgeois de Boynes, succédèrent Maurepas, Miromesnil et Turgot. Quelques mois encore et Malesherbes lui-même fera son entrée au gouvernement pour reprendre la place du vieux Duc de la Vrillière au poste de la Maison du Roi. Voltaire exulte et proclame que la Vertu est au Pouvoir. Même si l'opinion publique se montrait plus mesurée que le vieil homme de Ferney, chacun se félicitait du départ des ministres autoritaires au profit des ministres libéraux. Parmi ces derniers, Turgot était celui en qui on mettait le plus d'espoirs. Ancien intendant de la généralité de Limoges de 1761 à 1774, Turgot avait laissé le souvenir d'un administrateur remarquable tant par sa justice que par son esprit de réforme. Imprégné des théories physiocratiques, proche aussi des Encyclopédistes, Turgot n'était cependant pas homme à mettre brutalement en œuvre quelque système que ce soit. Il avait su, à Limoges, imposer progressivement la taille tarifiée, établir le cadastre de sa généralité, remplacer les collecteurs occasionnels par des fonctionnaires réguliers, transformer la corvée en impôt en argent, réformer les milices, ainsi que d'autres rénovations qui avaient notablement amélioré la vie des Limousins.

De cet homme de progrès, qui devenait le second personnage de l'Etat après le Roi, on attendait qu'il gérât les affaires de la France avec le même bonheur que sa généralité de Limoges. Son esprit ouvert aux idées nouvelles, sa tolérance, sa volonté d'entendre l'opinion éclairée laissaient donc espérer que l'heure des grandes réformes avait sonné. C'est dans cet état d'esprit qu'il faut situer la rédaction des dernières grandes Remontrances de Malesherbes. Ce dernier était un intime de longue date du Contrôleur Général et partageait avec lui un certain nombre d'idées essentielles : même volonté d'adoucir le sort des Français et d'améliorer leur vie quotidienne par un peu plus de justice et de liberté.

En accord avec Malesherbes sur l'essentiel, Turgot ne cachait pas qu'il souhaitait le voir entrer au Gouvernement pour soutenir son action réformatrice. Malesherbes, qui avait refusé en 1774 d'être Garde des Sceaux, cédera bientôt à l'amitié en acceptant sans enthousiasme la charge de la Maison du Roi.

Le public averti connaissait les liens qui unissaient les deux hommes. Ainsi lorsque Malesherbes présenta ses dernières Remontrances, véritable procès de la fiscalité et de l'administration française, on s'empressa de conclure que c'était là un texte commun aux deux hommes. Dans ses *Mémoires Secrets* [28] Bachaumont note : « On parle beaucoup des Remontrances de la Cour des Aides concertées entre Turgot et Malesherbes, et dont l'objet est de donner ouverture aux projets du premier, relativement à la finance et à son administration mais surtout à la réforme des Abus. »

En réalité, l'accord entre les deux hommes sur ce texte était moindre que l'opinion ne le pensait. Il n'est pas certain que Malesherbes ait soumis ce texte à Turgot pour qu'il l'approuvât et en endossât moralement la responsabilité. Ce texte est bien dû à la seule inspiration du Président de la Cour des Aides. Tout au plus l'a-t-il fait lire au Contrôleur Général par amitié et pour l'informer de son action. Mais le contenu de ces Remontrances révèle Malesherbes tout entier et lui seul. Il résume les idées qu'il défendait depuis vingt ans. Toutes ne pouvaient convenir au nouveau Contrôleur Général, plus marqué par les théories physiocratiques que Malesherbes. Et si les deux amis étaient bien d'accord sur les objectifs à long terme, s'ils dénonçaient d'un même cœur les mêmes abus, ils se distinguaient parfois sur les remèdes à y porter. Il nous suffit d'observer leur attitude à l'égard des corps politiques pour mesurer l'écart qui pouvait les séparer. Déjà Turgot n'avait pas mis beaucoup d'enthousiasme à demander le rappel des anciennes Cours en 1774. En ministre averti, il craignait les difficultés que l'opposition probable des Parlements susciterait aux réformes qu'il projetait. En bon physiocrate, il n'aimait pas les assemblées dotées de pouvoirs politiques.

Pour ces mêmes raisons, Turgot ne pouvait soutenir l'une des plus originales et audacieuses revendications de son ami, à savoir la réunion des Etats Généraux. Comme ses collègues économistes, Turgot attendait davantage d'un despote éclairé que de toutes les assemblées politiques. Il eut la faiblesse de croire que Louis XVI serait celui-là et qu'il aurait la force de caractère d'accomplir toutes les réformes projetées par son ministre. Ne comptant que sur l'opinion favorable du Tiers Etat, Turgot craignait aussi que l'opposition des deux ordres privilégiés, Noblesse et Clergé, ne fissent obstacle à l'exécution de ses projets si on réunissait les Etats Généraux. C'est pourquoi il ne suivit pas Malesherbes sur ce terrain-là, et ne conseilla pas au Roi, dont pourtant il avait à cette époque toute la confiance, de s'adresser à la Nation.

A l'inverse, Malesherbes n'avait que méfiance à l'égard de l'homme providentiel, du despote éclairé. Il redoutait les effets de la subjectivité même royale, même éclairée. Il préférait l'objectivité et l'universalité de la loi. Comme Proudhon, au siècle suivant, Malesherbes aima mieux demander justice plutôt que d'implorer la bienfaisance royale. Sur ce point Malesherbes est infiniment plus libéral et démocrate que son ami physiocrate pour lequel le libéralisme est davantage un système économique qu'un régime politique.

En lisant les Remontrances de Malesherbes, Turgot ne pouvait manquer d'observer leur différence de point de vue sur cet aspect et sur d'autres plus particuliers concernant la fiscalité directe. On ne saurait cependant affirmer comme certains le firent qu'il regretta la rédaction de ces Remontrances au point de conseiller au Roi de ne pas les recevoir et d'en enlever la minute des registres de la Cour. Eminemment tolérant, Turgot avait demandé dès le début de son ministère, que tout citoyen put exprimer ses opinions librement et rédiger des mémoires pour faire connaître toutes suggestions qui seraient jugées bonnes. Cette liberté d'écrire, Turgot la reconnaissait à tous et en particulier à ses contradicteurs les plus bruyants et les plus dangereux, comme l'avocat Linguet. Il serait donc surprenant qu'il ait refusé à son vieil ami ce qu'il avait accordé à tous. Plus étonnant encore qu'il ait ensuite demandé à Malesherbes de venir le rejoindre au Gouvernement s'il avait commencé par censurer le grand manifeste du Président de la Cour des Aides.

Les Remontrances de 1775 s'inspirent de la volonté nationale de changement et illustrent l'espoir collectif d'un renouveau. En ce début de règne qui voit fleurir brochures et mémoires, projets contenant toutes sortes de réformes, Malesherbes pense, comme ses concitoyens, que le gouvernement des hommes et l'administration des choses peuvent être modifiés. Qu'il était donc possible d'effacer les fautes passées et de repenser l'organisation du pays sur des bases nouvelles. De faire une politique en harmonie avec les lumières du pays et les exigences de justice des philosophes. Il ne restait plus aux hommes de bonne volonté, comme Malesherbes et ses Conseillers, qu'à informer le Roi des maux présents et à lui suggérer les remèdes à y porter. C'est ce à quoi s'employèrent les Remontrances du 6 mai 1977.

b) *Les grands thèmes des Remontrances*

Le dernier texte du Président de la Cour des Aides est plus connu sous le nom de « Grandes Remontrances ». Grandes parce que volumineuses, elles reprennent l'essentiel des analyses et des critiques des Remontrances écrites depuis vingt ans. Grandes aussi parce qu'elles s'attaquent non plus à tel ou tel aspect partiel d'un système politique et administratif, mais au système lui-même. La critique prend alors un tout autre poids. Jamais jusqu'à ces Remontrances n'avait-on démonté avec tant de finesse le mécanisme administratif et le système d'oppression qui le définissait. Jamais non plus n'avait-on décrit si clairement la pyramide des pouvoirs propres au centralisme français. Près de quatre-vingts ans plus tard, un homme confirmera les analyses de Malerherbes. Ce sera Tocqueville, lui-même descendant du Président de la Cour des Aides. Alors que son arrière grand-père observait la société française et suppliait le Roi d'en changer les structures, Tocqueville en recherchant les causes de la révolution retrouve tous les vices décrits par son aïeul.

Ces Remontrances furent rapidement jugées dangereuses par le Pouvoir même si Louis XVI avait accepté de les recevoir et de les lire. Lorsque Malesherbes vint le 30 mai à Versailles s'enquérir des volontés du Roi, celui-ci lui dit : « Vous n'attendez pas que je vous fasse une réponse détaillée sur chaque article. Je m'occuperai *successivement* [29] de faire les réformes nécessaires sur tous les objets qui en sont susceptibles; mais ce ne sera pas l'ouvrage d'un moment, ce sera le travail de tout mon règne. »

La réponse du Roi est bien significative d'un malentendu. Malesherbes dénonçait un système et réclamait des réformes globales. Louis XVI croyait lire des critiques de détail et promettait des réformes particulières et successives. Malesherbes expliquait qu'on ne pouvait rien changer si on ne modifiait pas tout, c'est-à-dire les esprits et les mœurs. Le jeune Roi n'entendait que réclamations d'ordre technique concernant la fiscalité.

Certes une lecture superficielle des Remontrances rendait la méprise possible. Il pouvait sembler au premier abord que Malesherbes ne réclamait qu'une amélioration de la fiscalité. Le plan suivi par les Remontrances paraît accréditer cette interprétation. Dans un premier temps, Malesherbes faisait la critique des impôts indirects levés par la Ferme Générale. Puis il s'attaquait aux impôts directs perçus par les administrateurs de l'Etat. Enfin, il concluait sur les remèdes généraux à porter à l'administration française. Mais la confusion n'était possible que si l'on ne prenait pas garde à cette conclusion très générale, et que l'on s'en tenait aux solutions particulières que Malesherbes suggérait en conclusion de l'analyse de chacun des impôts incriminés.

Encore fallait-il également fermer les yeux sur un autre passage du texte : une note de plusieurs pages qui s'interpose entre les deux premières parties et qui a trait aux lettres de cachet. Quelle singularité pour le technicien de la fiscalité que cette soudaine mise en accusation des lettres de cachet! Pourtant elle montrait bien le fil directeur de ces Remontrances et la véritable cible de ses critiques. La fiscalité n'était que le lieu d'élection d'une politique despotique. Là où l'arbitraire trouvait son application la moins déguisée et la plus brutale. La politique fiscale n'est que le miroir grossissant de la politique en général. C'est cette dernière qui préoccupe avant tout Malesherbes. Dans ce long réquisitoire, nous ne trouvons nulle part les traces d'un programme fiscal révolutionnaire ni même une véritable pensée économique. Malesherbes condamne tous les impôts en bloc, mais ne propose aucune solution de remplacement. Adversaire des impôts indirects, sur la consommation, il ne réclame pourtant pas la suppression de la Ferme Générale. Hostile à l'impôt de répartition tel qu'il existe alors, il ne se prononce pas non plus sur l'impôt foncier unique cher à ses amis physiocrates. Dénonçant la cruelle inégalité devant l'impôt, il ne milite cependant pas pour l'égalité de tous en cette matière. Vainement, chercherait-on à définir les contours d'une théorie fiscale propre à Malesherbes. Peut-être même demeura-t-il, en son for intérieur, hostile à toutes formes contemporaines de l'impôt et souhaitait-il revenir aux anciennes pratiques du Moyen Age, époque heureuse à laquelle tout impôt était voté pour une période limitée. Ceci transparaît dans ces dernières Remontrances qui s'emploient systématiquement à déconsidérer tous les impôts existants. Le raisonnement de Malesherbes est le suivant : tous les impôts levés sur les Français sont mauvais, trop lourds au peuple et insuffisants à couvrir les dépenses du royaume. Ce n'est pas à moi d'arrêter les économies nécessaires ni de proposer les réformes qui s'imposent. Tout au plus puis-je suggérer des « adoucissements » à apporter ici et là à la réalité présente.

En revanche, ce qui intéresse Malesherbes au premier chef ce sont les abus intolérables qui accompagnent la levée des impôts. L'analyse de chaque impôt en particulier sert d'abord d'illustration aux excès dénoncés. Les mots clés des Remontrances ne relèvent pas de la terminologie économique mais du vocabulaire politique. « Arbitraire », « clandestinité », « despotisme », sont les termes qui reviennent le plus souvent, ramenant sans cesse le lecteur à des préoccupations plus politiques qu'économiques. Pour le Président de la Cour des Aides, il est urgent de montrer au grand jour les mœurs et usages des financiers et des administrateurs qui forment, sous l'égide du Contrôleur Général et donc du Roi, la nouvelle classe dominante.

Souvent inconnus du grand public, ces nouveaux janissaires du pouvoir royal n'en n'étaient pas moins doués d'une puissance considérable, à la limite presque absolue. Protégés par le secret des cabinets, n'ayant de compte à rendre qu'au seul Conseil du Roi, ces hommes décidaient, dans le détail, de la vie de leurs concitoyens. Leurs décisions quasiment sans appel les faisaient craindre de la population la plus défavorisée, celle qui n'avait ni argent, ni nom, ni appui en haut lieu.

Toutes les conditions requises pour dénoncer le despotisme étaient donc réunies. Les libertés publiques et individuelles étaient menacées. Malesherbes, en bon magistrat, s'en fit le défenseur le plus énergique. Peu importait à ce médiocre économiste que ses discours décourageassent un peu plus le peuple de payer ses impôts, pourvu que le pouvoir entendît ses avertissements et diminuât sa pression sur les sujets. Moins d'argent dans les caisses du trésor lui paraissait de peu d'importance au regard du mal d'une politique injuste. Entre une injustice et un désordre, Malesherbes n'avait jamais hésité. Plaignant le contrebandier trop sévèrement puni, il n'eut jamais le moindre mot de regret pour le manque à gagner des finances de l'Etat. Choqué de la rigueur des lois pénales prononcées contre les fraudeurs, Malesherbes se demandait : « Comment a-t-on pu prononcer la peine de mort contre des citoyens pour un intérêt de finance? »

En homme de son siècle, Malesherbes percevait mal les rouages de l'économie. Plutôt méprisant à l'égard de l'argent, il pensait que l'économie était et devait rester subordonnée au pouvoir politique. Le mal profond dont souffrait la France était politique. Par conséquent, l'important n'était pas d'offrir au peuple un nouveau système économique mais de changer les fondements de l'organisation politique.

Les vices de l'Administration française

Tous les vices de la fiscalité directe et indirecte relevaient, selon Malesherbes, d'un même mal originel : l'arbitraire. Qu'il s'agisse des administrateurs, fonctionnaires de l'Etat ou des fermiers, les pratiques étaient les mêmes, les abus identiques. Echappant au contrôle des lois et de l'opinion, ils détenaient un pouvoir presque illimité sur les particuliers. Le seul terme convenable pour décrire cet état de fait était celui de despotisme que Malesherbes définissait ainsi : « genre d'administration qui tend à priver les sujets du droit de recourir à la puissance souveraine... et qui soustrait à la justice ceux qui les oppriment ». Dans un tel système le citoyen du dernier ordre gémit toujours sous l'autorité d'un despote du dernier grade et lui est aussi soumis que les grands de l'Etat le sont au souverain lui-même.

Pourtant les Français n'avaient pas toujours vécu ainsi et les théoriciens de la Monarchie absolue ne manquaient pas d'arguments pour distinguer leur idéal politique du régime despotique. Malesherbes, quant à lui, ne faisait pas grande différence entre l'absolutisme français et le despotisme oriental. Et s'il en faisait une, elle n'était point à notre avantage.

Quelques décennies seulement avaient suffi à nos gouvernants pour mettre sur pied ce pouvoir tentaculaire en forme de pyramide. On avait d'abord « cherché à anéantir les vrais représentants de la nation » (Etats Généraux). Puis on était « parvenu à rendre illusoires les réclamations de ceux que l'on n'avait pas pu détruire ». Enfin, on avait même « voulu les rendre impossibles », en introduisant partout la clandestinité : en dérobant les opérations de l'administration aux yeux du Roi et de la nation; en cachant au public la personne des administrateurs. C'est ce triple processus d'oppression qui est l'objet des Remontrances de 1775.

L'abus du centralisme

Jadis, le pouvoir royal partageait les responsabilités et les décisions administratives avec les représentants de la nation, constitués en Etats Généraux et provinciaux. Ceux-ci ne se contentaient pas de voter l'impôt, ils avaient également une grande part dans la levée et l'administration des taxes. Les Assemblées Provinciales répartissaient les impôts directs entre les paroisses, réglementaient leurs établissements et leurs perceptions. Elles pouvaient même lever des taxes locales pour les dépenses d'utilité publique. Centres de décision, les Assemblées Provinciales remplissaient également une très importante fonction de surveillance et de contrôle. Les Pays d'Election eux-mêmes, qui n'avaient pas la même organisation représentative que les pays d'Etat, possédaient néanmoins une certaine autonomie grâce à leurs tribunaux composés de personnes élues par la Province. Même les villages et les paroisses jouissaient d'une certaine liberté d'action.

Dès le milieu du XVIIe siècle, les usages et les mœurs se modifièrent. Les Etats Généraux ne furent plus convoqués. Et le gouvernement non seulement limita les Etats Provinciaux mais entreprit de rogner les pouvoirs de ceux qui subsistaient. Sous couvert d'unifier l'administration française, le pouvoir central tenta d'aligner toutes les provinces sur le modèle des plus dépendantes. Les Etats Provinciaux cessèrent progressivement d'être des organes d'administration autonomes avec pouvoir de discussion et de revendication. Systématiquement coiffés par les agents du pouvoir, les intendants, ils perdirent le droit de faire opposition aux lettres-patentes du Roi. Et s'ils votaient toujours, c'était sans pouvoir réel de refus. Mises à part trois ou quatre grandes provinces qui résistèrent autant qu'elles purent à cette mise en coupe, la plupart des Etats devinrent les rouages dociles de l'administration provinciale du Roi. La relative autonomie des Pays d'Election fut encore plus facilement détruite. N'ayant nulle tradition d'assemblées à opposer au pouvoir central, les intendants en prirent rapidement possession et devinrent tout-puissants à l'intérieur de leurs frontières. Les officiers de l'élection, jadis encore élus, ne le furent bientôt plus. Nommés, ils étaient sous la complète dépendance de l'administration. L'intendant, représentant du Roi dans la Province, régnait sans partage sur toutes les communautés, villages et paroisses, assisté de subdélégués et d'une armée de commis.

Ainsi furent mis en place les rouages d'une administration parfaitement centralisée. Les ordres de Versailles étaient transmis aux plus lointains sujets du royaume par l'intermédiaire de fonctionnaires-relais, dotés à échelle réduite de pouvoirs aussi absolus que ceux de la Puissance-Mère. Rien ne pouvait plus être décidé sans leur avis et leur accord. On en vint progressivement, dit Malesherbes, à déclarer nulles toutes délibérations non autorisées par l'intendant. De sorte que si une communauté avait la plus petite dépense à faire, le moindre procès à soutenir, il fallait en passer par l'autorité de l'intendant. Tocqueville analysa longuement cette mainmise des intendants sur toutes les paroisses, y compris les plus modestes du pays. Il en avait vu l'excès pour ne pas dire le ridicule. Ainsi, une paroisse « fût-elle unanime, ne pouvait ni s'imposer, ni vendre, ni acheter, ni louer, ni plaider sans que le Conseil du Roi le permît. Il fallait obtenir un arrêt du Conseil pour réparer le dommage que le vent venait de causer au toit de l'église, ou relever le mur croulant du presbytère. La paroisse rurale la plus éloignée de Paris était soumise à cette règle comme les plus proches. J'ai vu des paroisses demander au Conseil le droit de dépenser 25 livres [30] ».

Témoin de ce pouvoir démesuré, Malesherbes concluait : « Voilà par quels moyens on a travaillé à étouffer en France tout esprit municipal; à éteindre, si on le pouvait, jusqu'aux sentiments de citoyen; on a pour ainsi dire *interdit la Nation entière et on lui a donné des tuteurs* [31]. » Tocqueville renchérira exactement dans les mêmes termes que son aïeul en affirmant que le gouvernement était passé « du rôle de souverain à celui de *tuteur* [32] »; un peu plus loin, il ajoutait que « l'administration tenait tous les Français en *tutelle* [33] ». Ainsi le même vocabulaire et la même analyse unissent Malesherbes et Tocqueville. Les Français, mis en tutelle, étaient infantilisés par le pouvoir central qui leur retirait toute responsabilité et leur interdisait toute initiative.

Cette pratique gouvernementale était bien la conséquence logique des idées dominantes de l'époque fondées sur l'origine divine du pouvoir. Dès l'instant où le Roi se voulait le père tout-puissant de son peuple d'enfants, il ne pouvait que les traiter comme tels. Le centralisme né au XVIIe siècle et développé au XVIIIe siècle n'était donc qu'une application rigoureuse des principes absolutistes contemporains. A ce peuple infantilisé, le tuteur n'avait nul conseil à demander, aucune explication à fournir. Il suffisait au Conseil du Roi, véritable organe de tutelle, d'envoyer ses ordres à ses fonctionnaires provinciaux, tous nommés et révocables par lui.

Ce Conseil du Roi auquel, dit Tocqueville, « tout finit par aboutir, et duquel part le mouvement qui se communique à tout [34] » est un peu l'analogue politique du premier moteur aristotélicien, source de tout mouvement, mais lui-même jamais mû. Unique centre de décisions et de pouvoirs, le Conseil en communique, par délégation, une parcelle à ses intendants comme le premier moteur imprime de son mouvement aux astres inférieurs. On sait que le mouvement créé par le premier moteur se dégradait en se communiquant d'une sphère à l'autre au point d'être mouvement de génération et de corruption dans notre monde sublunaire : imitation misérable du mouvement divin. Les délégations successives de pouvoir connaissaient une dégradation similaire. Les décisions du Contrôleur Général pouvaient procéder des meilleures intentions. L'intendance ne suivait pas toujours avec le même talent. Trop souvent se glissaient à un échelon d'autorité ou un autre, l'abus de pouvoir, le système des faveurs, en un mot la corruption.

Le secret

De tels vices étaient encouragés par le secret de toutes décisions administratives. En matière de secret, comme en bien d'autres, l'exemple, comme le montrait Malesherbes, venait d'en haut. Le Conseil du Roi gardait pour lui le montant annuel des impôts et ne publiait aucun chiffre révélateur sur les finances de l'Etat. L'exemple des deux brevets de la taille, dont le système fut décidé en 1767, est une bonne illustration, pour la Cour des Aides, de cette volonté de secret. Le brevet invariable de la taille principale était certes connu et déposé au département, mais le deuxième brevet des accessoires de la taille variait chaque année et restait caché. Il était réparti entre les généralités par l'intendant seul dans son cabinet. Il devenait tentant pour ces puissants fonctionnaires de favoriser telle généralité aux dépens de telle autre selon la puissance des personnalités dont on voulait s'assurer les bonnes grâces. Tentant aussi pour les fonctionnaires de moindre importance de copier le système des faveurs des intendants et d'imposer un particulier plus lourdement que son dû pour obtenir la reconnaissance de tel autre. Nul ne connaissant le montant exact qu'il devait payer, en était quitte pour se soumettre ou implorer son percepteur. Dans les deux cas, disait Malesherbes, le droit se taisait au profit de la force.

La levée du vingtième n'allait pas non plus sans mystère. Aucun cadastre sérieux ne renseignait les préposés sur la valeur des biens des particuliers. Et comme les rôles fort approximatifs n'étaient point déposés dans des registres publics, les collecteurs les moins consciencieux pouvaient donner libre cours à leur arbitraire.

Le secret faisait les mêmes ravages dans la perception des impôts indirects levés par les Fermiers Généraux et leurs commis. Une fois le bail signé avec le gouvernement, l'avance annuelle faite, les croupes et les pensions payées, il fallait bien que les traitants rentrassent dans leurs frais et fassent leurs bénéfices. Pour ce faire, tous les moyens étaient bons y compris parfois des pratiques interdites. Partant de l'hypothèse commode et souvent vérifiée que le Français est fraudeur, les commis de la ferme procédaient à toutes sortes de recherches vexatoires et inquisitoriales, jusque dans les maisons des particuliers, pour un peu de tabac en trop ou de sel en moins.

Il suffisait de la dénonciation d'un voisin, d'une trahison domestique ou du mouchardage d'un concurrent pour que se passe la scène ainsi décrite par Malesherbes : « Le délateur ne se montre pas; mais les commis avertis par lui vont surprendre celui qui a été dénoncé, et acquièrent la preuve, *ou plutôt se la fabriquent*[35] *eux-mêmes,* par leur procès-verbal. Quand un avis a réussi, il est donné une récompense au dénonciateur, c'est-à-dire au complice... » Malesherbes jugeait en outre scandaleuse la façon dont on dressait les procès-verbaux. Il suffisait, dit-il, que dans leurs visites domiciliaires, les commis « *croient* » avoir trouvé une fraude pour qu'ils en dressassent procès-verbal. Sur celui-ci, signé de deux commis (dont généralement un seul d'entre eux savait lire et écrire) les « faits étaient regardés comme constants et la fraude comme prouvée ». Si le particulier mis en cause prétend que les commis sont calomniateurs, il ne peut le soutenir en justice qu'en s'inscrivant en faux. « Comment prouver un fait négatif, dit Malesherbes, comment prouver aux commis la fausseté des faits par eux allégués, quand tout s'est passé *à l'intérieur d'une maison sans autres témoins* que l'accusé et les commis eux-mêmes? »

Ces pratiques arbitraires des commis de la ferme étaient aggravées par un autre abus consistant en une convention elle aussi secrète entre le fermier et les commis dont on ne pouvait jamais avoir les preuves expresses : malgré la défense de la loi, le fermier promettait à ses commis un pourcentage des amendes auxquelles ils faisaient condamner les particuliers. C'est là, dit Malesherbes, une partie de leur traitement, qui concluait ainsi : « La fraude est réputée prouvée contre un citoyen par la seule affirmation de deux hommes qui non seulement sont aux gages du fermier général, son adversaire, mais attendent un salaire proportionné à la somme à laquelle ce citoyen sera condamné. »

Enfin, cette politique du secret trouvait sa pire expression dans l'usage des lettres de cachet, généreusement distribuées par les intendants à leurs subalternes aussi bien qu'à ceux de la Ferme. Les commis étant autorisés à emprisonner les contrevenants sans demander la permission aux juges, les fermiers obtenaient facilement de l'intendant de leur ressort des ordres en blanc qu'ils remplissaient eux-mêmes. La mise au secret dans les cachots était l'ultime phase de cette politique arbitraire. Le contrevenant ou l'innocente victime, comme Monnerat, pouvait rester dans un cachot des mois entiers sans autre forme de procès, sans possibilité de s'expliquer, d'exercer un recours ou d'être indemnisé en cas de méprise. L'opinion, parfois la haine d'un seul homme pouvait en réduire un autre à l'état d'esclave. Nul dans le royaume, disait Malesherbes, n'est à l'abri de la haine d'un ministre ou de la tyrannie d'un commis.

L'anonymat

Le secret qui entourait toutes décisions financières et administratives s'accompagnait de la « clandestinité des personnes » responsables des décisions. En droit, le Roi, représenté par son Conseil, décidait de tout. En réalité, il était impossible de savoir précisément qui décidait de quoi. Chacun savait bien que les petits ou grands abus dont il était la victime ne pouvaient être tous imputés au Contrôleur Général ou même à l'intendant de sa généralité. Mais le propre d'un système aussi centralisé était de rendre anonymes et officiellement irresponsables tous ceux qui travaillaient pour lui. Le particulier qui voulait s'en prendre à l'un de ses membres voyait le corps entier faire bloc contre lui. L'administration disait agir au nom du Roi, indiquant par là que lui seul était responsable de toute décision. En conséquence, celui qui réclamait contre un fonctionnaire s'en prenait, disait-elle, aux ordres du Roi. Mais ce raisonnement n'était qu'une première tentative d'intimidation. Bien plus efficace était la procédure d'évocation. Si un sujet de Sa Majesté, plus audacieux que d'autres, intentait une action contre un fonctionnaire, l'affaire était aussitôt soustraite à la justice ordinaire. Les agents de l'administration se retrouvaient à l'abri de toute poursuite de la justice réglée. Quand le cas se présentait, le pouvoir central intervenait par arrêt du Conseil et enlevait l'accusé à ses juges, qui était renvoyé devant ses pairs nommés par le Conseil. C'est cette même procédure qui fut utilisée contre la Cour des Aides chaque fois qu'elle voulut (et officiellement elle en avait pleinement le droit) poursuivre des collecteurs ou des commis de la Ferme pour abus de pouvoir.

Au nom de l'esprit de corps, pudiquement appelé Raison d'Etat, le Conseil couvrait toutes les exactions de ses fonctionnaires. On disait volontiers qu'un administrateur attaqué en justice eût trouvé de la prévention dans l'esprit des juges ordinaires et que l'autorité du Roi en aurait souffert. Tocqueville qui analysa fort bien ces mœurs administratives donna, *a posteriori*, pleinement raison aux dénonciateurs de Malesherbes. Les évocations étaient, disait-il, usages quotidiens, non seulement à propos des principaux agents de l'administration, mais aussi des moindres. Il rapporte l'anecdote révélatrice d'un piqueur des ponts et chaussées chargé de diriger la corvée et poursuivi par un paysan qu'il avait maltraité. Le Conseil évoqua l'affaire et fit parvenir une note confidentielle à l'intendant disant : « A la vérité, le piqueur est très répréhensible, mais ce n'est pas une raison pour laisser l'affaire suivre son cours. Car il est de la plus grande importance pour l'administration des ponts et chaussées que la justice ordinaire n'entende ni ne reçoive les plaintes des corvéables contre les piqueurs des travaux. Si cet exemple était suivi, ces travaux seraient troublés par des procès continuels, que *l'animosité publique* qui s'attache à ces fonctionnaires ferait naître [36]. »

Cette note, parmi beaucoup d'autres, confirme le bien-fondé d'un des thèmes essentiels de revendications chers à Malesherbes, puisqu'il n'avait jamais cessé de dénoncer la mainmise de l'administration sur la justice. Il est vrai qu'il existait depuis longtemps une sorte de guerre larvée entre ces deux pouvoirs jadis réunis en un seul. Dans un passage situé à la fin des Remontrances, Malesherbes raconte fort bien l'évolution des rapports entre les deux forces que représentaient la justice et l'administration. Pendant longtemps l'institution judiciaire avait elle-même exercé les fonctions administratives. Jusqu'au moment où la jurisprudence devint une véritable science. Alors « il ne fut plus possible que la justice fut rendue par le Roi ni par les grands. Les Rois se reposèrent de cette fonction sur les Magistrats mais se réservèrent l'Administration; et comme elle s'exerça par des lettres du Prince, au lieu de proclamations publiques autrefois usitées, tout se fit dans le secret du cabinet ».

Grâce à l'imprimerie, les lois furent publiées et connues de tous. La justice fut rendue publique. Mais l'administration ne franchit jamais ce stade de la publicité car les ministres préférèrent toujours garder le secret sur leurs discussions à l'abri de toute vérification publique. Le pouvoir administratif comprit vite que la justice régulière représentait une sérieuse menace pour sa clandestinité. Grâce à la vénalité des charges et à l'inamovibilité des offices, les magistrats se sentaient relativement indépendants à l'égard du pouvoir. Ils ne se gênaient donc pas pour condamner les abus des fonctionnaires et traitants dont ils étaient aussi parfois les victimes. Ils étaient dérangeants et on entreprit de les faire taire en établissant loin d'eux une justice concurrente. Ce fut la mise en place de la justice administrative sous la haute main du Conseil du Roi. Progressivement cette justice parallèle rogna le ressort de la justice régulière qui diminua comme peau de chagrin. Au XVIIIe siècle, tous les édits et déclarations du Roi, tous les arrêts du Conseil prenaient la peine d'indiquer que les contestations ou les procès qui pourraient en naître seraient exclusivement portés devant les intendants et le Conseil. La formule ordinaire se terminait par l'avertissement suivant : « Défendons à nos Cours et tribunaux d'en prendre connaissance ».

C'est ainsi que les contestations à l'égard des impôts les plus récemment créés, tels la capitation et surtout le vingtième, échappaient en grande partie à la vigilance de la Cour des Aides, à laquelle on avait ôté en fait droit de regard sur la levée de ces impôts. Le contribuable qui se croyait lésé par un commis ou un collecteur devait s'adresser au tribunal administratif présidé par l'intendant, seul juge en fait de toutes les affaires. Progressivement c'est devant ces tribunaux que se vidèrent tous les procès dans lesquels l'autorité était intéressée. Au fil de ses Remontrances, Malesherbes ne cessa de réclamer contre la volonté expansionniste du Conseil en cette matière. Tocqueville, une fois de plus, lui fit écho, notant également que les intendants veillaient avec grand soin à ce que cette juridiction exceptionnelle s'étende sans cesse : « On voit souvent l'intendant ou le Conseil attirer à eux des procès qui ne se rattachent que par un lien invisible à l'administration publique, ou même qui, visiblement, ne s'y rattachent point du tout [37]. »

Dans les autres sujets réglés par les anciennes lois, au temps où les tribunaux d'exception n'existaient pas encore, le Conseil intervenait par voie d'évocations et de cassations. Evoquer une affaire c'était, comme on l'a vu, en ôter la connaissance aux juges auxquels elle appartenait et donner à d'autres le pouvoir de la juger. C'était donc en général un acte d'autorité souveraine du Prince. Le Conseil prit l'habitude d'évoquer la plus grande partie des affaires qui relevaient du ressort de la Cour des Aides, y compris bien sûr celles qui mettaient en cause la Ferme Générale. Malesherbes constatait, non sans amertume, qu' « à Paris, où se jugent les appels, c'est encore l'Intendant des Finances qui statue irrévocablement, seul dans son cabinet, et souvent dans son travail avec le Fermier Général ». On ne pouvait mieux dire la collusion objective, si souvent rappelée au XVIIIe siècle, qui régnait entre les financiers et l'administration. Le Conseil protégeait les Fermiers comme les siens, n'ayant pas intérêt à voir cette grande source de revenus gênée par la Justice.

Enfin, dans les affaires qui n'étaient pas évoquées et pour lesquelles le recours à la justice réglée semblait encore permis, l'administration trouva un dernier moyen de les faire escamoter par voie de cassation. Ainsi le Fermier Général prenait l'habitude de porter les requêtes en cassation contre les arrêts des Cours des Aides au Conseil des Finances toujours composé pour la circonstance du seul Contrôleur et du seul Intendant des Finances. « En cassant un arrêt de la Cour souveraine, note Malesherbes, on juge le fond contrairement au droit, sans le renvoyer à un autre tribunal. Dès lors il n'existe plus de différence entre la cassation et l'évocation... et le recours au Conseil n'est qu'un degré de juridiction de plus. »

Par le développement de ces usages, la justice administrative avait en 1775 supplanté la justice régulière. De fait, notait Malesherbes, l'administration et la justice étaient de nouveau réunies. Non plus, comme jadis sous l'égide de la justice, mais à présent au profit de l'administration. Autrefois les juges remplissaient des fonctions administratives; au XVIIIe siècle c'était les administrateurs qui faisaient office de juges. Malesherbes n'avait pas attendu 1775 pour condamner cette usurpation de fonctions. Déjà en juin 1761, la Cour des Aides s'en était prise avec violence aux juridictions illégales : « C'est dans leur principe qu'il faut attaquer les abus; c'est l'autorité arbitraire donnée aux commissaires et aux subalternes qui reçoivent leurs ordres; c'est cet ordre de juridiction établi nouvellement dans le royaume et inconnu dans les siècles passés que nous dénonçons à Votre Majesté comme la source intarissable de toutes espèces d'injustices et de vexations. » Il concluait, en proche de Montesquieu, que l'autorité devenait despotique lorsqu'elle n'était contrebalancée par aucune autorité contraire, « quand la juridiction, l'administration et l'exécution étaient dans la même main ».

Enfin, si le despotisme administratif avait pu se développer grâce au secret et à la clandestinité dont il entourait ses opérations et ses agents, il avait été largement facilité par la mentalité et les usages qui régnaient alors. Nos ancêtres n'avaient pas une idée bien définie du concept de loi ni de l'obligation universelle qu'elle impliquait. A plusieurs reprises, Malesherbes fait remarquer l'incertitude ou la relativité des lois qui régissaient la politique ou l'administration du pays. L'exemple, une fois encore, venait d'en haut, et remontait aux origines de la Monarchie. Les droits nationaux n'avaient jamais été consignés dans une véritable constitution. Les droits du souverain, ceux du peuple, en un mot, les articles de la liberté, n'avaient jamais été rédigés. Ce n'est peut-être pas un hasard si l'on parlait plus volontiers à l'époque de maximes que de lois. On a vu à quel point cette absence de constitution fut une source inépuisable de conflits entre le Roi et ses Cours puisqu'on ne s'accordait ni sur le nombre ni sur la nature des lois fondamentales. Cette incertitude concernant les droits et les devoirs nationaux se retrouvait à tous les niveaux de la vie des Français. Si le droit public était encore à naître, le droit administratif et fiscal eût été bien difficile à enseigner, tant le code était obscur et changeant.

Parfois même l'administration prenait des décisions hors de tout cadre juridique. Malesherbes cite l'exemple de la corvée qui n'avait jamais été autorisée par aucune loi du royaume. Si bien qu'on n'avait jamais pu établir des règles certaines et publiques sur la répartition de ce travail. Puisque aucun arrêt du Conseil imprimé n'avait sanctionné l'existence de cet impôt, ceux qui auraient voulu se plaindre n'avaient « ni juges légaux, ni lois certaines, ni moyens juridiques de constater l'injustice ». Ces tours de passe-passe de l'administration relevaient d'un véritable mépris pour la loi. Le pouvoir d'ailleurs changeait sans cesse de règlements ou de lois, si bien dira Tocqueville que « rien ne demeurait un instant en repos [38] ». Les nouvelles règles se succédaient si rapidement que les agents de l'administration ne s'y retrouvaient pas eux-mêmes. Et quand la loi n'était pas changée, c'était alors la manière de l'appliquer qui variait tous les jours. Enfin, il n'y avait pas d'édits ou de lettres-patentes solennellement enregistrées qui ne souffraient nulle exception dans la pratique. Tocqueville concluait : « On se plaint souvent de ce que les Français méprisent la loi; hélas quand auraient-ils pu apprendre à la respecter? Chez les hommes de l'ancien régime, la place que la notion de loi devait occuper dans l'esprit humain était vacante ».

Quatre-vingts ans plus tôt, Malesherbes avait été frappé de ce vice propre à la mentalité de ses concitoyens. Excusant par avance le peuple des misérables, c'est-à-dire les fraudeurs, il s'en prenait d'abord aux responsables de la servitude du peuple. Il postulait implicitement que si les Français montraient une si grande propension à la fraude, ils ne faisaient qu'imiter ceux qui les dirigeaient. C'est à eux aussi que Malesherbes s'en prit en consacrant un passage des Remontrances au « code » des Fermiers, si tant est que le mot ne fut pas dérisoire. Les caractéristiques de ce code fantôme étaient premièrement qu'il était « immense et inconnu du public ». Personne, excepté les Fermiers, n'avait pu étudier cette « science occulte ». De sorte, disait Malesherbes, que le particulier en procès ne pouvait connaître la loi qui l'assujettissait ni consulter qui que ce soit. Il ne lui restait qu'à s'en rapporter au commis même qui le persécutait. Deuxièmement, les lois de la Ferme étaient souvent « incertaines ». Les droits invoqués par les Fermiers variaient suivant les circonstances et la contingence des règlements laissait le contribuable à la discrétion des Fermiers. D'autres lois enfin figuraient dans ce code immense : celles trop incertaines dont l'exécution littérale était impossible par l'excès de leur rigueur. Le Fermier les tenait à sa disposition, non tant pour les faire exécuter, mais pour pouvoir mieux menacer de ruine ses victimes. Si bien qu'en dispensant le particulier de ces excès de rigueur, il accordait arbitrairement une faveur qui mettait le contrevenant en état de complète soumission.

On ne pouvait montrer plus de cynisme à l'égard de la loi ni dire plus clairement que le droit n'était que l'effet de la force. A lire cette description très sévère de Malesherbes, on comprend qu'à l'arbitraire du pouvoir fasse écho la fraude du peuple. Il avait au moins pour excuse de ne rien savoir de ses droits et ses devoirs civiques.

Ce que Tocqueville devait constater en sociologue du passé, Malesherbes le dénonçait déjà en termes politiques. Observateur attentif, Malesherbes se sentait personnellement concerné par ces mœurs despotiques. Acteur, à sa place, de la politique française, homme de loi et de liberté, il ne pouvait en rester aux analyses et aux dénonciations. Il proposa donc plusieurs sortes de remèdes à porter aux maux de la société française.

Les remèdes

Toutes les solutions proposées au Roi par Malesherbes relevaient d'un même souci : abattre le despotisme. Tâche difficile, presque vertigineuse aux yeux d'un Roi timide, parce qu'elle impliquait des changements radicaux. « Ce n'est point à la réforme des abus particuliers que vous devez borner vos soins, c'est le système de l'administration qu'il faut *attaquer* [39]. » Le vocabulaire militaire est significatif. Il ne s'agissait pas de changer ci et là une partie de l'édifice, d'accommoder ou de modifier ce qui existait déjà. Il n'était question que d'abattre un système dans son entier. Pour tuer il fallait viser au cœur comme on n'extirpe le mal qu'en creusant à sa racine. En vue d'un tel projet, l'action réformiste semblait dérisoire. Malesherbes savait bien que seule une révolution peut venir à bout d'un système quel qu'il fût. Si le mot n'est jamais prononcé dans le texte de la Cour des Aides, l'idée y est présente, particulièrement dans les dernières pages des Remontrances. Il s'agit là de changer les mœurs, les usages et l'idéologie de la classe dominante, en un mot transformer la France absolutiste en une Monarchie libérale, c'est-à-dire accomplir une révolution. Trois principes, selon Malesherbes, devaient présider à cette métamorphose : un nouveau concept de loi, une représentation nationale et la publicité des actes gouvernementaux et administratifs.

La première condition d'un réel changement était l'institution d'une véritable constitution afin d' « obtenir des lois qui fassent le bonheur perpétuel de votre royaume, des lois telles que cette justice qui est dans votre cœur, survive à Votre Majesté elle-même ». On ne pouvait mieux dire sa volonté de transformer l'ordre légal. Car il ne s'agissait pas moins de passer du gouvernement de la subjectivité, toujours contingente et capricieuse, à celui de l'objectivité universelle et nécessaire. Sans référence possible à une constitution écrite, où trouver les règles d'action? Le seul caractère du souverain devenait critère de gouvernement et de justice. Il ne restait qu'à espérer en la bonté personnelle d'un homme : « Un bien passager », dont les générations futures n'étaient pas sûres de profiter. Par contre, la consignation et la publication des lois garantissaient au peuple un « bonheur perpétuel ». Souci propre à un siècle qui abandonnait le rêve d'une béatitude éternelle au profit d'un bien-être transmissible de père en fils. Les hommes en avaient assez de redouter toutes les puissances du monde et même celle du ciel. L'idée se faisait jour que les hommes ne devaient plier que devant une seule puissance : celle de la loi, connue de tous, égale pour tous. Seule autorité qui n'opprime pas, la loi était considérée par la plupart des philosophes comme l'unique garantie de la liberté civile.

Ce qui était vrai de la *lex publica*, l'était également de la *lex privata*. Pour que fussent assurées les libertés individuelles et la sécurité des biens, il fallait, selon Malesherbes, simplifier, consigner et publier des lois précises et valables pour tous : universaliser les règlements et les maximes particulières. L'exigence visait toute la législation française qui n'était qu'un entrelacement compliqué de lois féodales, seigneuriales, ecclésiastiques, royales et provinciales. Mais dans ces Remontrances essentiellement consacrées à l'arbitraire fiscal, la remarque s'adressait au premier chef aux règlements administratifs et au code immense des Fermiers. Pour simplifier ce dernier, un seul moyen irrécusable : le calcul qui ne laisse place ni à l'arbitraire ni à l'à-peu-près. Il faut, disait Malesherbes, « *connaître* dans le plus grand détail, non seulement le produit de chaque droit dans chaque territoire, mais la vraie source de ce produit et *prévoir* avec justesse quelle augmentation ou quelle diminution chaque changement apportera dans le recouvrement... Il faut *calculer* non seulement les intérêts de la Ferme, mais ceux du cultivateur, du fabricateur, du commerçant et du consommateur de chaque denrée [40] ».

En attendant que cet immense travail fût achevé, un frein pouvait être mis sans attendre au despotisme des fermiers. Ayant sa source dans l'ignorance où était le public des lois et de leur régie, le Roi pouvait ordonner dès à présent aux Fermiers Généraux de « *faire publier* [41] » les tarifs exacts et circonstanciés des droits qu'ils avaient à percevoir. « Une collection courte, claire, méthodique des règlements qu'il faut observer et qu'il importe au public de connaître. » Une fois les lois publiées et connues, rien n'empêchait plus les particuliers de demander conseil à des praticiens pour les guider dans leurs contestations contre le Fermier.

En demandant qu'on accorde au peuple une part de savoir, Malesherbes entendait lui rendre quelques pouvoirs. Non seulement le droit négatif de légitime défense contre les abus, mais aussi le droit démocratique de s'exprimer. Rendre la parole au peuple ainsi informé était le plus sûr moyen de le faire sortir de sa longue tutelle. La convocation des Etats Généraux était un premier pas vers ce changement. Il faut, disait Malesherbes au Roi, que vous entendiez la Nation elle-même et directement — sans courtisans ni fonctionnaires qui fassent obstacle à la transparence de vos rapports et détournent la parole du Peuple. Il faut rétablir ce contact interrompu depuis cent cinquante ans, écouter ceux qui ne vous approchent jamais et qui ont le plus besoin de vous. Ceux par qui et pour qui vous régnez. Réunissez les Assemblées Provinciales et rendez aux Pays d'Election le droit d'élire leurs députés. Il faut, auprès du Conseil, des hommes qui remplissent les mêmes fonctions que les procureurs généraux auprès des Cours : ceux-là stipuleront les intérêts du public.

Enfin, les pauvres, les opprimés et les captifs auront des défenseurs et les intendants des contradicteurs et des surveillants.

Pour mieux permettre le travail des représentants du Peuple, Malesherbes revenait sur la publicité nécessaire de tous les actes faits au nom du Roi. Afin que l'administration ne se tienne plus cachée mais agisse au grand jour, il suggérait que tous les actes d'autorité soient rendus publics; que les motifs soient également publiés et surtout « qu'à chacun de ses actes d'autorité soit annexé le nom de celui de qui il est émané et qui doit répondre de l'abus qu'il a fait de son pouvoir ». Cette idée de faire sortir les fonctionnaires de leur anonymat et de les rendre responsables de leurs décisions était une suggestion étonnamment moderne [42]. Elle se fondait sur une proposition non moins audacieuse : l'admission officielle d'une réclamation publique contre les abus de l'administration.

Malesherbes jugeait urgent de faire savoir au monarque ce qui se passait dans son administration et tous les abus que l'on commettait en son nom. Il fallait, pour cela, permettre la publication de tous les mémoires sur ce sujet. Autrement dit, appliquer à l'administration les mêmes règles qu'à la justice. La publicité des débats et l'usage des mémoires avaient depuis longtemps pénétré le domaine judiciaire. La justice devait donc servir de modèle à cette administration qui la haïssait. Malesherbes conseillait qu'on la copiât, elle dont les débats étaient *publics*, où on pouvait prendre *le public* à témoin par des mémoires qui augmentaient encore la *publicité* de l'audience.

Innovation dangereuse! s'écriraient les conservateurs. Malesherbes qui avait prévu cette objection leur répondit par avance qu'il y avait des nouveautés utiles mais qu'en l'occurrence on ne pouvait même pas lui reprocher cette nouveauté. Il ne s'agissait, disait-il, que de mettre fin à un anachronisme et de combler le décalage immense entre les usages judiciaires et les mœurs administratives. L'âge de l'imprimerie avait rendu les lois publiques et levé le secret soigneusement gardé par les légistes. Il était temps de faire sortir l'administration de sa clandestinité et de la faire rentrer dans la nouvelle ère de l'écriture et de la publicité. Il était seulement question de rattraper le temps perdu et de combler le retard.

Après tout, n'était-ce pas revenir en quelque sorte, avec des techniques différentes, aux usages antiques de la Monarchie française? Pour mieux convaincre, Malesherbes évoquait les lointains ancêtres qui se réunissaient dans le Champ de Mars pour entendre le Roi rendre publiquement justice. Le peuple assemblé avait alors droit de parole. On votait, disait-on, à main levée. La découverte de l'imprimerie n'avait fait que développer les moyens d'expression. Elle eut dû faciliter l'usage du droit de parole. Mais la réalité fut différente. Le silence s'installa et avec lui tout un réseau d'obstacles entre le souverain et son peuple : « Prenez exemple des anciens Rois, disait Malesherbes au jeune Louis XVI, ils ne croyaient pas leur autorité blessée par la liberté donnée à leurs sujets d'implorer leur justice en présence de la nation assemblée. » Il fallait donc combattre le mal dont souffrait la société française avec des armes anciennes. Point n'était besoin de remèdes nouveaux. Les premières races avaient donné l'exemple, dans leur simplicité barbare, d'une certaine démocratie directe. Il fallait retrouver quelques-uns des usages antiques, les bonnes habitudes depuis trop longtemps oubliées. En disant au Roi :

« Sire, imitez Charlemagne... régnez à la tête d'une Nation qui sera tout entière votre Conseil... on pourra dire qu'il a été conclu un traité entre le Roi et la Nation », Malesherbes ne sombrait pas dans un passéisme naïf. Pas plus que Rousseau n'a jamais prêché le retour à l'état de nature, Malesherbes n'a préféré la barbarie des premières races au siècle des lumières. La référence aux origines de la Monarchie n'était enrichissante que pour mieux retrouver quelques-uns de ses principes fondateurs. L'application de ces principes originels à la France du XVIIIe siècle devait être à proprement parler révolutionnaire.

Telle était la solution au problème posé par Malesherbes dès le début des Remontrances. Il avait cherché une arme radicale pour détruire le système existant et l'avait trouvée dans l'arsenal de l'histoire. Cette arme suprême, Malesherbes ne lui avait pas donné de nom. Mais n'ayant cessé de nommer l'ennemi à abattre, le despotisme, le lecteur pouvait aisément trouver les antonymes. Le libéralisme à coup sûr. La démocratie peut-être [43]. La république certainement pas. C'était bien le modèle anglais qui fascinait toujours nos magistrats, admirateurs de Montesquieu.

Est-ce à dire que la pensée de Malesherbes fut elle-même révolutionnaire? Du point de vue théorique, il n'avait pas la paternité de ce discours sur les origines de la Monarchie. Tout au long du XVIIIe siècle, on avait vu se développer le thème du salut politique par le retour au passé. Boulainvilliers, Mably, Lepaige et bien d'autres, avaient exploité cette idée, chacun en fonction de sa propre idéologie. Ils lui avaient même donné une place fondamentale dans leur système que Malesherbes ne lui avait pas accordée. Elle n'apparaissait que sous forme d'incidente en ces remontrances comme en quelques autres, ainsi que l'idée de contrat entre le Roi et la Nation. De même, au point de vue politique, Malesherbes n'avait pas été le seul de son siècle à réclamer la restauration des Etats Généraux et provinciaux ainsi que la décentralisation administrative. Fénelon en 1710 [44], d'Argenson en 1750 [45], deux réformateurs bien traditionalistes avaient émis les mêmes souhaits. Mais l'un et l'autre n'avaient été entendus que de leurs pairs, hommes de lettres. Par contre les Remontrances de Malesherbes dépassèrent ce cercle d'initiés. Elles furent écoutées non seulement d'une grande partie de l'opinion publique, mais surtout des hommes qui allaient gouverner la France jusqu'en 1789 et des futurs députés de l'Assemblée Constituante.

c) *Les conséquences des Remontrances*

Sur le moment, les Remontrances du 6 mai n'avaient point été mal accueillies puisque le Roi avait promis de les faire étudier dans le détail. Mais les ministres plus avisés comprirent vite les dangers d'un tel réquisitoire. La Cour des Aides avait bien cru mettre sa responsabilité à couvert en déclarant qu'il ne lui appartenait pas d'indiquer au monarque de nouveaux impôts, ni même de rechercher « si les seules ressources de l'économie pourraient y suppléer ». Mais le ministère ne se laissa pas prendre à ces précautions rhétoriques. Les accusations accumulées contre le régime fiscal en vigueur par l'Assemblée qui passait pour le corps le plus compétent du royaume en matière financière pouvaient rendre la rentrée des taxes plus difficile encore. On risquait d'aggraver un déficit budgétaire dont le chiffre était déjà très inquiétant. On décida donc d'étouffer ce texte et d'en empêcher toute publicité. Qui au juste conseilla au Roi de faire enlever la minute du texte des Registres de la Cour? Certains historiens nomment Turgot, d'autres Maurepas. Il est possible qu'il y ait eu consensus au sein du gouvernement devant une telle menace.

Toujours est-il que le 22 mai 1775, le Garde des Sceaux Miromesnil vint solennellement à la Cour se faire remettre la minute du texte et s'adressa aux Magistrats en ces termes : « Sa Majesté n'ignore pas que l'excès des impôts est un des plus grands malheurs de ses sujets... Mais le Roi sait aussi que s'il existe des abus, il ne faudrait les faire connaître que dans le moment où l'on peut y remédier, et qu'il est dangereux d'augmenter l'animosité des contribuables contre ceux dont le ministère est nécessaire pour la levée des impôts. Sa Majesté ne doute pas que vous n'ayez fait les mêmes réflexions, et *votre intention n'a certainement pas été de les rendre publiques,* mais seulement d'instruire la religion de Sa Majesté. Vous ne serez donc pas étonnés des *mesures extraordinaires* que le Roi a prises pour en *empêcher la publication* [46]. »

Ces propos fort sérieusement tenus par le Garde des Sceaux durent paraître bien amers et même ironiques aux oreilles des Magistrats. La Cour qui suppliait le Roi d'instaurer le droit à la publicité des mémoires voyait ses propres écrits condamnés au silence. Ils pouvaient penser que leur long réquisitoire n'avait été qu'un coup d'épée dans l'eau. Que le pouvoir n'avait rien entendu de leurs avertissements et que tout ce travail avait été inutile. Pendant trois ans, grâce aux précautions du gouvernement, les Remontrances restèrent à peu près secrètes. Mais l'opinion eut vite connaissance du sens général du texte et sut que la Cour des Aides avait hardiment critiqué la plupart des impôts et réclamé des réformes. La politique du secret n'eut pas les effets escomptés. Au lieu de faire tomber ces Remontrances dans l'oubli, leur censure ne fit qu'exciter la curiosité du public. Selon un processus classique, on voulut absolument connaître ce que d'autres désiraient tant cacher. Car si le texte avait été anodin, nul n'aurait songé à en ôter toute trace des Registres officiels.

En 1778, les Remontrances furent publiées à l'étranger et pénétrèrent en France. Une copie en fut livrée à l'impression et malgré la vigilance de la police qui en saisit les exemplaires, la brochure qui les contenait se répandit rapidement. L'année suivante, elles furent imprimées dans un recueil qui reproduisait les délibérations les plus importantes prises par la Cour des Aides depuis 1756 jusqu'en 1775. Ce fut en vain qu'un arrêt de cette Cour en ordonna la suppression. Elles furent lues et commentées avec d'autant plus de passion qu'on voulait en interdire la lecture. Le résultat dépassa largement les effets redoutés par le gouvernement en 1775. « Il est peu de pièces, écrit Bachaumont [47], qui méritent autant d'attention... C'est un chef-d'œuvre de patriotisme, écrit avec autant d'énergie que de logique... Plus on discute les Remontrances de la Cour des Aides, plus on les trouve belles et admirables. »

Les Remontrances eurent, à retardement, une influence considérable sur l'opinion publique. Les appréciations des Magistrats passionnèrent les contemporains non sans les irriter contre la vieille Monarchie qui ne voulait pas se réformer. On était frappé de la justesse des analyses et séduit par le radicalisme des critiques. Qu'une Cour de Finances ait l'air de mettre sur le même pied commis et fraudeurs enchantait l'imagination populaire, mais exacerbait un peu plus la haine générale contre les fermiers et les intendants. Tous les impôts existants semblèrent plus pesants encore à l'opinion publique mieux informée des abus dont elle était la victime. A présent elle réclamait des réformes, toute prête à aduler celui qui les réaliserait.

C'est à Necker, Genevois libéral, que revint l'honneur des premières réformes. Lecteur, comme tant d'autres, des Remontrances de 1775, il y puisa une bonne part de ses initiatives. Avec un véritable génie de la publicité, il sut annoncer haut et fort des changements qui lui acquirent l'amour du public. L'un des premiers soucis du gouvernement Necker fut de limiter, comme le suggérait Malesherbes, le nombre et les pouvoirs des administrateurs et des fermiers. Profitant du renouvellement du bail, il fut le premier ministre à s'attaquer au démembrement de la ferme, et ce à la plus grande satisfaction du public.

Contrairement à la plupart des Ministres des finances du XVIIIe siècle, l'ancien banquier Necker, n'ayant jamais été intendant, nourrissait à leur encontre une certaine défiance. Il lui fut donc plus facile qu'à d'autres, sortis du sérail de l'administration, de s'en prendre à la puissance des intendants. Ce fut tout d'abord l'édit de juin 1777 qui supprimait les intendants de finance dont Malesherbes avait constamment dénoncé le pouvoir occulte au sein du Conseil. Deux ans plus tard, c'était au tour des Contrôleurs Généraux des finances d'être supprimés. Entre-temps, une ordonnance avait été prise en mars 1778 interdisant aux Intendants de Province de s'absenter plus de trois mois de leur généralité.

Mais ces mesures n'étaient pas suffisantes pour assouvir l'hostilité du public contre les administrateurs et satisfaire son désir de décentralisation. Necker reprit à son compte la question à la mode [48] des Assemblées provinciales vantées à la fois par les économistes et la Cour des Aides. En 1778, alors même que les Remontrances venaient d'être publiées, Necker résolut de satisfaire la demande pressante du public d'avoir une part à l'administration de ses intérêts locaux. Il rédigea pour le Roi un mémoire dans lequel il exposait la façon dont le peuple était administré, ne cachant rien des vices de l'administration des Intendants ni des sujets de mécontentement des contribuables. Jean Egret a fait remarquer que dans bien des passages de ce mémoire, « on retrouve l'accent même des réquisitions de Malesherbes contre les agents du fisc [49] ». La similitude des critiques est si frappante qu'on pourrait facilement s'y méprendre. Expliquant au Roi que les Intendants devaient conserver leurs attributions policières et de maintien de l'ordre, il ajoutait : « Mais il en est aussi, telles que la répartition et la levée des impositions, l'entretien et la construction des chemins, le choix des encouragements favorables au commerce, au travail en général... qui peuvent être confiés, préalablement à une commission composée de propriétaires [50]... »

Il eût été logique que Necker proposât d'établir de telles assemblées dans tous les Pays d'Election. Il n'en fut rien et le 12 juillet 1778 parut un arrêt du Conseil qui établissait une seule Assemblée, dans le Berry. Le premier article spécifiait en outre qu'elle durerait « autant qu'il plairait à Sa Majesté ». L'opinion, un peu déçue des restrictions apportées à la réforme, pensa néanmoins qu'une telle initiative ne pouvait être que bénéfique. Même limitée, elle allait dans le sens des exigences de la Cour des Aides. Necker la compléta en favorisant le droit de réclamation[51] des taillables et en interdisant toute augmentation du brevet des accessoires de la taille sans une loi enregistrée par les Cours[52]. C'était là satisfaire un double vœu constamment émis par Malesherbes depuis les Remontrances de 1761 jusqu'à celles de 1775.

Enfin Louis XVI accorda à Necker ce qu'il avait toujours refusé à Malesherbes : la publicité des finances de l'Etat et l'autorisation de la publication des mémoires. *Le compte rendu au Roi par M. Necker* fut imprimé par ordre de Sa Majesté[53]. Dans le préambule de cet écrit célèbre, Necker développait longuement l'utilité de rendre public l'état des finances, car, disait-il, « les ténèbres de l'obscurité favorisent la nonchalance » alors que la publicité stimule la rigueur, l'énergie et l'honnêteté. Pour la première fois, un ministre s'adressait à la nation entière et croyait bon de l'informer de ses affaires. En faisant connaître au peuple le montant des charges et l'emploi fait de ses finances[54] on procédait à une reconnaissance de fait de ses droits. La nation était officiellement considérée comme une entité séparée du Roi, un pouvoir avec lequel il fallait compter. On n'était plus si loin de l'idée que la chose publique n'était pas la propriété du Roi, mais qu'il en était seulement le gérant. Le public ne s'y trompa pas et fit un accueil enthousiaste à cette initiative. Le succès de l'ouvrage fut si prodigieux[55] qu'on en vendit plus de 6 000 exemplaires le jour même de sa publication. Il survécut même à la popularité de Necker puisqu'en septembre 1791 le rapport Montesquiou en faisait encore l'éloge. Par cette publication, Necker avait mis fin symboliquement à la politique de tutelle si vivement dénoncée par les Remontrances de 1775.

Necker, comme Malesherbes quinze ans auparavant, avait montré un sens aigu des réformes à accomplir. Malheureusement le ministre au pouvoir, comme jadis Malesherbes à la Maison du Roi, n'avait pas eu le courage de mécontenter les intérêts vraiment puissants et de se faire les ennemis que toute réforme en profondeur n'aurait pas manqué de susciter. Necker ne fit donc qu'effleurer le programme de remèdes suggérés par la Cour des Aides. Ses réformes furent le plus souvent des demi-mesures à la portée plus démagogique que réelle. Necker voulait avant tout donner satisfaction au désir de réformes largement répandu plutôt que s'attaquer aux véritables maux de la Monarchie française. Là s'arrêtait la ressemblance avec le Président de la Cour des Aides qui n'avait cessé d'alerter le Roi sur la nécessité de remèdes radicaux. Déjà en 1775, Malesherbes condamnait d'avance, comme inutiles, toutes réformettes de surface. L'institution par Necker de deux administrations provinciales dans le Berry puis la Haute-Guyenne [56] était de ce type, trop partielle pour être réellement efficace.

Pourtant il n'a pas manqué d'esprits chagrins pour reprocher à Malesherbes son esprit trop critique et ses exigences révolutionnaires. Il fut volontiers taxé d'irresponsabilité. Quoi? Démolir un système, critiquer tous les impôts, sans souci des finances de l'Etat? Les Cahiers des Doléances ne firent pas autre chose en réclamant le bouleversement de la législation et la suppression de tous les impôts existants. Tocqueville, frappé de cette volonté révolutionnaire, notait à propos des cahiers de 1789 : « Ce qu'on réclame est l'abolition simultanée et systématique de toutes les lois et de tous les usages ayant cours dans le pays [57]. »

Comme Malesherbes vingt ans plus tôt, les Français pensaient qu'il fallait d'abord s'attaquer aux fondements pour reconstruire sur des bases solides, c'est-à-dire sur une constitution. Dans les cahiers de la noblesse de Clermont-en-Beauvaisis, comme en beaucoup d'autres, on pouvait lire : « La Constitution devra assurer à la nation la jouissance de la propriété, de la liberté, sous la protection constante de lois inviolables, exactement observées et qui la préservent à jamais de l'autorité arbitraire si changeante et si vexante des ministres. »

Les Remontrances de la Cour des Aides ne demandaient rien de plus. Mais pour les révolutionnaires de 1789, ceci n'était qu'une toute première étape des changements à venir.

Etrange destinée que celle de ces Remontrances. Adressées successivement à deux Rois bien différents, elles ne furent entendues ni de l'un ni de l'autre. Les avaient-ils seulement lues avec bonne volonté? Car à quoi bon remontrer à ceux qui ne veulent pas voir! Les deux fois Malesherbes avait parlé du peule au Roi, évoqué ses libertés ignorées ou bâfouées, représenté sa misère et son malheur. L'auditeur ne fut pas celui à qui les Remontrances étaient destinées mais justement ceux dont elles parlaient. Malesherbes voulait convaincre le Roi de changer la vie de son peuple et non le peuple de changer de souverain. Pourtant, il fut indirectement, avec d'autres, de ceux qui modifièrent les esprits et donc le cours des choses.

Par ses Remontrances, Malesherbes appelait, de manière pressante, le Roi à faire des réformes. Loin de vouloir détruire la Monarchie française, il ne pensait qu'à sa régénération, c'est-à-dire au retour à l'authentique ancien régime, celui qui n'était pas encore dévoyé par l'absolutisme.

Le pouvoir fit la sourde oreille parce que régénérer signifiait pour lui révolutionner. Effacer presque deux siècles d'usages autocratiques, de prérogatives usurpées lui semblait au-dessus de ses forces. Il fallait donc qu'il ignorât les avertissements de Malesherbes. Il leur opposa, selon les circonstances, de la colère, du mépris ou simplement une condescendance polie. Au mieux, Malesherbes faisait figure d'idéaliste, par définition irresponsable, au pire, d'opposant dangereux. Dans les deux cas, il apparaissait comme une menace pour le pouvoir.

En vérité, ses critiques et ses idées pénétrèrent progressivement les esprits qui, le moment venu, en tirèrent les conclusions nécessaires. Malesherbes avait fait œuvre de philosophe et contribué à l'analyse et l'explication du monde. Il ne restait plus, selon le mot célèbre, qu'à transformer celui-ci. Malesherbes ne sut ni ne put participer à cette entreprise. Homme des anciens jours, il ne pouvait plus surmonter le temps.

Malesherbes avait compris « l'esprit de son temps » et dit les choses que tous sentaient confusément. Mais le temps passant, le destin s'était retourné contre lui et l'avait englouti dans la tornade révolutionnaire qu'il avait, à sa modeste place et sans le savoir, contribué à déclencher.

NOTES

1. *Mémoire sur la liberté de la presse*, p. 77.
2. *Mémoires secrets d'Augeard.*
3. Souligné par nous.

4. Malesherbes réclamera un véritable « traité » entre le Roi et ses sujets à la fin des Remontrances de mai 1775.

5. Dans son livre, *le Chancelier Maupeou et les Parlements,* Flammermont regrette que Malesherbes n'ait pas fait adopter par la Cour des Aides un arrêté par lequel elle aurait déclaré : « qu'instituée par les Etats Généraux pour surveiller la perception des impôts, elle ne ferait plus désormais exécuter que les lois de finance consenties par les députés de la Nation ».

On peut faire deux réponses à cette critique :

— Premièrement la Cour des Aides n'enregistrait les lois financières qu'en second, après le Parlement;

— Deuxièmement, en réclamant la convocation des Etats Généraux, elle reconnaissait, de facto, sa légitime soumission à la Nation assemblée.

6. Ainsi le jeune greffier en chef civil Gilbert des Voisins, dont l'office était le plus important de tous et rapportait plus de 100 000 livres chaque année, eut le courage de résister à toutes les sollicitations. Il s'était donc vu confisquer sa charge qui valait presque 1 million et exiler dans le Poitou.

7. Pour de nombreux conseillers, la cessation de traitement était une catastrophe financière. En refusant ultérieurement la liquidation de leur charge, pour ne pas régulariser la dissolution de leur cour, ils acceptèrent de faire un sacrifice économique tout à fait héroïque.

8. Lettre 34 de *la Correspondance inédite,* mars 1771.

9. mars 1771.

10. Voltaire avait souvent eu affaire à Malesherbes, lorsque celui-ci était directeur de la Librairie.

11. Dans sa réforme judiciaire, Maupeou introduisait de nouveaux usages en ces matières qui allaient dans le sens souhaité par Voltaire.

12. Lettre de Malesherbes à d'Alembert, mars 1775 : « Je vis la brochure, je trouvais qu'on ne nous reprochait que de n'avoir pas parlé des Conseils Supérieurs qui n'existaient pas encore lorsque nos Remontrances avaient paru. Ce n'était donc qu'un malentendu. »

13. Lettre de Malesherbes à Voltaire, mars 1775 : « Je vous avoue Monsieur que dans le temps de nos malheurs, il me fut très douloureux de vous voir du parti de mes persécuteurs. Ma consolation était que certainement ils n'étaient pas connus de vous. »

14. *Correspondance de Voltaire,* 18 juillet 1775.

15. Cf. *Inauguration de Pharamond.*

Requête des Etats Généraux de France au Roi.
Réponse aux 3 Articles de l'Edit Enregistré au Lit de Justice du 7 décembre 1770.
Les Lettres Provinciales.
Les Principes avoués et défendus par nos Pères.

16. Le public avait déjà été fort influencé par d'autres Remontrances tant de la Cour des Aides que des Parlements de Paris et de Province.

17. Juillet 1772.

18. *Mémoire secret d'Augeard* (1760-1800), p. 38 à 40.

19. Droit qui appartenait originellement aux Etats Généraux.

20. Lettre publiée par P. Grosclaude : *Malesherbes, témoin et interprète de son temps.*

21. Lettre publiée par P. Grosclaude in *Malesherbes et son temps.*

22. Impression renforcée chez Malesherbes qui avait vu au début de l'année 1776 les Parlementaires s'opposer farouchement aux édits libéraux de Turgot, lequel avait été remercié quelques mois plus tard.

23. Voir la démission du Parlement de Paris en 1752-1754 et celle du Parlement de Bretagne en 1765.

24. Voir *Malesherbes, témoin et interprète de son temps* de P. Grosclaude.

25. Publiée par Grosclaude dans *Malesherbes et son temps.*

26. Lettre publiée par P. Grosclaude dans *Malesherbes témoin et interprète de son temps.*

27. Malesherbes insistait pour que ce tribunal émanant du Conseil ait toute l'autorité nécessaire afin que le Parlement ne puisse jamais lui porter les mêmes atteintes qu'il avait portées au Grand Conseil depuis 1775.

28. (VIII, 53).

29. Souligné par nous.

30. Tocqueville, *l'Ancien Régime et la Révolution,* livre II, chap. III.

31. Souligné par nous.

32. Livre II, chap. III.

33. Livre II, chap. III.

34. Tocqueville, II, chap. II.

35. Souligné par nous.

36. *L'Ancien Régime,* livre II, chap. IV. Souligné par nous.

37. *L'Ancien Régime,* II, chap. IV.

38. *L'Ancien Régime,* livre II, chap. VI.

39. Souligné par nous.

40. Souligné par nous.
41. Souligné par nous.
42. On retrouvera cette idée dans l'article 15 de la Déclaration des droits de l'homme.
43. Edgar Faure, dans *la Disgrâce de Turgot* : « Les remontrances sont un véritable manifeste du libéralisme et l'on pourrait presque dire du libéralisme démocratique. »
44. Fénelon : *Directions pour la Conscience d'un Roi* (1710).
45. D'Argenson : *Considération sur le gouvernement ancien et présent de la France,* publié en 1784, mais écrit avant 1750.
46. Souligné par nous.
47. *Mémoires secrets,* XI, 209, 219, 227.
48. Les Académies provinciales la mettait au concours.
49. *Malesherbes, premier Président de la Cour des Aides,* cf. aussi *Louis XV et l'opposition parlementaire.* L'éditeur des Remontrances de la Cour des Aides soulignait lui-même l'influence que ces Remontrances avaient eue sur Necker.
50. *Mémoire sur l'Etablissement des administrations provinciales* (15 mars 1778).
51. La déclaration d'avril 1778 dispensait les actes de procédure de tout frais. Elle permettait de faire opposition aux rôles, même pour des sommes infimes.
52. La déclaration de février 1780.
53. Paru le 19 février 1781.
54. Les chiffres publiés par Necker étaient plus optimistes que la réalité.
55. Buffon, hors de lui, écrivit à Mme Necker que cette brochure faisait plus d'honneur à ce siècle que tous les écrits mis ensemble.
56. N'ayant qu'un mois de session tous les ans, elles ne pouvaient jouer qu'un rôle des plus secondaires.
57. *L'Ancien Régime et la Révolution.*

Très humbles et très respectueuses remontrances de la cour des aides de Paris, du 18 février 1771, sur l'édit de décembre 1770, et l'état actuel du parlement de Paris

Sire,

La terreur, qu'on veut inspirer à tous les Ordres de l'Etat, n'a point ébranlé votre Cour des Aides; mais son respect pour votre Majesté lui aurait fait désirer de n'avoir jamais à discuter ces premiers principes, qui sont le fondement de l'autorité des Souverains et de l'obéissance des Peuples.

Une Loi destructive de toutes les Lois a été présentée à votre Parlement.

Tant que cette Cour a pu se faire entendre, toute autre réclamation aurait été superflue et déplacée.

Depuis qu'on a voulu la détruire, nous avons encore compté sur l'intercession des premiers personnages de l'Etat, membres essentiels de cette Cour, et qui, dans cette occasion, Sire, sont pénétrés des mêmes sentiments que les Magistrats. Nous nous flattions que leurs offices particuliers auprès de Votre Majesté rendraient inutiles les démarches quelquefois trop éclatantes des Cours.

Mais il n'est plus temps de se livrer à aucune espérance. Il est notoire qu'on a fermé tout accès à la vérité. Notre réclamation nous exposera peut-être aux effets d'une haine puissante; mais notre silence nous ferait accuser par toute la Nation, de trahison ou de lâcheté.

Les droits de cette Nation sont les seuls que nous réclamons, aujourd'hui.

Dans d'autres temps, Sire, nous vous ferions connaître que ceux de la Magistrature ont été violés avec inhumanité; que les Magistrats du Parlement sont dispersés dans tout le Royaume par vos ordres, et que par un nouveau genre de rigueur que Votre Majesté n'a point ordonné, et n'approuvera jamais, on s'est étudié à chercher des lieux inconnus, où toutes les commodités, et même les nécessités de la vie dussent leur manquer, pour aggraver leur disgrâce.

Mais aujourd'hui, Sire, nous devons vous exposer le malheur de l'Etat avant les malheurs particuliers. Ces vertueux Magistrats nous désavoueraient eux-mêmes, si nous nous occupions principalement de leur situation personnelle; et nous ne considérerons dans le traitement qu'ils éprouvent, que l'accomplissement du système destructeur qui menace la Nation entière.

Il est temps de le dévoiler ce système funeste.

On vous a présenté, Sire, le fantôme d'une révolte générale de la Magistrature, on a fait valoir la nécessité de soutenir votre autorité souveraine, on a calomnié votre Parlement de Paris : et on vous a déterminé à une vengeance éclatante, le moyen qu'on vous propose pour punir les Ministres des Lois, est de détruire les Lois elles-mêmes; et pour marquer votre mécontentement au Parlement de Paris, on veut enlever à la Nation les droits les plus essentiels d'un Peuple libre.

Voilà ce qui résulte de l'Edit de décembre 1770.

Cet acte n'a point été adressé à votre Cour des Aides, mais il porte actuellement la désolation dans tout votre Royaume.

Nous devons vous peindre les malheurs de l'Etat,

nous devons éclairer votre justice, et nous ne le pouvons sans remonter à la cause qui a nécessairement produit les troubles et les calamités dont nous sommes témoins.

Par l'Article premier, on veut interdire toute relation entre les Compagnies, qui étant animées du même esprit, dépositaires des mêmes Lois, sujettes du même Souverain, semblent faites pour s'aider mutuellement de leurs lumières et de leurs offices.

On voit par le préambule, qu'on a fait craindre à Votre Majesté des Arrêts d'union tels que ceux qui furent rendus dans les temps malheureux d'une minorité, où il n'était pas seulement question de l'union des Cours de Justice entr'elles, mais de l'union véritablement redoutable de tous les Corps de l'Etat avec la puissance militaire.

A ces craintes chimériques, nous opposerons, Sire, les abus trop réels qui résulteraient de la prohibition de l'Article premier.

Les Cours sont aujourd'hui les seuls protecteurs des faibles et des malheureux; il n'existe plus depuis longtemps d'Etats Généraux, et dans la plus grande partie du Royaume point d'Etats Provinciaux : tous les Corps, excepté les Cours, sont réduits à une obéissance muette et passive. Aucun Particulier dans les Provinces n'oserait s'exposer à la vengeance d'un commandant, d'un Commissaire du Conseil, et encore moins à celle d'un Ministre de Votre Majesté.

Les Cours sont donc les seules à qui il soit encore permis d'élever la voix en faveur du Peuple, et Votre Majesté ne veut point enlever cette dernière ressource aux Provinces éloignées.

Or c'est à leur rendre cette ressource illusoire, que tend l'Article premier de l'Edit.

En effet, Sire, les Cours qui résident dans la

Capitale, ont plus souvent que les autres le bonheur d'approcher de la personne même du Souverain. Les Chefs de ces Compagnies sont à portée de discuter les affaires avec ceux qui doivent en délibérer dans votre Conseil; et s'ils ont à réclamer contre quelqu'injustice évidente, leur voix se fait entendre dans la région où se forment les orages. Mais les Magistrats des Provinces n'ont point le même avantage; et s'il était décidé que, dans aucun cas, ceux qui parlent à Votre Majesté, ne pourraient prendre en main leur cause, il est évident que leurs plaintes seraient toujours interceptées par ceux même contre qui elles sont dirigées, puisqu'il est certain, Sire, que les Remontrances envoyées des Provinces ne vous parviennent, et que le compte ne vous en est rendu dans votre Conseil que par les dépositaires mêmes de cette autorité arbitraire contre laquelle ils ont à réclamer.

Voilà ce qui résulte nécessairement de la disposition de l'Article premier : disposition trop bien combinée et trop artificieusement présentée, pour que ceux qui l'ont rédigée n'en aient pas prévu toutes les conséquences. Cependant, cette conséquence, Sire, n'avait sûrement pas été mise sous vos yeux.

Par l'Article II, Votre Majesté prend des précautions pour que les Assemblées de Chambres nécessaires pour les affaires publiques, n'interrompent point l'exercice de la justice due aux Particuliers, et pour empêcher les démissions données en conséquence d'une délibération ou vœu commun.

Nous ne nous permettons sur cet Article qu'une réflexion.

Notre état est de rendre la justice à vos Sujets, et toute notre considération y est attachée.

Quand nous n'aurions pas le plus grand intérêt

à remplir nos fonctions, quand nous serions sourds à la voix du devoir, nous ne pourrions l'être au cri du Public, de ce Public qui est toujours si puissant sur les Corps, qui souffre de l'interruption de la Justice, et qui ne peut la supporter patiemment, que quand la douleur qui arrache les Magistrats à leurs fonctions, est une douleur ressentie et partagée par le Peuple.

Il faut même que cette douleur du Peuple soit bien vive; il faut que les droits de la Nation soient bien violemment attaqués; il faut aussi que les sentiments d'honneur et de vertu soient bien puissants sur les Magistrats, pour qu'ils s'exposent à l'emprisonnement, à l'exil, au dérangement dans leur fortune qui en résulte, à celui de leur santé, à la perte même de la vie, qui a été pour plusieurs l'effet de la disgrâce, et qui le sera bien plus fréquemment depuis le nouveau genre de persécution qu'on vient d'imaginer. Car Votre Majesté ignore, et tout le monde avait ignoré jusqu'à présent jusqu'à quel degré de cruauté on peut se porter, quand vous avez ordonné l'exil d'un Corps, et que les détails de l'exécution sont abandonnés aux inimitiés particulières.

On vous a donc proposé, Sire, des moyens pour prévenir l'interruption de la Justice; mais vous en a-t-on proposé pour prévenir ces coups d'autorité arbitraire, ce renversement des Lois, ces surcharges d'impôts accumulés sur le Peuple, qui peuvent déterminer les Magistrats à sacrifier leur état et leur liberté? Et quelle est donc, Sire, la terrible administration qu'on nous prépare, si on déploie d'avance toute la puissance souveraine pour empêcher des démarches qui ne peuvent jamais être inspirées que par le désespoir de toute la Nation?

Il est temps, Sire, de vous parler du troisième

Article, qui, en détruisant la liberté des enregistrements, ne laisse plus de bornes au pouvoir arbitraire.

Par quelle fatalité, Sire, veut-on forcer les plus fidèles Sujets à rappeler à leur Maître les Lois que la Providence lui a imposées en lui donnant la Couronne?

Vous ne la tenez que de Dieu, Sire, et il était superflu de l'annoncer dans le préambule de votre Edit, puisqu'il n'est point de Français qui ne soit prêt à répandre son sang pour soutenir cette vérité contre toutes les Puissances rivales de la vôtre.

Mais ne nous refusez pas la satisfaction de croire que vous êtes aussi redevable de votre pouvoir à la soumission volontaire de vos Sujets, et à cet attachement pour votre sang qui nous a été transmis par nos Ancêtres.

Ou plutôt, sans agiter ces tristes questions, qui n'auraient jamais dû l'être sous un règne tel que le vôtre, daignez considérer que la puissance divine est l'origine de toutes les puissances légitimes; mais que le plus grand bonheur des Peuples en est toujours l'objet et la fin; et que Dieu ne place la Couronne sur la tête des Rois, que pour procurer aux Sujets la sûreté de leur vie, la liberté de leurs personnes, et la tranquille propriété de leurs biens.

Cette vérité, qui est gravée dans votre cœur comme dans celui de vos Sujets, dérive de la loi divine et de la loi naturelle; elle n'appartient à la constitution particulière d'aucun Etat, et elle suffira pour nous dispenser d'entrer dans l'examen toujours dangereux des Lois propres à votre Monarchie.

Les Souverains peuvent avoir plus ou moins de puissance, mais ils ont partout les mêmes devoirs. S'il en est d'assez malheureux pour commander à des Peuples qui n'aient point de Lois, ils sont obligés d'y suppléer autant qu'ils le peuvent par leur justice personnelle et par le choix des dépositaires de leur autorité.

Mais s'il existe dans un pays des Lois anciennes et respectées, si le Peuple les regarde comme le rempart de ses droits, et de sa liberté, si elles sont réellement un frein utile contre les abus de l'autorité, dispensez-vous, Sire, d'examiner si dans aucun Etat, un Roi peut abroger de pareilles Lois : il nous suffit de dire à un Prince ami de la justice, qu'il ne le doit pas.

D'après ces principes, daignez examiner de nouveau l'Article III de l'Edit de décembre, les conséquences qui en résultent pour l'avenir, l'exécution qu'on a déjà voulu y donner, et soyez Juge entre votre Peuple et vos Ministres.

S'il est une loi regardée en France comme sacrée, c'est celle de la nécessité des enregistrements libres, parce que c'est de celle-là que dépendent toutes les autres.

Il existe en France, comme dans toutes les Monarchies, quelques droits inviolables qui appartiennent à la Nation : nous n'aurons point la témérité de discuter jusqu'où ils s'étendent; mais en un mot il en existe. Vos Ministres, Sire, n'auront pas la hardiesse de vous le nier; et s'il fallait le prouver, nous n'invoquerions que le témoignage de Votre Majesté elle-même. Non, Sire, malgré les efforts, malgré les artifices de ceux qui veulent rompre tous les liens de votre Monarchie, on ne vous a point encore persuadé qu'il n'y avait aucune différence entre la Nation Française et un Peuple esclave.

Or ces droits nationaux, quels qu'ils soient, ne sont assurés que par des lois, et ils seront anéantis quand un favori puissant aura le pouvoir de détruire arbitrairement toutes les Lois.

Il est aussi en France des Lois fondamentales;

vous n'en disconviendrez pas, Sire, quand nous citerons pour exemple celles qui règlent la sucession à la Couronne, et qui l'ont conservée dans votre maison depuis tant de siècles : or ces Lois si respectées, ces Lois si saintes, ces Lois auxquelles nous devons le bonheur de vous avoir pour Maître, et auxquelles vous devez celui d'avoir les plus fidèles Sujets de la terre; ces Lois réputées jusqu'à présent immuables, n'auront plus de stabilité, si on laisse établir la maxime inouïe qu'un instant de faiblesse ou d'erreur suffit pour les renverser.

C'est cependant cette maxime qui est clairement établie dans l'Article III de l'Edit de Décembre : cet Article ne contient aucune restriction, aucune réserve, pas même en faveur de la Loi Salique, pas même en faveur des Lois qui ordonnent qu'un Citoyen ne pourra être condamné à mort que par un Jugement régulier : et suivant cet article, il n'est point de Loi nouvelle qu'un Ministre ne puisse établir, point de Loi ancienne qu'il ne puisse abroger, dès qu'il pourra obtenir du Souverain d'autoriser les innovations par sa préférence ou par celle des porteurs de ses ordres.

Prétendra-t-on que c'est manquer à la Majesté souveraine, de supposer qu'un Roi puisse jamais être trompé par ses Ministres, et de prévoir les abus criminels qu'on peut faire de sa confiance?

Vous n'adopterez point, Sire, cette imputation insidieuse par laquelle on voudrait abuser de notre respect pour nous faire trahir notre devoir. Notre respect et notre soumission ne peuvent fermer nos yeux à l'évidence.

Quand les principes du Gouvernement sont détruits, les vertus personnelles d'un Roi ne peuvent garantir son Royaume d'une subversion totale que pour le temps de son règne.

Auguste, qui, à bien des égards, a été le modèle des Princes, aima la justice et la maintint tant qu'il vécut, mais il détruisit les Lois de l'Etat. Que devint l'Etat après lui? Quel fut le sort de ses successeurs? Quel fut celui d'Auguste lui-même au milieu de sa gloire, et de combien de chagrins sa vie fut-elle traversée?

Mais il est superflu de chercher des exemples dans l'histoire, pour rendre sensibles les malheurs qu'entraînera nécessairement le despotisme érigé en Loi dans des temps moins tranquilles que celui où nous vivons, sous des Princes moins justes et moins éclairés, et surtout dans des minorités.

Nous n'avons pas même besoin de vous annoncer ce qui arrivera sous d'autres règnes : l'aveuglement des auteurs de la nouvelle Loi leur a déjà fait mettre en évidence l'usage qu'ils veulent en faire eux-mêmes.

Nous venons de vous démontrer que l'Article III établit en France un genre de pouvoir qu'on n'y avait jamais connu : voyez, à présent, Sire, dans quelles mains vous allez remettre ce pouvoir sans bornes.

Le droit de propriété est celui de tous les droits des hommes, qui jusqu'à présent a été le plus respecté en France.

L'inamovibilité des Offices est aussi une Loi sacrée dans ce Royaume, puisque c'est par elle seule que chaque Citoyen est assuré de son état; et il n'en est peut-être aucune que Votre Majesté elle-même et les Rois les Prédécesseurs aient reconnue plus souvent et plus authentiquement.

Aussi la confiscation des biens, et surtout celle des Offices, n'avait-elle jamais été prononcée qu'après une instruction criminelle.

On a vu dans cette Monarchie des temps malheureux où l'autorité a employé des moyens bien violents : or dans ces temps même, dont le souvenir nous est si douloureux, on ne s'est jamais permis de confisquer les biens ou les charges de ceux qu'on voulait perdre, que par un Jugement après avoir entendu les accusés, après une procédure, et au moins avec une apparence de formalités de Justice. L'accusation même du crime de Lèse-Majesté au premier chef n'a jamais dispensé de ces formalités nécessaires pour constater que l'accusé est coupable, et doit subir la peine portée par la Loi.

Pour la première fois, Sire, depuis l'origine de la Monarchie, nous venons de voir la confiscation des biens et celle des Offices prononcée sur une simple allégation et par un Arrêt de votre Conseil : devons-nous même dire de votre Conseil? Sommes-nous obligés de nous prêter à l'illusion que nous présente le titre donné à cet acte illégal? Nous ignorons ce qui se passe dans le secret de vos Conseils, mais Votre Majesté ne peut l'ignorer : elle sait ce que ce prétendu Arrêt de son Conseil n'y a jamais été délibéré; elle sait que cet acte qui enlève à cent soixante-douze Magistrats leur état, est l'ouvrage d'un seul homme. (Arrêt du Conseil, du 20 janvier 1771.)

Et tel est, Sire, le premier effet de votre Edit, que ceux qu'on veut croire coupables sont dépouillés du droit d'être entendus avant d'être condamnés; du droit d'être jugés par un nombre suffisant de Juges; de tous ces droit enfin dont on ne prive pas ceux qui sont prévenus des crimes les plus atroces; de ces droits qui appartiennent à tous les Français par les Lois du Royaume, et à tous les hommes par la Loi de l'humanité et de la raison.

Et on n'a pas prévu, ou du moins on a dissimulé à Votre Majesté l'effroi qu'une pareille violence doit répandre dans toutes les familles, l'incertitude qu'elle jette dans toutes les fortunes, l'énorme pouvoir que vont s'arroger ceux qui signent les Arrêts de votre Conseil, le champ immense qui va être ouvert à l'injustice et à la cupidité.

A ce tableau, Sire, permettez-nous de joindre celui de la nuit du 19 au 20 janvier : cette nuit, dont malheureusement le souvenir ne périra jamais, où sous l'ombre du nom respecté du Roi, on a employé la surprise, les ténèbres, l'incertitude et l'égarement de l'instant du réveil, pour extorquer des Magistrats un consentement qu'ils croyaient contraire à leur devoir, ou un refus qu'on pût leur imputer à crime [1]. Demandez, Sire, à ceux qui ont pu conseiller ces moyens inouïs, ce qu'eux-mêmes, en qualité de Juges, seraient obligés de statuer contre un Particulier qui en aurait employé de pareils dans ses affaires personnelles.

Et quels fruits pourrait-on s'en promettre? Des signatures obtenues de chaque Particulier auraient-elles pu détruire les Arrêtés d'une Compagnie assemblée? Et si ces Magistrats avaient eu un instant de faiblesse, aurait-on pu penser qu'un engagement pris à la hâte et dans un moment de trouble, dut prévaloir sur leur serment et sur les Lois dont ils sont dépositaires?

Enfin, Sire, on ne peut mieux vous faire connaître l'esprit dans lequel on se propose de gouverner vos Peuples, qu'en mettant sous vos yeux l'exposition fidèle des moyens qu'on emploie pour faire administrer la justice.

Ce sont les Magistrats de votre Conseil qu'on a chargé provisoirement de la rendre au lieu du Parlement.

Cette justice n'est point rendue, Sire : le Public indigné ne la réclame point : Les Ministres inférieurs s'y refusent : votre Conseil même, qui s'est cru obligé à accepter, par soumission, des fonctions dont chacun en particulier gémit d'être chargé, n'attend sans doute qu'un moment favorable pour joindre sa réclamation à celle du reste de la Magistrature.

Enfin le Peuple est sans justice; mais on veut le dissimuler à Votre Majesté; et c'est dans cette vue qu'on ne craint pas d'exposer des Magistrats à la risée du Peuple et à l'indignation de ceux qui ignorent combien le rôle qu'on leur fait jouer leur est odieux à eux-mêmes.

On annonce que Votre Majesté choisira un nombre d'Officiers suffisants et capables de composer votre Parlement : nous osons vous attester, Sire, au nom de tous ceux qui ont déjà rempli des Charges de Magistrature, de tous ceux qui se sont distingués dans le Barreau, de tous ceux en un mot qui pourraient inspirer de la confiance pour le nouveau Tribunal, qu'on ne trouvera pour le remplir que des Sujets qui, en acceptant cette commission, signeront leur déshonneur. Les uns qui, par ambition, voudront bien affronter la haine publique; les autres qui ne tarderont pas à l'être.

Et ne croyez point, Sire, que ceux qui entreront dans cette Magistrature de nouvelle érection, puissent mettre leur honneur à couvert en alléguant qu'ils y ont été forcés.

Tout le monde sait aujourd'hui que de pareils ordres ne se donnent qu'à ceux qui les ont mendiés secrètement.

Peut-être a-t-on employé quelquefois l'autorité pour obliger les Membres d'un Corps à remplir les fonctions que ce Corps avait acceptées, ou un Officier à ne pas quitter l'Office dont il était revêtu.

Mais toutes les fois qu'un homme est choisi au milieu du Public pour remplir une charge qu'il ne possédait pas, c'est qu'il l'a désirée. Car Votre

Majesté n'a jamais pu ordonner à un Citoyen de prendre un état qui répugnait à ses principes.

Ainsi la résistance simulée de ceux qui finissent par céder à la prétendue violence, n'est jamais regardée que comme une excuse frivole pour une démarche qu'on avoue être déshonorante, puisqu'on a voulu se préparer à une justification. Tels seront, Sire, les Juges que vous allez donner à votre Peuple; et c'est par eux qu'il sera statué sur la fortune, sur l'honneur, sur la vie des hommes.

Nous avons rempli, Sire, le devoir que nous nous sommes prescrit. Nous avons mis sous vos yeux les malheurs du Peuple qui n'a pas mérité d'être la victime de ces tristes dissensions et de ces funestes débats d'autorité; ce Peuple avait autrefois la consolation de présenter ses doléances aux Rois vos Prédécesseurs; mais depuis un siècle et demi les Etats n'ont point été convoqués.

Jusqu'à ce jour au moins la réclamation des Cours suppléait à celle des Etats, quoiqu'imparfaitement; car malgré tout notre zèle, Sire, nous ne nous flattons point d'avoir dédommagé la Nation de l'avantage qu'elle avait d'épancher son cœur dans celui de son Souverain.

Mais aujourd'hui l'unique ressource qu'on avait laissée au Peuple, lui est aussi enlevée.

On a cru pouvoir anéantir la première Cour de France par un seul acte d'autorité arbitraire.

D'autres Cours ont fait en vain les plus grands efforts pour faire parvenir la vérité jusqu'au trône : les avenues en sont occupées par les ennemis de la Justice; et ces Cours ne retireront de leurs démarches que la stérile consolation d'avoir vu l'Europe entière applaudir à leur zèle et à leur courage. Votre Cour des Aides vient aujourd'hui se jeter aux pieds de Votre Majesté. Mais peut-elle se flatter d'un plus heureux succès? La Magistrature entière vous a été rendue suspecte, parce que la Magistrature entière est attachée aux Lois qu'on veut détruire, et nous n'ignorons point qu'on a formé le projet de nous détruire nous-mêmes avec ces Lois dont nous sommes les défenseurs.

Mais ceux qui vous ont déterminé à anéantir la Magistrature, vous ont-ils persuadé, Sire, qu'il fallut livrer à leur despotisme la Nation entière, sans lui laisser aucun défenseur, aucun intercesseur auprès de Votre Majesté?

Or par qui les intérêts de la Nation seront-ils défendus contre les entreprises de vos Ministres? Par qui les droits vous seront-ils représentés, quand les Cours n'existeront plus et seront remplacées par des Tribunaux avilis dès l'instant de leur création?

Le Peuple dispersé n'a point d'organe pour se faire entendre.

La Noblesse, qui approche de plus près Votre Majesté, est forcée de garder le silence; et toute démarche de la part des personnes les plus distinguées de cet Ordre respectable, serait regardée par vos Ministres comme le résultat d'une association illicite.

On en est venu, Sire, jusqu'à étouffer la voix de ceux que leur dignité, leur office, leur serment obligent à maintenir les Lois du Royaume et les fonctions essentielles du Parlement dont ils sont Membres.

Enfin l'accès du Trône semble se fermer aux Princes même de votre Sang, qui sont plus particulièrement intéressés que vos autres Sujets à la conservation de votre autorité, et que leur naissance autorise spécialement à réclamer les droits de la Couronne qui leur est substituée.

Interrogez donc, Sire, la Nation elle-même, puisqu'il n'y a plus qu'elle qui puisse être écoutée de Votre Majesté.

Le témoignage incorruptible de ses représentants vous fera connaître, au moins s'il est vrai, comme vos Ministres ne cessent de le publier, que la Magistrature seule prend intérêt à la violation des Lois, ou si la cause que nous défendons aujourd'hui est celle de tout ce Peuple par qui vous régnez, et pour qui vous régnez.

Ce sont là, Sire, les très humbles, etc.

Arrêté en la Cour des Aides de Paris, ce 18 février 1771.

NOTES

1. La nuit du 19 au 20 janvier 1771, deux Mousquetaires ont porté à chacun des Membres du Parlement une lettre de cachet conçue en ces termes : « Monsieur, je vous fais cette Lettre pour vous dire que mon intention est que vous ayez à reprendre les fonctions de votre Office, et à remplir le service ordinaire que vous devez à mes Sujets, pour l'expédition de leurs affaires, dans la Chambre où vous êtes distribué, et ce sans interruption ni discontinuation, et que vous ayez à vous expliquer et à remettre par écrit au Porteur de la Présente, sans tergiversation ni détour, par simple déclaration de oui ou de non, votre acquiescement ou votre refus signé de votre main, de vous soumettre à mes ordres, vous déclarant que je prendrai le refus de vous expliquer et de signer, comme une désobéissance à mes ordres. Sur ce je prie Dieu, etc. »

Remontrances Relatives aux impôts
6 mai 1775

Très humbles et très respectueuses Remontrances[1] *que présentent au Roi notre très honoré et Souverain Seigneur les Gens tenants sa Cour des Aides.*

Sire,

Votre Cour des Aides vient de réclamer pour elle-même et pour toute la Magistrature, contre quelques Articles de l'acte de son rétablissement; mais il lui reste un devoir encore plus important à remplir : c'est la cause du Peuple que nous devons à présent plaider au Tribunal de Votre Majesté. Nous devons vous présenter un tableau fidèle des droits et des impositions qui se lèvent dans votre Royaume, et qui font l'objet de la Juridiction qui nous est confiée; nous devons faire connaître à Votre Majesté, au commencement de son règne, la vraie situation de ce Peuple, dont le spectacle d'une Cour brillante ne lui rappelle point le souvenir.

Qui sait même si les témoignages de joie et de tendresse que Votre Majesté a reçus, dans le moment de son avènement, de tous ceux qui ont pu approcher de sa Personne, de ce Peuple un peu moins malheureux que celui des Provinces, ou déjà heureux par ses espérances, ne l'entretiennent pas dans une erreur funeste sur le sort du reste de la Nation?

Cette Nation, Sire, a toujours signalé son zèle et son attachement pour ses Maîtres, en faisant les plus grands efforts pour maintenir la splendeur de leur trône; mais au moins faut-il que Votre Majesté sache ce que ces secours immenses coûtent au malheureux Peuple.

Cependant l'examen approfondi de tous les impôts, serait un travail infini auquel Votre Majesté ne peut pas se livrer elle-même. Nous présenterons des Mémoires particuliers sur chaque objet; et Votre Majesté pourra en renvoyer la discussion à ceux qu'elle honorera de sa confiance. Mais dans ce jour, Sire, dans ce jour précieux où nous parlons à Votre Majesté pour être entendus d'elle-même, nous nous bornerons à lui rendre sensibles les causes générales et fondamentales de tous les abus, et à établir des vérités assez simples pour que Votre Majesté puisse s'en convaincre, qu'elle puisse, pour ainsi dire, s'en pénétrer : et quand vos intentions seront connues, quand vos instructions auront été données, ce sera à vos Ministres à s'y conformer dans l'examen détaillé qui sera fait avec eux des différentes parties. Aucune considération ne doit nous arrêter, Sire, quand nous avons des objets si importants à présenter à Votre Majesté. C'est cependant avec regret que nous nous verrons obligés de porter nos regards sur ce temps malheureux où *l'absence des Ministres de la Justice et le silence des Lois ont laissé une libre carrière à l'avidité des Financiers et au despotisme des Administrateurs.*

Votre Majesté a fait cesser les malheurs publics, et nous voudrions que le souvenir en fût entièrement effacé par cet acte éclatant de votre Justice.

Si nous n'avions à nous plaindre que de la persécution soufferte par les Magistrats, et même si nous n'avions à dénoncer que les infractions faites pendant ces temps de trouble à l'ordre judiciaire, nous penserions que toute étant réparé, tout doit être enseveli dans l'oubli.

Mais il est une importante vérité, Sire, que nous ne pouvons éviter de mettre sous vos yeux sans trahir notre devoir : c'est que la prétendue nécessité d'affermir l'autorité souveraine, a servi de prétexte à des exactions exercées avec impunité sur vos Sujets. *Qu'il a été fait une ligue entre les ennemis des Tribunaux, et ceux qui faisaient gémir le Peuple sous le poids des impôts arbitraires; que ceux-là ont prêté leur appui pour anéantir la Magistrature, et leur ministère pour la remplacer, et que le prix de ce funeste service a été de livrer le Peuple à leur cupidité.*

Il nous est douloureux, Sire, d'avoir à vous dénoncer ce système d'oppression dans des jours de clémence.

Mais des Lois onéreuses au Peuple ont été promulguées dans la forme qu'on regardait alors comme légale, et elles subsistent encore aujourd'hui, puisque Votre Majesté a validé tout ce qui s'était fait pendant l'inaction de la Justice. (*Edit de novembre 1774.*)

Nous voyons aussi plusieurs places importantes encore occupées par ceux qui ont abusé de leur pouvoir; et si de nouveaux abus excitent l'animadversion de la Justice, on ne manquera pas de faire valoir, en faveur des coupables, le prétendu mérite de s'être sacrifiés pour le maintien de l'autorité royale! et sous prétexte de les mettre à l'abri de la vengeance de leurs ennemis, on voudra mettre leur administration à l'abri des recherches de la Justice.

Il est donc bien important, Sire, *d'affranchir Votre Majesté du fardeau d'une reconnaissance si préjudiciable à son Peuple, et de lui faire connaître que ceux qui prétendaient travailler pour l'autorité royale, ont réellement et efficacement travaillé pour s'arroger sur tous les Ordres de l'Etat un pouvoir exorbitant, et inutile, au service de Votre Majesté.*

Nous désirerions, Sire, que d'autres que nous puissent vous faire parvenir ces fâcheuses vérités.

Que n'est-il possible que Votre Majesté abandonne aujourd'hui ces funestes maximes de Gouvernement, ou plutôt cette politique introduite depuis un siècle par la jalousie des Ministres, qui a réduit au silence les Ordres de l'Etat, excepté la seule Magistrature! Que n'est-il possible à la Nation elle-même de s'expliquer sur ses intérêts les plus chers!

Alors, Sire, avec quelle joie nous remettrions en d'autres mains le soin de vous faire connaître *tous les excès auxquels s'est porté ce même Ministère qui voulait nous anéantir!*

Mais puisque nous seuls jouissons encore de ce droit antique des Français, de ce droit de parler à nos Rois, et de réclamer avec liberté contre l'infraction des Lois et des droits nationaux, nous ne devons point user envers nos ennemis d'une générosité qui nous rendrait coupables envers la Nation entière.

Le premier tableau que nous ayons à présenter à Votre Majesté, est celui des droits connus sous le nom de Droit des Fermes.

Nous ne vous annonçons pas, Sire, une vérité nouvelle, en vous disant que ces droits sont moins onéreux par les sommes mêmes que le trésor royal reçoit du Peuple, que par les frais de la régie et les gains des Fermiers, qui certainement sont trop forts, puisque les Ministres du dernier règne ont su en reprendre une partie, non pas pour le profit de Votre Majesté, mais pour en gratifier leurs favoris.

Cette vérité qui est dans la bouche du Public entier, ne peut pas être ignorée de Votre Majesté.

Elle sait aussi qu'indépendamment des sommes d'argent tirées de ses Sujets, l'Etat est privé, par les droits des Fermes, d'une multitude de Citoyens, employés les uns à faire la fraude, les autres à l'empêcher. Eh! quels citoyens? Ceux précisément qui pourraient être les plus utiles, les uns par la force du corps et le courage, les autres par l'industrie et l'activité; *car il est notoire que le métier de Commis, et peut-être même le métier de fraudeur, malgré ses risques, valent mieux que le métier de soldat; et que les places de Finances procurent à ceux qui les obtiennent, des avantages plus certains et plus considérables que l'agriculture, le commerce et les manufactures;* qu'il ne reste donc dans ces professions utiles que ceux qui n'ont pas eu assez de bonheur ou de talent pour parvenir à la Finance.

Votre Majesté n'ignore pas non plus qu'outre les droits payés sur chaque denrée, il en est dont la production est défendue ou gênée dans le Royaume pour l'intérêt de la Ferme; que tel est le tabac, dont la culture est interdite à vos Sujets, pendant qu'il s'en achète tous les ans de l'étranger pour plusieurs millions, que tel est aussi aujourd'hui le sel, denrée d'un bien plus grand prix, et un des dons les plus précieux que la nature ait faits à la France, si la main du Financier ne repoussait sans cesse ce présent que la mer ne cesse d'apporter sur nos côtes : qu'il est des parages où la fabrication du sel n'est permise qu'à quelques privilégiés, et que les Commis de la Ferme assemblent les paysans, dans certains temps de l'année, pour submerger celui que la mer a déposé sur le rivage :

que sur d'autres côtés la fabrication du sel, permise en apparence, est cependant assujettie à de telles contraintes, que le Fermier peut ruiner, et ruine réellement celui qui l'entreprend contre son gré : que presque partout l'excès du prix du sel prive le Peuple de l'avantage qu'il pourrait tirer de cette précieuse denrée pour les salaisons, pour la nourriture et la conservation des bestiaux, et pour une infinité d'arts utiles, même pour l'engrais des terres.

Votre Majesté sait aussi que les autres droits sur les denrées nuisent tous à la production et au commerce : que la France produirait plus de vins sans les droits d'Aides; qu'il s'y fabriquerait plus de marchandises sans les droits de Traites. Le détail de ces privations serait infini; et nous reconnaissons, Sire, que nous ne pourrions vous en donner un tableau complet; car chaque jour nous en apprend de nouvelles : mais cette esquisse suffit pour faire connaître le tort que les droits des Fermes font à votre Royaume, indépendamment des sommes que le Peuple paie et pour le gain des Fermiers, et pour les frais de régie.

Il n'est pas possible non plus que Votre Majesté ne soit pas instruite de la rigueur des Lois pénales prononcées contre la contrebande. Elle sait que ceux qui se rendent coupables de ce délit, ne sont quelquefois point habitués à le regarder comme un crime; qu'il y a des Provinces entières où les enfants y sont élevés par leurs pères, n'ont jamais acquis d'autre industrie, et ne connaissent d'autres moyens pour subsister; et que quand ces malheureux sont pris, ils subissent le genre de captivité destiné aux grands crimes, et quelquefois la mort. Nous ne doutons pas que Votre Majesté ne soit attendrie au récit de ces cruautés, et qu'elle n'ait demandé *comment, dans l'origine, on a pu prononcer la peine de mort contre des Citoyens pour un intérêt de finance.*

Mais il est encore une autre tyrannie dont il est possible que Votre Majesté n'ait jamais entendu parler, parce qu'elle n'offre point un spectacle si cruel, et qui cependant n'est pas moins insupportable au Peuple, parce qu'elle est sentie par tous les Citoyens du dernier état, par ceux qui vivent tranquillement de leur travail et de leur commerce; elle consiste en ce que chaque homme du peuple est obligé de souffrir journellement les caprices, les hauteurs, les insultes même des Suppôts de la Ferme. On n'a jamais fait assez d'attention à ce genre de vexations, parce qu'elles ne sont éprouvées que par des gens obscurs et inconnus. En effet si quelques Commis manquent d'égards pour des personnes considérées, les Chefs de la Finance s'empressent de désavouer leurs subalternes, et de donner satisfaction : et c'est précisément par ces égards pour les Grands, que la France a eu l'art d'assujettir à un despotisme sans bornes et sans frein tous les hommes sans protection. Or la classe des hommes sans protection est certainement la plus nombreuse dans votre Royaume; *et ceux qui ne paraissent protégés par personne, sont ceux qui ont plus de droit à la protection immédiate de Votre Majesté.*

Il est donc de notre devoir de développer à Votre Majesté les vraies causes de cette servitude à laquelle le Peuple est soumis dans toutes les Provinces. Cette cause est, Sire, dans la nature du pouvoir que les Préposés de la Ferme ont en main : pouvoir arbitraire à beaucoup d'égards, et avec lequel par conséquent il leur est trop aisé de se rendre redoutables.

Premièrement, *le Code de la Ferme Générale est immense, et n'est recueilli nulle part. C'est une*

Science occulte que personne, excepté les Financiers, n'a étudié ni pu étudier : en sorte que le Particulier à qui on fait un procès, ne peut ni connaître par lui-même la Loi à laquelle il est assujetti, ni consulter qui que ce soit : il faut qu'il s'en rapporte à ce Commis même, son adversaire et son persécuteur.

Comment veut-on qu'un Laboureur, un Artisan, ne tremble pas, ne s'humilie pas sans cesse devant un ennemi qui a contre lui de si terribles armes?

D'autre part les Lois de la Ferme ne sont pas seulement inconnues, elles sont aussi quelquefois incertaines. Il y a beaucoup de droits douteux que le Fermier essaie d'exercer suivant les circonstances. On conçoit que les Employés de la Ferme font ces essais par préférence sur ceux qui ont le malheur de leur déplaire. On conçoit aussi qu'on ne les fait jamais que sur ceux qui n'ont pas assez de crédit pour se défendre. Enfin il est d'autres Lois malheureusement trop certaines, mais dont l'exécution littérale est impossible par l'excès de leur rigueur. Le Fermier les a obtenues, sachant très bien qu'il ne les fera pas exécuter : et il s'est réservé d'en dispenser quand il le voudra, mais à condition que cette dispense, sans laquelle le Particulier redevable des droits sera ruiné, serait une faveur accordée arbitrairement ou par lui, ou par ses Préposés.

Tel est un des systèmes favoris de la Finance, qu'il faut absolument dévoiler à Votre Majesté. Oui, Sire, on a entendu le Financier dire au Citoyen : *Il faut que la Ferme ait des grâces à vous accorder et à vous refuser : il faut que vous soyez obligés de les lui venir demander.* Ce qui est dire en termes équivalents : *Ce n'est pas assez d'apporter votre argent pour satisfaire notre avidité, il faut satisfaire par des bassesses l'insolence de nos Commis.* Or quand il serait vrai que l'avidité du Fermier tournât au profit du Roi, il est certain au moins que l'insolence de cette multitude de Commis qui inondent les Provinces, lui est absolument inutile.

Nous nous sommes plus étendus, Sire, sur les abus de ce genre, que sur les autres, soit parce qu'ils ne sont pas assez connus, soit parce que nous croyons qu'il est impossible d'y remédier sans porter obstacle aux recouvrements. Enfin, Sire, nous croyons qu'on n'a jamais mis sous vos yeux les moyens employés par la Ferme Générale pour réussir dans ses contestations contre les Particuliers.

Le premier de ces moyens, Sire, il ne faut pas se le dissimuler, est de n'avoir point de Juge, ou, ce qui est à peu près la même chose, de n'avoir pour Juge que le Tribunal d'un seul homme.

Les Cours des Aides et les Tribunaux qui y ressortissent, sont, par leur institution, Juges de tous les impôts : mais la plus grande partie de ces affaires ont été évoquées, et sont renvoyées devant un seul Commissaire du Conseil, qui est l'Intendant de chaque Province, et par appel au Conseil de Finance, c'est-à-dire, à un Conseil qui réellement ne se tient ni en présence de Votre Majesté, ni sous les yeux du Chef de la Justice, auquel n'assistent ni les Conseillers d'Etat, ni les Maîtres des Requêtes, et qui n'est composé que d'un Contrôleur Général et d'un seul Intendant des Finances : où, par conséquent, l'Intendant des Finances est presque toujours le seul Juge : car il est rare qu'un Contrôleur Général ait le temps de s'occuper des affaires contentieuses.

Nous rendons justice, Sire, avec tout le Public, aux Magistrats qui occupent à présent ces places; mais les vertus personnelles d'un homme mortel ne doivent point nous rassurer sur les effets d'une administration permanente.

Ce que nous déférons à Votre Majesté est un système de Justice arbitraire sous lequel le Peuple gémit depuis un siècle, et gémirait sans cesse, si on ne réclamait que dans le temps où le pouvoir est dans la main de ceux qui veulent en abuser. Il faut donc profiter du moment heureux où la justice de Votre Majesté a présidé à tous ses choix, pour établir en présence de Votre Majesté et de ses Ministres, la maxime incontestable, que *ce n'est point donner des Juges au Peuple, que de ne lui donner que le Tribunal d'un seul homme.* Or pour tous les genres d'affaires qui ont été enlevés par des évocations à la Justice réglée, ce Tribunal d'un seul homme est le seul qui ait été donné au Peuple. Dans les Provinces, c'est l'Intendant qui prononce sur le sort des Citoyens, seul dans son cabinet, et souvent dans son travail avec le Directeur des Fermes; et à Paris, où se jugent les appels, c'est encore l'Intendant des Finances qui statue irrévocablement, seul dans son cabinet, et souvent dans son travail avec le Fermier Général : et sur cela, Sire, nous croyons pouvoir interpeller la bonne foi de ceux mêmes à qui ce pouvoir exorbitant est confié : c'est à eux que nous demandons s'il n'est pas vrai que cette Justice arbitraire soit la seule qu'on rende à vos Sujets dans toutes les matières évoquées.

Ajoutons que dans celles qui ne sont pas encore évoquées, et où le recours à la Justice réglée semble encore permis, le Fermier Général a trouvé le moyen de rendre ce recours illusoire, et que ce n'est pour le malheureux Peuple qu'une occasion de faire des frais inutiles, par l'usage introduit de porter les Requêtes en cassation contre les Arrêts des Cours des Aides au Conseil des Finances, c'est-à-dire, toujours à ce Tribunal composé du seul Contrôleur Général et du seul Intendant des Finances. Car, d'une part, les Fermiers soutiennent que dans le Conseil le mal-jugé doit être un moyen de cassation, lorsqu'il s'agit des droits du Roi, et que tous les droits qui leur sont affermés doivent jouir de ce privilège. D'autre part, on a établi au Conseil des Finances une Jurisprudence sur les cassations, absolument contraire aux Lois certaines et constamment observées dans le vrai Conseil de Votre Majesté : c'est qu'en cassant un Arrêt de Cour souveraine, on juge le fond sans le renvoyer à un autre Tribunal. Dès lors il n'existe plus de différence entre la requête en cassation présentée à votre Conseil, et l'appel interjeté à un Juge supérieur; et le recours au Conseil n'est qu'un degré de Juridiction de plus.

Tel est donc l'ordre des Juridictions pour tous les droits des Fermes.

Sur les objets évoqués, comme le contrôle et les francs-fiefs, on se pourvoit d'abord devant la seule personne de l'Intendant de la Province, ensuite devant la seule personne de l'Intendant des Finances; et sur les objets non évoqués, comme les Aides, on se pourvoit d'abord en l'Election, ensuite à la Cour des Aides, mais toujours, à la fin, devant la seule personne de l'Intendant des Finances.

Nous savons qu'on donne des motifs plausibles de ces évocations et de ces attributions. On dira à Votre Majesté qu'on a voulu épargner aux Fermiers et à leurs adversaires les frais et la longueur de la Justice réglée, et qu'on a voulu aussi éviter une partialité que les Financiers prétendent toujours avoir éprouvée de la part des Juges ordinaires. On vous expliquera même la cause de cette prétendue partialité, en avouant que les droits sont si rigoureux, et les règlements pour la régie si contraires à l'ordre judiciaire commun, que ces règlements ne peuvent être bien observés que par des Juges qui, étant initiés dans l'administration, ont senti la nécessité de les faire exécuter.

Mais si le premier de ces motifs était sincère, on aurait proposé aux Cours des Aides d'enregistrer des Lois qui établissent une procédure abrégée et sans frais : Lois que ces Cours adopteraient avec empressement, mais qu'on ne leur a jamais proposées, parce qu'on n'a pas voulu perdre des prétextes d'évocation. Et quant au reproche de partialité, s'il était vrai qu'on n'eût eu d'autres intentions que de donner aux Fermiers des Juges initiés dans l'administration, les appels des Intendants et les requêtes en cassation se porteraient au vrai Conseil de Votre Majesté, qui est composé de Magistrats qui ont administré les Provinces, et non pas au seul Contrôleur Général et au seul Intendant des Finances.

Il faut donc avouer que le vrai motif des évocations, la vraie intention du Gouvernement, est de ne donner d'autres Juges au Fermier pour tous ses procès, que le Ministre et les Administrateurs des Finances, c'est-à-dire, qu'on a voulu que le Fermier fût son Juge à lui-même, et celui de tout le Public, toutes les fois qu'il aurait un crédit prépondérant dans les bureaux.

Nous n'entrerons point, Sire, dans le détail de toutes ces évocations, parce que l'énumération en serait infinie, et que nous nous faisons quelque peine d'insister trop longtemps sur cet objet qui nous est personnel, puisqu'il intéresse notre Juridiction.

D'ailleurs il nous serait impossible de donner des preuves de la plupart des abus qu'entraîne cette administration, parce que ces affaires n'étant portées à aucun Tribunal réglé, l'abus le plus constaté par la notoriété publique ne l'est par aucune pièce juridique : mais Votre Majesté suppléera aisément à cet égard aux Remontrances des Cours, en écoutant le témoignage universel du Public. C'est par là qu'elle apprendra jusqu'à quel point les Financiers ont abusé de leur pouvoir arbitraire dans la régie de tous les droits compris dans le bail des Fermes, sous le nom de Domaine, qui sont tous enlevés à la connaissance de la Justice réglée.

Elle saura que ceux qu'on nomme droits de contrôle, d'insinuation, de centième denier, droits qui portent sur tous les actes passés entre les Citoyens, s'arbitrent suivant la fantaisie du Fermier ou de ses Préposés : que les prétendues Lois en cette matière sont si obscures et si incomplètes, que celui qui paie ne peut jamais savoir ce qu'il doit : que souvent le Préposé ne le sait pas mieux, et qu'on se permet des interprétations plus ou moins rigoureuses, selon que le Préposé est plus ou moins avide; et qu'il est notoire que tous ces droits ont eu sous un Fermier, une extension qu'ils n'avaient pas eue sous les autres : d'où il résulte évidemment que ce Fermier est le législateur souverain dans les matières qui sont l'objet de son intérêt personnel : abus intolérable, et qui ne se serait jamais introduit, si ces droits étaient soumis à un Tribunal, quel qu'il fût; car quand on sait qu'on aura des Juges, il faut bien avoir des Lois fixes et certaines.

Votre Majesté saura que dans les derniers temps ces extensions ont été portées à des excès inconnus jusqu'alors : que le Fermier ne se contente plus d'être instruit des secrets des familles consignés dans les actes qui se passent journellement, mais qu'il recherche tout ce qui s'est passé depuis vingt ans, sous prétexte que les droits n'ont pas été exigés avec assez de rigueur, pendant que le Particulier sur lequel il aurait été exercé une concussion, n'aurait pas deux ans pour réclamer.

Vous saurez, Sire, que les vexations de ce genre ont été portées à un tel excès, que pour s'y soustraire les Particuliers sont réduits à faire des actes sous signature privée plutôt que par-devant Notaires; et que dans les cas où il est indispensable de contracter en forme authentique, on exige souvent des rédacteurs d'altérer les actes par des clauses obscures ou équivoques, qui donnent ensuite lieu à des discussions interminables; en sorte qu'un impôt établi sous le spécieux prétexte d'augmenter l'authenticité des actes et de prévenir les procès, force au contraire vos Sujets à renoncer souvent aux actes publics, et les entraîne dans des procès qui sont la ruine de toutes les familles.

Quant au droit de franc-fief, qui est aussi nommé droit domanial, c'est une finance qui s'exige des roturiers ou non-nobles, pour les fiefs qu'ils possèdent; et ce droit a été aussi soumis à la justice arbitraire.

Ce droit est une année de revenu qu'on fait payer tous les vingt ans pour jouir tranquillement dans les dix-neuf autres années.

Mais quand il y a mutation pendant les vingt ans, on fait payer le droit entier au nouvel acquéreur, sans accorder à l'ancien aucune indemnité pour les années pendant lesquelles il devait jouir : usage qui est peut-être aujourd'hui consacré par quelque règlement, mais qui certainement a été dans l'origine une concussion.

Votre Majesté saura aussi qu'on a ajouté huit sous par livre à un droit qui est de la totalité du revenu; qu'on fait l'évaluation des biens sans déduction des frais, et bien d'autres injustices de détail. Mais ce qui étonnera le plus Votre Majesté, sera d'apprendre que, sous prétexte du paiement de ce droit, le Fermier Général fait juger aujourd'hui par la Justice arbitraire la question d'état la plus intéressante, celle de la Noblesse.

On a attribué aux Intendants la connaissance de contestations sur les francs-fiefs, comme sur le contrôle et autres droits semblables, c'est-à-dire, qu'on a voulu les constituer Juges de l'exécution de la Loi bursale, de la quotité du droit pour le franc-fief, et à présent quand le Particulier soutient qu'il n'en doit aucun parce qu'il est noble, et qu'il plaît au Fermier de contester sa noblesse, on veut que cette contestation soit portée au même Tribunal : en sorte que le Gentilhomme dépend du Jugement d'un seul homme pour jouir de l'état qui lui a été transmis par ses ancêtres.

Il est aisé de concevoir jusqu'où ont dû être portés les abus d'une telle Justice, et Votre Majesté en sera plus convaincue par des faits que la notoriété publique pourra lui apprendre.

Elle saura, par exemple, qu'en 1723, le feu Roi avait exigé de tous ceux qui avaient été ennoblis sous le règne précédent, un droit de confirmation à cause de son avènement à la Couronne; mais que la Loi n'avait point prononcé la peine de déchéance contre ceux par qui ce droit n'aurait pas été payé : que cette déchéance a depuis été prononcée par des Arrêts du Conseil non revêtus de Lettres-Patentes, comme si on pouvait être condamné à perdre son état d'après des Arrêts qui n'ont point le caractère de Lois enregistrées; qu'enfin ces Arrêts, dont le dernier est de l'année 1730, avaient toujours été réputés purement comminatoires, et que les Fermiers Généraux eux-mêmes avaient avoué publiquement qu'ils n'avaient jamais été exécutés. En effet, l'exécution en paraissait impossible, parce qu'il répugne à tous les principes de punir la faute de n'avoir pas payé une taxe par la déchéance de la noblesse, peine infamante à laquelle on ne condamne jamais que ceux qui sont convaincus de crimes capitaux; et qu'il est encore moins possible de faire tomber cette peine sur les enfants de celui qui n'a pas payé, de déclarer déchus de la Noblesse des Citoyens qui l'ont reçue avec la naissance, et ont toujours vécu conformément à cet état, parce que leur père a négligé autrefois de satisfaire à une Loi bursale dont il n'a peut-être pas eu connaissance.

Ce sont là de ces rigueurs auxquelles tout le monde se refuse : la justice, ainsi que l'humanité ne permettent jamais l'exécution littérale de semblables Lois : voilà pourquoi cet Arrêt du Conseil de 1730, et tant d'autres Lois du même genre, sont restés sans effet. Mais *telle est, Sire, la nature du pouvoir arbitraire, que la justice et l'humanité elle-même perdent tous leurs droits quand un seul homme est sourd à leur voix.* Il s'est trouvé un Fermier qui a voulu faire revivre cet Arrêt de 1730, oublié depuis qu'il existe, et un Ministre qui lui a abandonné toutes les familles qui n'avaient pas payé le droit de confirmation.

Ainsi celui dont le père ou l'aïeul ont obtenu l'ennoblissement le plus glorieux pour le prix de leur sang et de leurs services, et qui ayant, à leur exemple, passé sa vie dans la dispendieuse profession des armes, ne s'est pas trouvé en état de payer la taxe, pourra aujourd'hui être déchu des droits de la Noblesse, quoiqu'il en ait rempli les devoirs : et la famille sera reléguée par l'impitoyable Financier dans la classe des roturiers, tandis que peut-être ce Financier lui-même, ennobli par une charge vénale, jouira des mêmes privilèges que la plus haute Noblesse.

Votre Majesté voit, par cet exemple, jusqu'à quel point un Ministre dur a pu abuser des évocations autrefois trop légèrement accordées, et elle croira aisément qu'on ne s'en est pas tenu à abuser des anciennes, et que, surtout *pendant l'absence de la Magistrature, on a profité des malheurs publics pour soumettre de nouveaux genres d'affaires au pouvoir arbitraire, sans craindre aucunes réclamations.*

Nous donnerons pour exemple les visites domiciliaires qui se font pour la recherche du tabac de contrebande.

Le prix excessif qu'on a mis au tabac, a donné, depuis quelques années, un tel attrait à la fraude, que pour l'empêcher on a employé des moyens qui tous les jours deviennent plus violents, et cependant sont toujours inutiles. Les Fermiers Généraux ont obtenu de ces Lois qui exciteraient une guerre intestine dans le Royaume, si on voulait les faire exécuter littéralement. Leurs Commis sont autorisés à faire les visites les plus sévères dans toutes les maisons indistinctement et sans aucune exception, sans respect pour le rang, pour la naissance, pour les dignités. De semblables Lois avaient déjà été obtenues par les Fermiers en différents temps, et pour différents objets; mais il existait toujours un frein contre l'excès de l'abus, c'est celui de la Justice réglée, qui peut sévir contre le Commis qui abuse du droit que lui a donné la Loi. Aujourd'hui ce frein n'existe plus : le dernier Ministère a saisi le moment de l'absence de la Cour des Aides pour enlever ce genre d'affaires à la Justice réglée, et l'attribuer à des Commissaires du Conseil.

Il est, Sire, bien d'autres évocations semblables : on pourrait citer celle des droits sur les cartes, celle des droits de la caisse de Poissy, et tant d'autres. Nous n'avons voulu en donner à Votre Majesté que quelques exemples, le reste est réservé pour les Mémoires particuliers. Quand la totalité aura été mise sous les yeux de Votre Majesté et de ses Ministres, nous espérons, Sire, qu'eux-mêmes reconnaîtront la nécessité de ne pas les laisser subsister.

Il semble cependant que le Fermier Général aurait pu se dispenser d'employer tant de moyens illégaux pour se soustraire à la Justice réglée, quand on considère les moyens légaux qui lui ont été aussi donnés pour réussir contre ses adversaires, dans quelque Justice que ce soit.

Ces moyens sont tels qu'il n'est plus permis aux Juges de chercher où est la vérité ni où est la justice, et qu'ils sont presque toujours forcés de juger d'après des pièces qui, aux yeux de la raison, seraient légitimement suspectes.

C'est ce que Votre Majesté va voir clairement, quand nous lui aurons exposé par quelle voie le Fermier découvre et constate les fraudes; car c'est à la découverte de la fraude que tendent presque tous ses procès.

Nous allons être obligés, Sire, de vous entretenir du détail fastidieux d'une guerre continuelle qui se fait entre les deux espèces d'hommes les plus méprisables : d'une part, des contrebandiers; et de l'autre, des espions; mais comme c'est le Peuple innocent qui en souffre, et que ce tableau peut faire impression à Votre Majesté, nous ne croyons pas devoir le lui épargner.

Les moyens de découvrir la fraude se réduisent aux procès-verbaux des Commis, et à la délation.

Quant aux procès-verbaux des Commis, voici ce que la Loi a établi : le Fermier Général a droit d'exercer, par le ministère de ses Commis, et avec quelques formalités de Justice, les plus rigoureuses recherches dans les chemins, et souvent jusque dans les maisons des Particuliers.

Si dans ces visites les Commis croient avoir trouvé une fraude, ils en dressent procès-verbal; et sur ce procès-verbal, signé de deux Commis, les faits sont regardés comme constants, et la fraude comme prouvée.

Si le Particulier, accusé de fraude par le procès-verbal, prétend que les Commis sont calomniateurs, il ne peut le soutenir en Justice qu'en s'inscrivant en faux : et il est nécessaire d'expliquer à Votre Majesté ce que c'est qu'une inscription de faux.

Il ne suffit pas à l'accusé de prétendre que les faits allégués contre lui sont dénués de preuves : il faut qu'il prouve directement le contraire. Or cette preuve, par sa nature, est le plus souvent impossible. Comment prouver un fait négatif? Comment prouver aux Commis la fausseté des faits par eux allégués, quand tout s'est passé dans l'intérieur d'une maison, sans autres témoins que l'accusé et les Commis eux-mêmes?

De plus, les formalités prescrites pour l'inscription de faux sont d'un détail infini, et l'omission d'une seule prive l'accusé de la juste défense.

De plus, il faut, pour être admis à s'inscrire en faux, consigner une amende que la plupart des gens du Peuple sont hors d'état de payer.

De plus, on ne leur donne qu'un temps très court pour se déterminer, c'est-à-dire, pour consulter des gens de Loi, pour chercher des preuves juridiques, pour emprunter l'argent nécessaire pour la consignation.

Il est donc vrai, il est évident, il est reconnu qu'un homme du Peuple n'a aucun moyen possible pour se pourvoir contre des procès-verbaux signés de deux Commis.

Or on a souvent vu qu'un de ces Commis ne savait ni lire ni écrire : on lui avait seulement appris à former les caractères de son nom. Les Fermiers Généraux ont soin d'en avoir un par brigade qui sache écrire : c'est celui-là qui rédige le procès-verbal; un de ses camarades le signe, et il ne leur paraissait pas nécessaire que celui-là sût lire ce qu'on lui donnait à signer.

Votre Cour des Aides informée de cet abus, quelque temps avant la dispersion de la Magistrature, rendit un Arrêt de Règlement qui défendit aux Commis qui ne savaient pas lire, de signer les procès-verbaux. Les Fermiers Généraux osèrent s'en plaindre, comme d'un Règlement qui rendait leur régie impossible; et nous croyons, Sire, que pendant l'absence de la Cour des Aides, cet Arrêt a été mal exécuté.

Mais il est un autre abus auquel la Cour des Aides ne peut pas remédier par son autorité, parce qu'il consiste dans une convention secrète entre le Fermier et ses Commis : convention expressément défendue par les Ordonnances, mais dont on ne peut jamais avoir de preuves juridiques.

Il est notoire que, malgré la défense de la Loi, le Fermier promet à ses Commis une part dans les amendes auxquelles ils font condamner les Particuliers par leurs procès-verbaux, et que c'est là une partie de leur solde.

Ainsi la fraude est réputée prouvée contre un Citoyen par la seule affirmation de deux hommes qui, non seulement sont aux gages du Fermier Général son adversaire, mais attendent un salaire proportionné à la somme à laquelle ce Citoyen sera condamné.

Telle est la voie juridique pour constater la fraude par les procès-verbaux. Mais il fallait aussi aux

Fermiers des moyens pour découvrir où elle peut être, et pour diriger les démarches de leurs Commis. C'est pour y parvenir qu'on a voulu qu'il pût se trouver dans chaque société de Marchands, dans chaque maison, dans chaque famille, un délateur qui avertît le Financier qu'en tel lieu et en telle occasion il y aura une prise à faire. Ce délateur ne se montre point; mais les Commis avertis par lui, vont surprendre celui qui a été dénoncé, et acquièrent la preuve, ou plutôt se la fabriquent eux-mêmes par leur procès-verbal. Quand un avis a réussi, il est donné une récompense au dénonciateur, c'est-à-dire, à un complice, à un associé, à un commensal, à la femme qui a dénoncé son mari, au fils qui a dénoncé son père.

Daignez, Sire, réfléchir un instant sur le tableau de la régie des Fermes.

Par la loi accordée aux procès-verbaux, le prix est continuellement mis au parjure; par les délations, c'est à la trahison domestique qu'on promet récompense.

Tels sont les moyens par lesquels plus de cent cinquante millions arrivent tous les ans dans les coffres de Votre Majesté.

Ce n'est point à nous, Sire, de vous indiquer d'autres impôts qui puissent remplacer ce produit immense; ce n'est pas même à nous à examiner si les seules ressources de l'économie pourraient y suppléer.

Il est cependant nécessaire de venir au secours d'un Peuple opprimé par cette monstrueuse régie; s'il est vrai que l'économie seule ne suffise pas pour que Votre Majesté puisse renoncer au produit entier de ses Fermes, il est au moins bien des adoucissements qu'on pourrait apporter aux malheurs publics, si la diminution des dépenses permettait le sacrifice d'une portion des revenus. Voilà pourquoi nous avons dû mettre sous vos yeux le terrible spectacle du plus beau Royaume de l'Univers, gémissant sous une tyrannie qui fait tous les jours de nouveaux progrès.

On loue, Sire, et on implore en même temps votre bienfaisance; mais nous, défenseurs du Peuple, c'est votre justice que nous devons invoquer; et nous savons que presque tous les sentiments dont l'âme d'un Roi est susceptible, l'amour de la gloire, celui des plaisirs, l'amitié même, le désir si naturel à un grand Prince, de rendre heureux ceux qui approchent de lui, sont des obstacles perpétuels à la justice rigoureuse qu'il doit à ses Peuples, parce que ce n'est qu'aux dépens du Peuple qu'un Roi est vainqueur de ses ennemis, magnifique dans sa Cour, et bienfaisant envers ceux qui l'environnent.

Et si la France, et peut-être l'Europe entière, est accablée sous le poids des impôts, si la rivalité des Puissances les a entraînées à l'envi dans des dépenses énormes qui ont rendu ces impôts nécessaires; et si ces dépenses sont encore doublées par une dette nationale immense, contractée sous d'autres règnes, il faut que Votre Majesté se souvienne que vos ancêtres ont été couverts de gloire, mais que cette gloire est encore payée par les générations présentes; qu'ils captivèrent les cœurs par leur libéralité, qu'ils étonnèrent l'Europe par leur magnificence, mais que cette magnificence et cette libéralité ont fait créer les impôts et les dettes qui existent encore aujourd'hui.

Il faut aussi que Votre Majesté se rappelle sans cesse que le vertueux Louis XII, malgré sa passion pour la guerre, ne se crut jamais permis d'employer les moyens qui auraient été onéreux à ses Sujets; et que malgré la bonté qui était sa vertu caractéristique, *il eut le courage de s'exposer aux reproches d'avarice de la part de ses Courtisans, parce qu'il savait que si l'économie d'un Roi peut être censurée par quelques hommes frivoles ou avides, sa prodigalité fait couler les larmes d'une Nation entière.*

Cette grande vérité, Sire, est aujourd'hui reconnue de toutes les Nations à qui l'expérience de bien des siècles a appris à ne demander à leurs Rois que les vertus qui feront le bonheur des hommes : et si, à votre avènement, toute la France a fait éclater, par ses acclamations, son amour pour le sang de ses Maîtres, la sévérité de notre ministère, Sire, nous oblige de vous avouer qu'une partie de ces transports était aussi due à l'opinion qu'on a conçue de Votre Majesté dès ses plus tendres années, et à l'espérance qu'une sage économie ferait bientôt diminuer les charges publiques.

Cependant, Sire, tandis que cette économie vous est demandée par les vœux universels de toute la Nation, ceux qui ne font consister la grandeur souveraine que dans le faste, sont toujours ceux qui approchent le plus près du Trône : et pendant que le misérable à qui la dureté des impôts arrache la subsistance, est éloigné de vos regards, les objets de votre bienfaisance et de votre magnificence sont continuellement sous vos yeux. Il a donc fallu leur opposer le tableau effrayant, mais non exagéré, de la situation des Peuples.

Puisse-t-il vous être toujours présent, Sire! S'il l'eut été aux Rois vos prédécesseurs, Votre Majesté pourrait suivre aujourd'hui les sentiments de son cœur; et quand on lui fait connaître que l'humanité repugne à la rigueur des Lois bursales établies dans son Royaume, elle ne balancerait pas à les révoquer, et ne serait pas arrêtée par cette nécessité de payer les dettes de l'Etat, qui fait sans cesse obstacle à la réformation des abus les plus odieux.

Au reste, Sire, sans entreprendre de proposer à Votre Majesté cette réformation générale des droits des Fermes, il pourra vous être présenté sur plusieurs parties des Mémoires particuliers qui seront discutés avec vos Ministres; car il n'est pas possible que Votre Majesté entre elle-même dans le détail de tout ce qui a été inventé par les Fermiers Généraux pour faire payer les droits, et par les fraudeurs pour s'y soustraire.

Mais ce que nous pouvons demander à présent à Votre Majesté elle-même, c'est de faire examiner les extensions de tous les droits faites sous le dernier Ministère, et les évocations accordées avec une profusion dont il n'y avait pas d'exemple.

Vous nous avez ordonné, Sire, de nous soumettre sans examen à tout ce qui a reçu le caractère de Loi pendant que nous étions éloignés de nos fonctions, et une force majeure nous a empêchés de veiller aux droits et aux intérêts du Peuple : il est donc nécessaire que Votre Majesté elle-même daigne en prendre le soin; et dans l'examen qu'elle fera faire, nous la supplions de faire distinguer avec grande attention, ce qui est réellement utile à la perception, de ce qui n'a été introduit que par la complaisance aveugle du Ministère pour les Financiers, et pour satisfaire leur despotisme.

Il est juste surtout que Votre Majesté fasse retrancher de ces nouvelles Lois tout ce qui établit une justice arbitraire. *Nous convenons que puisqu'il faut percevoir des droits excessifs, il faut être soumis à des Lois rigoureuses; mais au moins faut-il que ce soient des Lois précises :* car aucun motif, aucune considération, aucun intérêt ne peuvent autoriser Votre Majesté à faire dépendre le sort du Peuple de l'avidité du Fermier, ou du caprice de l'Administrateur.

Enfin, Sire, quoique notre fonction ne soit point de vous donner des projets, et que nous devions éviter surtout de nous livrer à des systèmes incertains, il est cependant une vérité si importante, si évidente, et tellement faite pour être sentie par Votre Majesté elle-même, que nous nous croyons obligés de la mettre sous vos yeux : c'est qu'il y aurait un avantage certain pour Votre Majesté, et immense pour le Peuple, à simplifier les droits qui existent, et les Lois qui en assurent la perception.

Nous avons déjà observé que la procédure établie pour les Fermes est un code effrayant par son immensité : or il n'est aucun homme versé, soit dans la Jurisprudence, soit dans l'administration, qui n'atteste qu'*il n'y a de bonnes Lois que dans les Lois simples.*

Si on considère les droits dont la perception a donné lieu à ce code, on verra que ces droits mis sur chaque denrée, sont différents, suivant le genre de commerce qui s'en fait, suivant les lieux où ils se perçoivent, suivant la qualité des personnes. La fraude, toujours active et toujours industrieuse, en profite et se fait jour, pour ainsi dire, à travers les sinuosités de la Loi. La Finance invente tous les jours de nouveaux moyens pour la poursuivre; et ces moyens employés contre les fraudeurs gênent tous les Citoyens, dans la propriété de leurs biens, et dans la liberté de leurs personnes.

C'est ce qui a fait multiplier à l'infini ces Commis, qui portent une curiosité si importune sur toutes les actions de la vie; c'est ce qui a fait accorder aux Financiers le droit de visiter les marchandises, d'entrer jusque dans les maisons, de violer le secret des familles; c'est aussi cette inégalité des droits perçus dans les différents pays, qui a obligé les Rois vos prédécesseurs à couper leur Royaume dans tous les sens, par des lignes qu'il faut faire garder comme autant de frontières, par une armée innombrable de Commis.

Voilà, Sire, à quoi on remédierait en simplifiant les droits : les Fermiers de Votre Majesté y gagneraient une grande partie des frais de régie, et la contrebande deviendrait aussi plus difficile : *car rien ne la favorise autant que la complication des droits et l'obscurité des règlements;* et le Peuple en retirerait l'avantage d'être moins tourmenté par les recherches des Employés de la Ferme : recherches qui ne sont nulle part plus incommodes que dans les pays que l'on regarde comme sujets à la fraude, et nommément dans les limites de ce qu'on appelle le pays des cinq grosses Fermes, le pays d'Aides, le pays des grandes Gabelles, etc.

Cependant, Sire, nous ne prétendons pas dire à Votre Majesté que cette simplification soit un ouvrage facile. On voit avec évidence, dans la spéculation, qu'elle est possible, et qu'elle sera très utile à l'Etat; mais pour y procéder, il faut connaître dans le plus grand détail, non seulement le produit de chaque droit dans chaque territoire, mais la vraie source de ce produit, et prévoir avec justesse quelle augmentation ou quelle diminution chaque changement apportera dans le recouvrement. Ce n'est pas seulement le produit actuel qu'il faut connaître, mais le produit possible. Il faut calculer non seulement les intérêts de la Ferme, mais ceux du cultivateur, du fabricateur, du commerçant et du consommateur de chaque denrée.

Nous osons cependant assurer Votre Majesté que ce travail peut se faire malgré toutes ces difficultés. Il existe certainement des matériaux immenses et dans les registres de la Ferme Générale, et dans les bureaux des Ministres et des Intendants des Finances, et même chez beaucoup de Commerçants; il n'est question que de déterminer par qui et comment ils seront employés.

Sera-ce les Fermiers-Généraux eux-mêmes qu'on chargera de ce travail? C'est ce qu'on a voulu faire plus d'une fois, Sire. C'est à eux qu'on a demandé des projets; mais nous devons avertir Votre Majesté qu'en même temps que la simplification des droits est avantageuse à la Ferme, les plus habiles Fermiers ont en cela un intérêt personnel contraire à celui de la Ferme, parce que la science qu'on rendra inutile, est celle qu'ils ont acquise avec de grands travaux, et que par cette science profonde, et la complication de la machine qu'ils font mouvoir, ils se sont rendus nécessaires au Gouvernement, et font tous les jours la loi aux Ministres.

D'ailleurs peut-on douter que les Financiers, érigés en législateurs, n'ajoutent à la rigueur des droits tout ce qui servira à cimenter ce despotisme intolérable et inutile au service de Votre Majesté, auquel ils ont déjà asservi la Nation?

Il faut certainement consulter les Fermiers Généraux; et malgré l'observation que nous venons de faire à Votre Majesté, on en a déjà vu qui ont montré assez d'amour pour le bien public, pour y sacrifier tous les intérêts et tous les préjugés de leur état : et cependant, en les consultant, il ne faut jamais oublier en quoi leur intérêt est contraire à celui du Peuple et à celui de Votre Majesté.

Vous avez beaucoup, Sire, à attendre, dans ce détail, du zèle et des lumières des Magistrats chargés de l'administration de vos Finances; nous croyons même qu'il est important qu'il soit fait sous leur direction.

Mais sera-ce par eux-mêmes? Un travail si étendu peut-il être fait par un seul homme? Et cet homme peut-il être celui dont le temps est déjà consommé par le courant des affaires journalières de son administration?

Ils emploieront sans doute des coopérateurs : mais si c'est un bureau attaché à la seule personne du Magistrat, on tombera toujours dans les inconvénients déjà si souvent éprouvés, d'être dans la dépendance d'un seul homme, d'avoir ce seul homme pour défenseur du Peuple contre tous les efforts réunis de toute la Finance : à quoi il faut ajouter que sa mort entraînera un jour la perte de toutes les connaissances acquises et de tous les travaux faits dans la partie de l'administration qu'il serait peut-être le plus nécessaire d'éclairer.

Il serait juste, Sire, que tous les détails de la régie des Fermes fussent connus de Votre Majesté, pour qui les droits sont perçus, et du Peuple qui les paie; et que quand ce Peuple vous adresse ses plaintes, quand il demande du soulagement aux malheurs qu'il éprouve, le remède pût vous en être indiqué, et que Votre Majesté pût en juger par elle-même.

Puisque cela est impossible dans l'état actuel de la complication des Lois, il faut certainement travailler à les simplifier : mais jusqu'à ce que ce travail soit achevé, jusqu'à ce que ce nouveau corps de Lois soit donné à la France, n'est-il aucun frein qu'on puisse mettre à ce despotisme des Fermiers, fondé sur l'ignorance où est tout le Public, des Lois et de leur régie? Il en est un, Sire, et vous pouvez ordonner dès à présent aux Fermiers Généraux de faire publier *des tarifs exacts et circonstanciés des droits qu'ils ont à percevoir, et une collection courte, claire et méthodique des règlements qu'il faut observer, et qu'il importe au Public de connaître.*

Peut-être dira-t-on à Votre Majesté que ce travail sera long et difficile : cependant si on veut être de bonne foi, on conviendra qu'il n'est aucune partie des droits affermés dont plusieurs Fermiers et plusieurs Directeurs ne soient spécialement occupés; que chacun d'eux a sur la partie un traité complet, qui lui sert à fournir d'un moment à l'autre les mémoires dont la Ferme Générale a besoin; qu'ils ont aussi des instructions abrégées qui servent à diriger leurs Commis, et il serait juste que le Public en eût communication, puisque le Public a sans cesse à se défendre des entreprises de ces Commis. Le travail est donc fait, il n'y a plus qu'à le publier.

Mais nous devons prévenir Votre Majesté que les Fermiers ne se prêteront peut-être qu'avec répugnance à cette publication, et cette répugnance même en prouvera la nécessité. *On ne veut pas que le Peuple lui-même connaisse ses droits, on veut le tenir dans une soumission aveugle pour la Ferme Générale : on craint qu'il ne se forme dans chaque Province des Praticiens* qui, après avoir étudié les Lois financières, pourront guider les Particuliers dans leurs contestations contre le Fermier. Or il est de votre devoir, Sire, de procurer cette facilité à vos malheureux Sujets. Vous leur devez l'appui des Lois; et cet appui devient illusoire, quand les Lois ne sont pas connues de ceux qui ont le droit de les invoquer.

En vous présentant, Sire, le tableau général des droits des Fermes, nous n'avons voulu entrer dans le détail d'aucune affaire particulière. Nous nous croyons cependant obligés de supplier Votre Majesté de prendre en considération les Remontrances qui furent faites au Roi au mois d'août 1770, et qui, jusqu'à présent, sont restées sans réponse [2].

. . . .
. . . .

Pourquoi n'oserions-nous pas espérer, Sire, que cette importante vérification pourra vous déterminer à l'acte de justice qui illustrera le plus le commencement de votre règne; à choisir les hommes les plus dignes de la confiance de la Nation, et les charger de l'examen de tous les ordres qui retiennent encore aujourd'hui des Citoyens dans l'exil ou dans la captivité?

Nous portons encore plus loin nos espérances; et si Votre Majesté se détermine à faire faire cet examen, nous ne doutons pas qu'à cette occasion on n'établisse des principes dans une matière où l'on n'en connut jamais.

Il en résultera au moins cette vérité, que des ordres attentatoires à la liberté des Citoyens ne doivent jamais être accordés à des Particuliers, ni pour leurs intérêts personnels, ni pour venger leurs injures, parce que dans un pays où il y a des Lois, les Particuliers n'ont pas besoin d'ordres extrajudiciaires, et que d'ailleurs de tels ordres sont donnés aux puissants contre les faibles, sans réciprocité, ce qui est la plus criante de toutes les injustices.

Peut-être pensera-t-on qu'il y a des cas privilégiés où c'est pour l'ordre public qu'il faut des actes d'autorité qui ne soient point revêtus des formalités de la Justice.

On dira qu'il est quelquefois utile de suppléer à la lenteur de la Justice réglée, qui laisserait évader des coupables; que pour la police et la sûreté des grandes villes, il faut pouvoir s'assurer des gens légitimement suspects; que souvent l'intérêt public se réunit à celui des familles pour séquestrer de la société un sujet qui ne pourrait que la troubler, et contre lequel on n'a d'autres preuves que celles qui sont administrées par cette famille même, qui cherche à se soustraire à l'infamie d'une procédure légale.

Mais quand on aura discuté toutes ces considérations en votre présence, et qu'on aura mis sous vos yeux les abus qui en ont été faits, vous reconnaîtrez, Sire, que ce sont de vains prétextes qui n'auraient jamais dû faire livrer à la puissance arbitraire la liberté des Citoyens, ou du moins qu'il faut réserver aux opprimés la faculté de réclamer contre la violence.

Vous reconnaîtrez que s'il est des cas où ce soit la Justice elle-même qui vous demande des ordres prompts et secrets, parce qu'on craint que la lenteur de la procédure ne favorise la fuite des criminels, un Roi législateur pourrait donner à la Justice plus d'activité, sans employer des moyens illégaux, et qu'alors la célérité requise ne priverait pas celui qui aurait été injustement arrêté, de son recours contre le calomniateur.

Que si l'ordre public veut qu'on s'assure d'un homme légitimement suspect, la légitimité des soupçons doit être constatée, en sorte que celui qui a été la victime innocente de ces précautions politiques, puisse demander et obtenir une indemnité, et qu'il sache au moins pourquoi et par qui cette violence est exercée.

Enfin que quand on use de ménagement pour une famille qui est venue implorer elle-même les secours du Gouvernement contre un sujet qui la déshonore, il n'est pas encore nécessaire que ce genre de Justice soit sans aucun recours.

En effet ce n'est que l'éclat des procédures qu'on veut éviter. Or sans faire des procédures publiques, il est possible de consigner les motifs de l'ordre du Roi dans un acte signé de celui qui a expédié l'ordre, et de ceux qui l'ont obtenu; de conserver cet acte au moins pendant tout le temps de la détention du prisonnier, et de lui en donner communication.

Ce prisonnier, quel que soit son crime, devrait être admis à présenter sa justification, et même à demander que les causes de l'ordre rigoureux fussent examinées de nouveau par d'autres que ceux qui l'ont fait décerner, et qu'il en fût rendu un nouveau compte au Roi, qui choisirait, pour cet examen, les hommes de la réputation la plus intacte et la plus imposante.

Et comme il est très difficile, et souvent même impossible à un prisonnier de faire parvenir sa réclamation jusqu'au Roi, il serait nécessaire de faire faire de temps en temps, et toujours par des personnes étrangères à l'administration, et de l'intégrité la plus reconnue, une visite de toutes les prisons royales, et une revue exacte de toutes les Lettres de cachet.

Quand on saura que ces précautions sont prises par Votre Majesté contre les surprises qui pourraient lui être faites, et surtout quand on se rappellera que votre règne aura commencé par un examen sévère de tout ce qui a été reproché à la précédente administration, croyez, Sire, que les abus de ces ordres donnés en votre nom, seront très rares.

Nous ne pouvons que vous faire entrevoir les avantages qui résulteront de cette recherche; mais si elle s'exécute, vous jugerez, par la reconnaissance de la Nation, de l'importance du bienfait.

Nous nous sommes livrés, Sire, à une digression que nous ne nous reprochons point, puisqu'elle a été pour nous l'occasion de vous présenter des réflexions peut-être utiles sur le genre d'abus qui a le plus excité de plaintes de la part d'une partie de la Nation, et sur lequel il est le plus facile de lui donner satisfaction.

Il est temps de revenir aux impôts.

Les vexations occasionnées pour la perception des droits des Fermes ont une excuse : c'est la nécessité de procurer à Votre Majesté le revenu considérable qui est le produit de ces droits; mais il semble qu'il ne devrait pas en être de même des impositions qui se lèvent directement sur le Peuple.

Si la somme qu'on veut lever était fixée, comme elle le devrait toujours être, on n'aurait plus qu'à choisir la forme de répartition la plus juste, la plus simple, la moins dispendieuse. L'administration est donc inexcusable, quand elle introduit dans la levée de ces impôts un despotisme aussi inutile qu'odieux, quand elle ajoute à l'impôt même des frais de régie, qui sont toujours supportés par le Peuple.

Voilà cependant, Sire, ce qu'on éprouve dans la levée de tous les impôts directs, de la Taille, de la Capitation, du Vingtième; et une partie de ces inconvénients se fait même sentir dans toutes les prestations de service corporel qui s'exigent du Peuple, comme la Milice et la Corvée.

Mais la discussion de ces abus nous conduira nécessairement à de bien plus grandes questions. La perception des droits sur les denrées ne tient pas à la forme du gouvernement de l'Etat; mais la répartition des impôts directs tient essentiellement à la constitution de la Monarchie. Les vices de cette répartition font partie d'un système général d'administration qui depuis longtemps s'introduit dans votre Royaume, et le remède ne peut se trouver que dans la réformation qu'il plaira à Votre Majesté d'apporter dans l'administration générale.

Ainsi nous examinerons la régie de chaque impôt direct, et Votre Majesté y verra le développement de ce système funeste; mais il faut auparavant remonter à l'origine : il faut faire connaître à Votre

Majesté le principe général et ses conséquences; et peut-être serez-vous étonné, Sire, quand vous verrez jusqu'à quel point on a abusé du prétexte de votre autorité contre cette autorité elle-même.

Vous nous permettez, Sire, de nous servir du terme de *despotisme,* tout odieux qu'il est; dispensez-nous de recourir à des circonlocutions embarrassantes, quand nous avons des vérités importantes à vous rendre sensibles.

Le despotisme, contre lequel nous réclamons aujourd'hui, est celui qui s'exerce à votre insu, par des émissaires de l'administration, gens absolument inconnus à Votre Majesté. Non, Sire, nous ne venons point offrir à Votre Majesté des dissertations inutiles, et peut-être dangereuses, sur les limites de la puissance souveraine : c'est au contraire le droit de recourir à cette puissance, que nous allons revendiquer pour tous les Citoyens, et nous ne nommerons *despotisme* que le genre de l'administration qui tend à priver vos Sujets de ce droit qui leur est si précieux, et à soustraire à votre Justice ceux qui oppriment le Peuple.

L'idée qu'on s'est faite du despotisme ou de la puissance absolue, dans les différents temps et chez les différents Peuples, n'est pas la même.

On parle souvent d'un genre de gouvernement qu'on nomme le *despotisme oriental* : c'est celui dans lequel non seulement le Souverain jouit d'une autorité absolue et illimitée, mais chacun des exécuteurs de ses ordres use aussi d'un pouvoir sans bornes. Il en résulte nécessairement une tyrannie intolérable : car il est une différence infinie entre la puissance exercée par un Maître dont le véritable intérêt est celui de son Peuple, et celle d'un Sujet qui, enorgueilli de ce pouvoir auquel il n'était pas destiné, se plaît à aggraver le poids sur ses égaux :

genre de despotisme qui, étant transmis graduellement à des Ministres de différents ordres, se fait sentir jusqu'au dernier Citoyen, en sorte qu'il n'est personne, dans un grand Empire, qui puisse s'en garantir.

Le vice de ce gouvernement est tout à la fois dans la constitution et dans les mœurs.

Dans la constitution, parce que les Peuples qui y sont sujets, n'ont ni Tribunaux, ni corps de Lois, ni représentants du Peuple. Point de tribunaux : voilà pourquoi l'autorité est exercée par un seul homme. Point de Lois fixes et positives : voilà pourquoi celui qui a l'autorité en main, statue d'après ses propres lumières, c'est-à-dire, ordinairement d'après ses affections. Point de représentants du Peuple : voilà pourquoi le despote d'une Province peut l'opprimer contre la volonté et à l'insu du Souverain, et avec l'assurance de l'impunité.

Les mœurs contribuent aussi à cette impunité; car les Peuples soumis à ce genre de despotisme, sont toujours des Peuples en proie à l'ignorance. Personne ne lit, personne n'entretient de relation; les cris de l'opprimé ne se font point entendre au-delà du pays qu'il habite. L'innocent n'a donc point en sa faveur de recours à l'opinion publique, qui est un frein si puissant contre la tyrannie des subalternes.

Telle est donc la malheureuse situation de ces Peuples, que le Souverain même le plus juste ne peut faire sentir les effets de sa justice qu'à ceux qui approchent de lui, ou dans le petit nombre d'affaires dont il peut prendre connaissance par lui-même.

Tout ce qu'il peut faire pour le reste de ses Sujets, est de choisir, le moins mal qu'il peut, les dépositaires de son autorité, et de les exhorter aussi à faire les meilleurs choix qu'ils pourront pour les places inférieures. Mais quelque chose qu'il fasse, le Citoyen du dernier ordre gémit toujours sous l'autorité d'un despote du dernier grade, et lui est aussi soumis que les Grands de l'Etat le sont au Souverain lui-même.

Il semble qu'une telle forme de gouvernement ne peut pas exister chez les Nations qui ont des Lois, des mœurs et des lumières : aussi dans les pays policés, lors même que le Prince jouit d'un pouvoir absolu, la condition des Peuples doit être très différente.

Quelque absolue que soit l'autorité, la Justice peut être rendue par délibération, et dans les Tribunaux astreints à des Lois certaines.

Si les Juges s'écartent de ces Lois, on peut recourir à des Tribunaux supérieurs, et enfin à l'autorité souveraine elle-même.

Tous les recours sont possibles, parce que tous les actes d'autorité sont écrits, constatés, déposés dans des registres publics; qu'il n'est point de Citoyen qui ne puisse trouver un défenseur éclairé, et que le Public même est le censeur des Juges.

Et non seulement la justice est rendue aux Particuliers, mais les Corps, les Communautés, les Villes, les Provinces entières peuvent aussi l'obtenir, et pour pouvoir défendre leurs droits, doivent avoir des assemblées et des représentants.

Ainsi dans un pays policé, quoique soumis à une puissance absolue, il ne doit y avoir aucun intérêt, ni général, ni particulier, qui ne soit défendu; et tous les dépositaires de la puissance souveraine doivent être soumis à trois sortes de freins, celui des Lois, celui du recours à l'autorité supérieure, celui de l'opinion publique.

Cette distinction entre les différents genres de pouvoir absolu n'est point nouvelle. Ces définitions ont été souvent données par des Jurisconsultes, par les Auteurs tant anciens que modernes, qui ont écrit sur la législation. Elles sont le résultat de ce qu'on lit dans les histoires et les relations des différents pays; mais il nous était nécessaire de les retracer, parce que nous avons une grande vérité à en déduire. Nous devons faire connaître à Votre Majesté que le gouvernement qu'on veut établir en France, est le vrai despotisme des pays non policés; et que chez la Nation la plus instruite, dans le siècle où les mœurs sont les plus douces, on est menacé de cette forme de gouvernement où le Souverain ne peut pas être éclairé lors même qu'il le veut le plus sincèrement.

La France, ainsi que le reste de l'Europe Occidentale, était régie par le droit féodal; mais chaque Royaume a éprouvé différentes révolutions depuis que ce gouvernement est détruit.

Il est des Nations qui ont été admises à discuter leurs droits avec le Souverain, et les prérogatives y ont été fixées.

Dans d'autres, l'autorité absolue a si promptement prévalu, qu'aucun des droits nationaux n'a été examiné; et il en est résulté au moins un avantage pour ces pays, c'est qu'il n'y a aucun prétexte pour y détruire les corps intermédiaires, et enfreindre la liberté naturelle à tous les hommes, de délibérer en commun sur des intérêts communs, et de recourir à la puissance suprême contre les abus des puissances subalternes. En France, la Nation a toujours eu un sentiment profond de ses droits et de sa liberté. Nos maximes ont été plus d'une fois reconnues par nos Rois; ils se sont même glorifiés d'être les Souverains d'un Peuple libre : cependant les articles de cette liberté n'ont jamais été rédigés; et la puissance réelle, la puissance des armes, qui, sous le gouvernement féodal, était dans les mains des Grands, a été totalement réunie à la puissance royale.

Alors quand il y a eu de grands abus d'autorité, les représentants de la Nation ne se sont pas contentés de se plaindre de la mauvaise administration; ils se sont crus obligés à revendiquer les droits nationaux. Ils n'ont pas parlé seulement de justice, mais de liberté; et l'effet de leurs démarches a été que les Ministres, toujours attentifs à saisir les moyens de mettre leurs administrations à l'abri de tout examen, ont eu l'art de rendre suspects et les Corps réclamants et la réclamation elle-même.

Le recours au Roi contre ses Ministres a été regardé comme un attentat à son autorité. Les doléances des Etats, les Remontrances des Magistrats ont été transformées en démarches dangereuses, dont le Gouvernement devait se garantir. On a persuadé aux plus puissants Rois de la terre qu'ils avaient à craindre jusqu'aux larmes d'un Peuple soumis; et c'est sous ce prétexte qu'on a introduit en France un gouvernement bien plus funeste que le despotisme, et digne de la barbarie orientale : c'est l'administration clandestine par laquelle, sous les yeux d'un Souverain juste, et au milieu d'une Nation éclairée, l'injustice peut se montrer; disons plus, elle se commet notoirement. Des branches entières d'administration sont fondées sur des systèmes d'injustices, sans qu'aucun recours, ni au Public, ni à l'autorité supérieure, soit possible.

C'est ce despotisme des Administrateurs, et surtout ce système de clandestinité que nous devons dénoncer à Votre Majesté; car nous n'aurons point la témérité de discuter les autres droits sacrés du Trône.

Il nous suffit que Votre Majesté ait désavoué, dans l'acte de rétablissement de la Magistrature, les maximes de tyrannie qui avaient été exécutées sous un Ministère aujourd'hui proscrit; et nous nous conformerons aux intentions de Votre Majesté, en n'agitant point des questions qui n'auraient jamais dû être élevées.

Mais ce n'est point blesser la *juste subordination*, que de mettre sous vos yeux une suite d'infractions faites à la liberté nationale, à la liberté naturelle de tous les hommes, qui vous mettent aujourd'hui dans l'impossibilité d'entendre vos Sujets, et d'éclairer la conduite de vos Administrateurs.

1° On a cherché à anéantir les vrais représentants de la Nation.

2° On est parvenu à rendre illusoires les réclamations de ceux qu'on n'a pas encore pu détruire.

3° On veut même les rendre impossibles. C'est pour y parvenir que la clandestinité a été introduite. Il en est de deux genres : l'une qui cherche à dérober aux yeux de la Nation, à ceux de Votre Majesté elle-même, les opérations de l'administration; l'autre, qui cache au Public la personne des Administrateurs.

Voilà, Sire, le précis du système que nous dénonçons à Votre Majesté, et que nous allons développer.

Nous annonçons comme la première démarche de ce despotisme, celle d'anéantir tous les représentants de la Nation; et si Votre Majesté veut bien réfléchir sur la réunion de plusieurs faits dont aucun n'est douteux, elle y trouvera la démonstration de cette vérité.

Les assemblées générales de la Nation n'ont point été convoquées depuis cent soixante ans, et longtemps auparavant elles étaient devenues très rares, nous oserons même dire presque inutiles, parce qu'on faisait sans elles ce qui rendait leur présence le plus nécessaire, l'établissement des impôts.

Quelques Provinces avaient des assemblées particulières, ou Etats Provinciaux : plusieurs ont été privés de ce précieux privilège; et dans les Provinces où ces Etats existent encore, leur ministère est resserré dans des bornes qui deviennent tous les jours plus étroites. Ce n'est pas une assertion téméraire de dire que dans nos Provinces on entretient entre les dépositaires du pouvoir arbitraire et les représentants des Peuples, une espèce de guerre continuelle, où le despotisme fait tous les jours de nouvelles conquêtes.

Les Provinces, qui n'avaient pas d'Etats provinciaux, étaient nommées pays d'Election; et il existait réellement des Tribunaux nommés Elections, composés de personnes élues par la Province elle-même, qui, au moins pour la répartition des impôts, remplissaient quelques-unes des fonctions des Etats provinciaux. Ces Tribunaux existent encore sous le nom d'Elections; mais ce nom est tout ce qui leur reste de leur institution primitive.

Ces Officiers ne sont plus réellement élus par la Province : et tels qu'ils sont, on les a mis dans la dépendance presque entière des Intendants pour les fonctions qui leur restent.

Nous aurons une autre occasion de parler des Elections, en parlant de l'impôt de la Taille; nous ferons même connaître à Votre Majesté en quoi elles différaient des Etats provinciaux : il suffit d'observer à présent que les vrais Elus des Provinces n'existent plus.

Il restait au moins à chaque Corps, à chaque Communauté de Citoyens le droit d'administrer ses propres affaires; droit que nous ne dirons point qu'il fasse partie de la constitution primitive du Royaume, car il remonte bien plus haut : c'est le droit naturel, c'est le droit de la raison. Cependant il a été aussi enlevé à vos Sujets; et nous ne craindrons pas de dire que l'administration est tombée à cet égard dans des excès qu'on peut nommer puérils.

Depuis que des Ministres puissants se sont fait un principe politique de ne point laisser convoquer d'assemblée nationale, on en est venu, de conséquence en conséquence, jusqu'à déclarer nulle les délibérations des Habitants d'un village, quand elles ne sont pas autorisées par l'Intendant; en sorte que si cette Communauté a une dépense à faire, quelque légère qu'elle soit, il faut prendre l'attache du Subdélégué de l'Intendant, par conséquent suivre le plan qu'il a adopté, employer les ouvriers qu'il favorise, les payer suivant son arbitrage : et si la Communauté a un procès à soutenir, il faut aussi qu'elle se fasse autoriser par l'Intendant; il faut que la cause de la Communauté soit plaidée à ce premier Tribunal avant d'être portée à la Justice; et si l'avis de l'Intendant est contraire aux Habitants, ou si leur adversaire a du crédit à l'Intendance, la Communauté est déchue de la faculté de défendre ses droits.

Voilà, Sire, par quels moyens on a travaillé à étouffer en France tout esprit municipal, à éteindre, si on le pouvait, jusqu'aux sentiments de Citoyen : on a, pour ainsi dire, interdit la Nation entière, et on lui a donné des tuteurs.

L'anéantissement des Corps réclamants était un premier pas pour anéantir le droit de réclamation lui-même. On n'a cependant pas été jusqu'à prononcer en termes exprès, que tous recours au Prince, toutes démarches pour les Provinces fussent défendus : mais Votre Majesté n'ignore pas que toute Requête dans laquelle les intérêts d'une Province ou ceux de la Nation entière sont stipulés, est regardée comme une témérité punissable, quand elle est signée d'un seul Particulier; et comme une association illicite, quand elle est signée de plusieurs. Il avait cependant fallu donner à la Nation une satisfaction apparente, quand on avait cessé de convoquer les Etats : aussi les Rois avaient-ils annoncé que les Cours de Justice tiendraient lieu des Etats, que les Magistrats seraient les représentants du Peuple.

Mais après leur avoir donné ce titre, pour consoler la Nation de la perte de ses anciens et véritables représentants, on s'est souvenu dans toutes les occasions que les fonctions des Juges étaient restreintes à leur seul territoire et à la Justice contentieuse, et on a mis les mêmes limites au droit de représentation.

Ainsi tous les abus possibles peuvent être commis dans l'administration sans que le Roi en soit jamais instruit, ni par les représentants du Peuple, puisque dans la plupart des Provinces il n'y en a point; ni par les Cours de Justice, puisqu'on les écarte comme incompétentes, dès qu'elles veulent parler de l'administration; ni par les Particuliers, à qui des exemples de sévérité ont appris que c'est un crime d'invoquer la Justice de leur Souverain.

Malgré tous ces obstacles, le cri public, genre de réclamation qu'on ne peut jamais tout à fait étouffer, était toujours à craindre pour les Administrateurs : et peut-être a-t-on craint aussi qu'un jour un Roi ne voulût, de son propre mouvement, se faire rendre compte de tous les secrets de l'administration. On a donc voulu que ce compte fût impossible à rendre, ou au moins qu'il ne pût être rendu que par les seuls Administrateurs, sans être exposé à aucune contradiction : et c'est pour cela qu'on a fait tant d'efforts pour introduire partout l'administration clandestine.

Pour prouver cette vérité dans toute son étendue, il faudrait entrer dans le détail de toutes les parties du Gouvernement, mais quelques exemples suffiront pour la rendre sensible.

Nous les choisirons dans les impôts qui sont notre principal objet, et nous n'hésiterons point de citer les administrations qui ont le plus mérité l'approbation publique : car nous devons toujours faire connaître à Votre Majesté les vices intrinsèques d'une administration, quoiqu'ils soient réparés pendant un temps par les qualités personnelles de l'administrateur.

Par exemple, il est reconnu dans toute l'Europe que rien n'a plus signalé le dernier règne que la construction des chemins qui facilitent le commerce, et doublent la valeur des biens du Royaume.

Le Gouvernement a cru jusqu'à présent que la corvée était nécessaire pour ce grand ouvrage, et la corvée n'est autorisée par aucune Loi du Royaume. Il semble qu'il aurait fallu la faire reconnaître juridiquement; et alors on aurait pu établir des règles certaines et publiques sur la répartition de ce travail, souvent plus accablant pour le Peuple, que la Taille elle-même.

Ce n'est pas le parti qu'on a pris : on craignait, disait-on, la sensation qu'exciterait dans le Royaume une Loi qui, en réglant la corvée, semblerait l'autoriser. En conséquence toutes les opérations se sont faites en secret, et il ne paraît pas même un Arrêt du Conseil imprimé concernant une imposition qui, depuis si longtemps, fait gémir les Peuples. Chaque Province n'apprend que le projet d'un chemin est arrêté, que quand on en commence l'exécution; et si le choix de cette route est contraire au bien de la Province, il est trop tard pour s'y opposer. Si le travail est réparti avec injustice ou avec trop de dureté, ceux qui voudraient se plaindre n'ont ni Juges légaux devant qui se pourvoir, ni règles certaines à opposer à la rigueur des ordres qu'ils ont reçus, ni moyens juridiques pour constater l'injustice qui leur a été faite.

On dit aujourd'hui que Votre Majesté veut adoucir la rigueur de la corvée; on y substitue une imposition d'un autre genre. La Nation attend ces changements avec confiance et déjà avec reconnaissance, et nous osons espérer que ce qui sera substitué à la corvée, ne sera point infecté de la même clandestinité. Nous avons cependant dû vous représenter les abus qu'entraînait cette administration, comme un des exemples les plus frappants du système général.

Il en est de même du Vingtième; et à cet égard l'abus a encore moins de prétexte; car on pourrait dire sur la corvée, que la célérité nécessaire pour les ouvrages ne permettait pas d'attendre la discussion de toutes les injustices particulières : mais le Vingtième est une imposition mise tous les ans sur les mêmes terres depuis près de quarante années, presque sans interruption. Croirait-on que depuis ces quarante années les rôles de cette imposition ne sont point encore déposés dans aucuns registres où les Particuliers puissent les consulter?

Ce n'est point une formalité omise par négligence; car cet abus fut représenté au Roi par sa Cour des Aides en 1756. Le Ministère de ce temps céda à l'évidence : le feu Roi consentit que ce dépôt fût fait; mais les Ministres qui sont venus, après avoir employé, pendant plusieurs années, tous les détours possibles pour s'opposer indirectement à l'effet de cette parole sacrée, ont fini par obtenir qu'elle soit expressément révoquée.

Nous ne rapporterons point ici tout ce qui s'est

passé à ce sujet, pour ne pas fatiguer Votre Majesté du récit d'une affaire finie; si cependant Votre Majesté voulait en être instruite, ces faits ne sont point oubliés, et il serait aisé de les mettre sous ses yeux.

Mais aujourd'hui nous nous contenterons d'observer que la plupart des infidélités des Préposés du Vingtième sont nécessairement inconnues et impunies, à la faveur de cette clandestinité. Par exemple, quand un Préposé trahit l'intérêt du fisc, en ménageant le Contribuable qu'il veut favoriser, et que, pour cacher aux Ministres cette prévarication, il remplit le vide en augmentant injustement les autres cotes, ceux qui se trouvent lésés, ne peuvent faire connaître cette iniquité, parce qu'ils ne le pourraient que par l'inspection du rôle entier, et que ce rôle est secret.

Votre Majesté voit par cet exemple, que le genre d'abus, qui favorise la clandestinité des rôles, est précisément celui qui est le plus contraire à l'intérêt du Roi, à l'intérêt de finance, à l'intérêt fiscal. Ce n'est donc point pour cet intérêt que les Administrateurs ont fait défendre le dépôt des rôles; c'est donc uniquement pour mettre leur administration à l'abri de tout examen, et pour procurer l'impunité à leurs Préposés.

Et quand toutes les précautions prises pour cet objet se trouvent insuffisantes, quand les vexations sont si évidentes qu'on ne saurait les pallier, il arrive encore le plus souvent que ceux qui en sont coupables obtiennent l'impunité par l'effet de l'autre genre de clandestinité, de celle que nous avons nommée clandestinité de personnes, et qui consiste en ce que le plus souvent on ne sait pas, on ne peut pas même découvrir à qui chaque abus d'autorité doit être imputé.

L'administration de votre Royaume se fait, Sire, auprès de la personne de Votre Majesté, par les Ministres aidés de leurs Commis, et dans certaines parties, par les Intendants des Finances, aidés pareillement de leurs Commis : dans les Provinces, elle se fait par les Intendants et leurs Subdélégués.

Nous allons considérer ces différentes personnes en commençant par le dernier ordre, et ceux qui approchent le plus près du Peuple.

Le Subdélégué d'un Intendant est un homme sans qualité, sans pouvoir légal, qui n'a le droit de signer aucune Ordonnance : aussi toutes celles qu'il fait rendre sont signées par l'Intendant. On sait cependant dans les Provinces que c'est le Subdélégué qui a prononcé sur beaucoup de détails dans lesquels l'Intendant lui-même ne peut pas entrer. Si ce Subdélégué abuse de son pouvoir, ce n'est qu'à l'Intendant qu'on peut se pourvoir : mais comment les gens du Peuple oseraient-ils exercer ce recours, quand ils voient que c'est sous le nom de l'Intendant lui-même que l'Ordonnance a été rendue, et que sans doute ce Magistrat supérieur se croira compromis, et obligé de soutenir son Ordonnance?

Ce qui se passe à cet égard du Subdélégué à l'Intendant, est aussi ce qui se passe de l'Intendant au Ministre, et du Ministre à Votre Majesté elle-même.

L'Intendant évite autant qu'il peut de prononcer en son nom. Dans toutes les affaires qui pourraient le compromettre, il prend le parti de faire rendre un Arrêt du Conseil, ou de se faire autoriser par une Lettre du Ministre; et le Particulier de la Province qui voudrait se pourvoir contre le Jugement de l'Intendant, et porter ses plaintes au Conseil ou au Ministre, reste sans réplique, quand il se voit condamné d'avance par une décision du Ministre, ou un Arrêt du Conseil.

Pour les Intendants des Finances, qui sont placés entre les Intendants des Provinces et les Ministres, ce sont des puissances tout à fait inconnues de tous ceux qui sont éloignés de la Capitale et du séjour de la Cour. On sait en général que ces Magistrats existent, et qu'ils ont une grande autorité dans le Royaume; cependant on ne voit point quels sont les genres d'affaires pour lesquels il faut recourir à eux, parce que réellement il n'en est aucun qui dépende directement d'eux, et personne spécialement ne leur est subordonné et n'est tenu de reconnaître leurs ordres. C'est dans leur travail, avec le Contrôleur Général qu'ils ont toute leur administration, en lui faisant signer des Lettres ou de ces Arrêts du Conseil qu'on nomme *Arrêts de Finance;* et le Particulier qui croit avoir à se plaindre de ces décisions, ne peut s'en prendre ni à l'Intendant des Finances, qui ne signe rien, et ne peut être tenu de rien, puisque le Ministre n'est pas obligé à suivre son avis, et s'en écarte quelquefois; ni au Contrôleur Général, qui dirait avec raison qu'il ne peut pas répondre de tout ce que lui font signer les six Intendants des Finances.

Enfin le Ministre lui-même n'a aucun état dans le Royaume, aucune autorité directe. C'est cependant en lui que réside toute la puissance, parce que c'est lui qui certifie la signature de Votre Majesté. Il peut tout et ne répond de rien; car le nom respectable dont il lui est permis de se servir, ferme la bouche à quiconque oserait se plaindre.

Ainsi pendant que l'Habitant d'un village n'ose se pourvoir contre la vexation d'un Subdélégué qui s'est fait autoriser par l'Ordonnance d'un Intendant, nous, Habitants de la Capitale, nous personnellement, Magistrats chargés par état de faire parvenir la vérité aux oreilles de Votre Majesté, combien de fois nous nous sommes vus taxés d'audace pour avoir réclamé contre les ordres surpris au Roi par ses Ministres!

Osons dire à Votre Majesté la vérité tout entière. Il en a été mis sous nos yeux dont la fausseté était physiquement démontrée; et d'autres dans lesquelles il était évident que ce nom sacré avait été prostitué pour des sujets indignes de l'attention du Roi (*Affaire de Varenne, celle de Monnerat*); et quand nous avons fait voir clairement les petites passions subalternes qui avaient fait obtenir ces ordres, les petites vengeances, les petites protections, ne nous a-t-on pas dit que c'était manquer à la Majesté royale, que de révoquer en doute qu'un ordre signé du Roi fût réellement donné par lui-même? Et si Votre Majesté voulait que ces faits, que nous ne faisons qu'alléguer, fussent articulés et prouvés, nous serions en état de la satisfaire.

De plus, ces mêmes Ministres ont attiré à eux, depuis un siècle, le détail de tant d'affaires de tous les genres, qu'il leur est impossible de les expédier eux-mêmes.

Il s'est donc établi un nouveau genre de puissance entre vos Ministres et vos autres Sujets, qui n'est ni celle des Commandants, ni celle des Intendants des Provinces; c'est celle des Commis, personnages absolument inconnus dans l'Etat, et qui cependant parlant et écrivant au nom des Ministres, ont comme eux un pouvoir absolu, un pouvoir irrésistible, et sont même encore plus qu'eux à l'abri de toutes recherches, parce qu'ils sont beaucoup moins connus.

Ainsi un Particulier sans appui, sans aucune relation avec la Cour, par exemple, un homme qui vit dans sa Province, peut recevoir l'ordre le plus rigoureux, sans savoir ni par qui cet ordre a été décerné, pour en obtenir la révocation, ni quelles en sont les causes, pour faire entendre la justification.

L'ordre est signé du Roi; mais ce Particulier obscur sait bien que le Roi n'a jamais entendu prononcer son nom. La signature du Roi est certifiée par un Ministre; il sait aussi qu'il n'est pas connu des Ministres. Il ignore si c'est par l'Intendant de sa Province que l'ordre a été obtenu, ou si un de ses ennemis a trouvé accès auprès des Commis de Versailles, du premier, du second ou du troisième rang, ou si c'est un de ces ordres en blanc qui sont quelquefois donnés aux différentes Puissances de chaque Province; il l'ignore, et il reste dans l'exil, peut-être dans les fers.

Nous avons cru nécessaire, Sire, de présenter à Votre Majesté ces notions de différents genres de despotisme, et surtout la clandestinité : nous pouvons à présent en faire l'application aux trois impositions directes, la Taille, la Capitation, le Vingtième.

La Taille, le plus ancien des impôts directs, est celui qui se lève sur les roturiers non privilégiés, dans les Provinces qu'on appelle pays d'Election, c'est-à-dire, dans celles qui n'ont point d'Etats provinciaux; et comme la Taille est personnelle, on la fait payer aussi aux Fermiers des Ecclésiastiques, des Nobles et des Privilégiés. Ainsi c'est une imposition qui est ajourd'hui supportée par presque tous les Propriétaires des Terres.

On a joint à la Taille plusieurs impositions qu'on nomme accessoires, et tous les ans on en ajoute de nouvelles. Ces accessoires égalent à présent, ou même surpassent le principal de la Taille.

On dit que depuis longtemps le principal de la Taille n'est jamais augmenté; cependant le Peuple, qui en supporte le poids, se plaint souvent de l'augmentation. Ce n'est qu'une dispute de mots :

on n'augmente pas le principal, mais on augmente les accessoires.

Il faut exposer à Votre Majesté comment se font, chaque année, l'imposition et la répartition de la Taille et de ses accessoires.

Il y a quatre opérations.

1° Le brevet de la Taille contient l'imposition sur toutes les Généralités : ainsi soit qu'on veuille lever une somme accessoire à la Taille sur tout le Royaume, ou sur quelque Généralité en particulier; c'est par ce brevet qu'elle s'impose, et c'est aussi par ce brevet qu'on répartit entre les Généralités la somme totale imposée sur le Royaume. C'est au Conseil que s'arrête le brevet de la Taille.

2° Les commissions contiennent l'imposition sur toutes les Elections. Par conséquent si on veut lever une somme sur quelque Election en particulier, c'est par les commissions qu'on l'impose. C'est aussi dans les commissions qu'est faite la répartition entre les Elections, de la somme imposée sur chaque Généralité. Les commissions, ainsi que le brevet, sont envoyées du Conseil.

3° Ce qu'on appelle le Département, est l'acte par lequel on impose chaque Paroisse ou Communauté. On impose donc au Département les sommes qu'on veut lever sur une Paroisse en particulier, ce qui arrive souvent pour constructions de Presbytères, rejet de frais de Justice ou autres dépenses; et c'est aussi au Département que se fait la répartition entre les Paroisses, de la somme imposée sur l'Election. Le Département se fait dans la Province même, et c'est aujourd'hui par l'Intendant seul, et sans aucun recours. Les Elus et autres personnes qui ont droit d'assister à l'assemblée du Département, n'y ont plus de voix délibérative, et les Cours ne peuvent plus prendre connaissance de ce qui s'y passe.

4° Le rôle de la Taille contient l'imposition sur chaque Contribuable, ou, ce qui est la même chose, la répartition entre les Contribuables de la somme imposée sur toute la Paroisse ou Communauté. Le rôle de la Taille se fait par les Contribuables eux-mêmes, c'est-à-dire, par ceux qui sont à leur tour Asséeurs ou Collecteurs. Cependant l'Intendant a droit d'imposer d'autorité et d'office un Contribuable qu'il croit favorisé par les Collecteurs. Il a aussi le droit d'envoyer dans les Paroisses des Commissaires qui font assembler les Habitants, qui font faire en leur présence le rôle de la Taille, qu'on appelle alors rôle d'office. La fonction de ces Commissaires devrait se terminer à instruire les Contribuables des règlements faits pour la confection des rôles, et à les obliger à s'y conformer : cependant l'autorité d'un homme envoyé par l'Intendant est telle dans les Provinces, que ces Commissaires font faire le rôle comme ils veulent; et cela est tellement reconnu, que souvent les Intendants donnent des instructions imprimées pour prescrire à leurs Commissaires les règles suivant lesquelles ils veulent que la répartition soit faite. Au reste, quoique les cotes d'office soient faites par les Intendants, et les rôles d'office par les Commissaires, cette quatrième répartition n'est pas autant soumise à l'autorité arbitraire que les trois premières, car les Particuliers lésés ont droit de se pourvoir en Justice.

Nous allons considérer ces quatre opérations d'abord sous l'aspect d'impositions, ensuite sous celui de répartitions.

En les considérant comme impositions, on voit évidemment que pendant que les Cours ne cessent de soutenir que leur enregistrement libre est nécessaire pour l'établissement des impôts, pendant que cette maxime est regardée par la Nation comme son unique ressource depuis qu'elle n'a plus de représentants, et que les Rois eux-mêmes sont convenus en mille occasions du principe : il s'impose cependant tous les ans de nouvelles sommes sur le Peuple sans enregistrement, et par des actes d'autorité arbitraire tels que le brevet de la Taille, les commissions et l'opération du Département.

S'il faut donner à Votre Majesté une idée des abus qui peuvent résulter de cette forme arbitraire d'imposition, il est un fait récent et notoire que nous pouvons choisir pour exemple.

Depuis 1771, on a imposé, comme accessoires de la Taille, les sommes qu'on a cru nécessaires tant pour le remboursement des Offices de Magistrature qu'on voulait supprimer, que pour le paiement des gages des Officiers par qui on voulait faire tenir les nouveaux Tribunaux : aujourd'hui la Magistrature est rétablie, et les nouveaux Tribunaux sont détruits; cependant l'imposition subsiste.

On pense peut-être, Sire, dans votre Conseil, que la suite des opérations faites pendant ces quatre années, entraîne encore aujourd'hui une dépense trop considérable pour être prise sur les revenus ordinaires de Votre Majesté; et à cet égard ces opérations peuvent être comparées à une guerre qui a fait créer des impôts qu'on laisse encore subsister quelque temps après la paix, pour payer les dettes contractées. Bientôt la cause cessera, et devons-nous espérer qu'alors l'imposition sera aussi supprimée? Oui, Sire, nous l'espérons, nous ne nous permettons pas même d'en douter; mais nous devons avouer que notre espérance n'est fondée que sur la confiance personnelle que toute la Nation a dans votre justice : car depuis longtemps personne en France ne se flatte de voir jamais cesser un impôt qui peut être renouvellé tous les ans par un acte secret d'autorité arbitraire, comme le brevet de la Taille; et si Votre Majesté voulait se faire rendre compte de toutes les impositions générales ou particulières qui se lèvent dans le Royaume, et qui ont été ainsi établies par l'autorité arbitraire, elle verrait peut-être que la plupart ont eu pour motifs des besoins momentanés qui ont cessé, et que cependant on a continué de lever l'impôt.

A présent, Sire, nous allons considérer les quatre opérations l'une après l'autre sous le second aspect, c'est-à-dire, comme répartition.

Commençons par le brevet de la Taille, qui contient la première répartition entre les Généralités.

Nous avons déjà dit qu'il s'arrête au Conseil de Finance. Mais Votre Majesté sait qu'à l'exception du Contrôleur Général et d'un Intendant des Finances, aucun de ceux qui assistent à ce Conseil, ne peut être instruit de la situation des Provinces, ni des besoins de l'Etat; c'est donc le Ministre seul qui fixe tous les ans la somme de l'imposition, et la première répartition.

Nous ignorons, Sire, et toute la France ignore par quel principe ce Ministre se détermine : nous savons seulement qu'avant la fixation du brevet, personne dans le Royaume n'a vu prendre aucune information de l'état des Provinces.

Le brevet de la Taille est donc réellement un acte fait par l'autorité arbitraire, sans avoir pris des connaissances suffisantes pour l'objet qui exigerait le plus que tous les ordres de l'Etat fussent consultés.

Il en est à peu près de même des commissions qui contiennent la seconde répartition, puisqu'elles se font au même Conseil de Finance, par conséquent par la seule volonté du Ministre et de l'intendant des Finances.

Il y a cependant une différence en ce qu'avant d'expédier les commissions, on demande l'avis des Intendants de chaque Province.

C'est donc sur le rapport du seul Intendant qu'on statue sur le sort de chaque Province. Or cet Intendant lui-même est obligé de s'en rapporter à des subalternes : car il ne peut pas connaître lui seul et par lui-même l'état de toute la Généralité.

D'ailleurs il faut observer que cet Intendant a souvent un intérêt contraire à celui de sa Province. En effet, on ne saurait dissimuler que l'Intendant est un homme qui court la carrière de la fortune; qu'il a sans cesse besoin des grâces de la Cour; qu'il ne peut les obtenir que par un Ministre à qui souvent on est sûr de plaire en lui facilitant les moyens de tirer tout le parti possible des impôts.

Il est vrai aussi que l'état précaire et incertain de ces Magistrats les oblige à de grands égards pour tous les gens de leur Province qui ont du crédit à la Cour.

Nous sommes cependant bien éloignés, Sire, d'élever des doutes sur la sincérité des avis que les Intendants envoient à votre Conseil : nous ne doutons pas qu'ils n'aient le zèle et le courage nécessaires pour défendre les intérêts de la Province qui leur est confiée : nous croyons aussi que la plus exacte justice préside aux comptes qu'ils vous rendent des facultés réciproques de toutes les Elections de leur Généralité.

Il faut cependant avouer qu'il n'est pas juste que ce soit par les seuls Intendants que la situation des Peuples vous soit présentée, et qu'il est étonnant que ni les Corps ni les Particuliers de chaque Province n'aient été admis à donner des Mémoires en faveur du Peuple avant la fixation du brevet et des commissions.

Nous observons encore à Votre Majesté que ce brevet et ces commissions sont non seulement des actes d'autorité arbitraire, mais aussi des actes clandestins dans leur exécution : car jamais ni le brevet ni les commissions ne sont imprimés ni annoncés publiquement; on envoie seulement les commissions à l'Election, qui doit s'y conformer lors du Département, pour faire la troisième répartition. La Province n'apprend donc son sort que dans le moment de ce Département, c'est-à-dire, quand tout est irrévocablement terminé. Elle ne connaît jamais le sort des autres Provinces, car nulle part dans le Royaume on ne voit le tableau général.

Ainsi non seulement les Provinces sont jugées sans être entendues, lorsqu'on arrête le brevet et les commissions, mais il leur est absolument et physiquement impossible de se pourvoir devant Votre Majesté elle-même par opposition.

Si une Province en effet est imposée à des sommes excessives pour des besoins imaginaires, pour des dépenses insensées, elle n'en est avertie que dans l'instant où ces sommes vont être levées. Si cette même Province a été traitée injustement dans la répartition générale, soit parce que sa situation n'a pas été assez bien connue, soit par l'effet d'une prédilection du Ministre pour d'autres Provinces, non seulement il ne lui est pas permis de se pourvoir contre l'injustice, mais il ne lui est pas même possible de la connaître.

Cette clandestinité, Sire, est un système très réfléchi : car il est nécessaire de rappeler à Votre Majesté qu'en l'année 1768, la Cour des Aides avait ordonné à chaque Election *de lui envoyer tous les ans, dans la huitaine après le Département, un état contenant la somme totale des impositions à répartir sur les Paroisses; lequel état devait contenir le montant principal de la Taille et de ses accessoires, de la Capitation et des sommes qui s'imposent au marc la livre d'icelles, et devait donner une connaissance exacte des sommes réparties chaque année sur les Tailles.*

La Cour des Aides, Sire, voulait avoir ce tableau général uniquement pour le présenter au Roi; et il est bon d'observer qu'il n'était pas possible qu'elle en fît d'autre usage, car des Lois enregistrées et observées depuis plus d'un siècle, ne lui permettent pas de faire aucun acte d'autorité sur ce qui se passe au Département.

Croirez-vous, Sire, que l'Administration a eu le crédit de faire casser un tel Arrêt? Il est difficile de deviner sous quel prétexte : car vraisemblablement on n'alla pas jusqu'à dire au feu Roi, en termes exprès, qu'on voulait empêcher que personne ne pût lui faire connaître la situation de son Peuple : nous ne croyons pas non plus qu'on ait osé avancer en sa présence la maxime barbare et trop souvent proférée, que *le Peuple supporte toujours aisément son malheur, pourvu que le Gouvernement ait l'art de le lui cacher.*

Permettez-nous, Sire, une dernière réflexion sur l'arbitraire de ces deux répartitions.

On conçoit aisément que des Ministres, à qui le despotisme était cher, aient voulu s'arroger à eux-mêmes, sous le nom du Conseil de Votre Majesté, le droit d'imposer arbitrairement la somme qu'il leur plairait sur le Peuple; mais on ne conçoit pas quel intérêt ils ont pu avoir à priver le Peuple du droit de se faire entendre sur la répartition. Aussi croyons-nous que ces Ministres si impérieux n'auraient pas établi eux-mêmes la forme de répartition qui existe aujourd'hui, si les réflexions que nous venons de faire à Votre Majesté leur eussent été présentées dans toute leur simplicité.

Mais il est un aveu que nous devons faire à Votre Majesté, dans ce jour où nous nous sommes prescrit le devoir de lui dire toute espèce de vérité sans aucune réticence; c'est que nos prédécesseurs ont eu vraisemblablement à se reprocher de n'avoir pas dévoilé, autant qu'ils l'auraient dû, ce système de clandestinité dans le temps qu'il fut introduit.

Alors il n'y avait déjà plus d'Etats Généraux ni Provinciaux, ni même de représentants des Provinces chargés par le Peuple de faire la répartition des impositions. Cette répartition se faisait par des Juges subrogés à ces anciens représentants de la Nation, et il y avait appel de ces Juges aux Cours des Aides. Ces Magistrats réclamèrent, mais leurs efforts se terminèrent à demander l'exécution des Lois qui étaient alors en vigueur, c'est-à-dire, à demander que la répartition fût faite par eux, au lieu de l'être par le Conseil.

Ces réclamations ne parurent donc qu'une dispute de Juridiction, une affaire personnelle à ces Cours, et peu intéressante pour l'Etat.

Mais si ces mêmes Cours avaient revendiqué pour le Peuple entier le droit naturel qu'ont tous les hommes d'être entendus avant d'être jugés, si elles avaient insisté sur la nécessité de connaître l'état des Provinces avant d'asseoir les impositions, si elles avaient surtout fait connaître aux Rois la différence du despotisme à la clandestinité; il ne nous paraît pas possible que le système actuel eût été adopté ni par les Rois, ni par les principaux Ministres, car ils n'y ont aucun intérêt; et les Administrateurs subalternes sont les seuls qui en profitent, puisque ce sont eux qui, à la faveur des ténèbres, peuvent se rendre indépendants de l'autorité supérieure.

Nous allons passer à la troisième répartition, celle qui se fait au Département, entre les Paroisses ou Communautés de chaque Election.

Autrefois cette répartition n'était pas arbitraire, elle se faisait par les Elus, qui étaient alors des personnes réellement élues par la Province. On ne pouvait cependant pas assimiler l'assemblée de ces Elus à une assemblée d'Etats provinciaux, et la différence est bien sensible.

Des Etats provinciaux accordent ou refusent des Dons gratuits; des Etats provinciaux règlent toutes les parties de l'Administration; des Etats provinciaux sont les défenseurs de tous les droits de la Province, et ces droits sont ordinairement ceux dont la conservation était promise à chaque Province lors de sa réunion à la Couronne. La fonction des Elus ne s'étendait pas à tous ces objets : ils faisaient au Département, comme Asséeurs Généraux de la Province, la répartition de l'imposition entre toutes les Paroisses et Communautés, comme dans chaque Paroisse ou Communauté il y a des Asséeurs particuliers qui répartissent entre tous les Contribuables la somme imposée sur la Communauté.

Il faut observer, pour prévenir toute équivoque, que ces anciens Elus avaient aussi la fonction que ceux qui portent aujourd'hui le nom d'Elus ont conservée, celle de Juge dans le Tribunal de l'Election; mais ce n'est pas sous cet aspect que nous les considérons ici, c'est comme Asséeurs Généraux de la Province.

Or cette fonction d'Asséeurs Généraux a excité la jalousie de l'Administration, et voici les différents coups qui ont été portés successivement à la liberté nationale dans cette partie.

Premièrement, on a supprimé les vrais Elus, ceux qui étaient réellement choisis par le Peuple, et on leur a substitué des Officiers nommés par le Gouvernement, et propriétaires d'Offices vénaux.

Secondement, on a fait entrer l'Intendant de la Province au Département, on lui a donné la présidence, et on a fini par ôter la voie délibérative aux Elus et à tous ceux qui ont droit d'assister au Département. On a aussi défendu aux Cours supérieures de prendre connaissance de ce qui s'y passe; en sorte qu'aujourd'hui la répartition, qui se fait au Département, est l'ouvrage du seul Intendant, sans recours et sans appel.

Votre Majesté remarquera aisément que la seconde opération rendait la première inutile. En effet, on conçoit aisément que le despotisme ait voulu faire supprimer les vrais Elus, tant qu'ils ont eu un pouvoir; mais depuis que le Commissaire du Conseil est devenu le maître absolu au Département, et que personne n'y a plus que voix consultative, il n'y a aucune raison et même aucun prétexte pour ne pas rendre aux Provinces le droit d'y envoyer des représentants qui puissent défendre leurs intérêts.

Troisièmement enfin, il fut fait en 1767 une dernière entreprise, dont il faut rendre compte à Votre Majesté.

Dans cette année l'esprit de clandestinité prévalut à un tel point, qu'on voulut que la répartition, qui se fait au Département, fût cachée à tous ceux qui ont droit d'y assister.

Dans cette vue, on imagina de faire deux brevets de Taille, l'un qui fût porté au Département, l'autre qui restât secret, et dont l'Intendant seul fit la répartition dans son cabinet. On ne mit dans le premier brevet que la Taille principale, qui, dit-on, ne varie jamais, et sur laquelle par conséquent il est inutile de consulter la Province, et on réserva pour le brevet secret tous les accessoires, toutes les impositions nouvelles, tout ce qui est sujet à variation d'une année à l'autre : on y fit entrer même toutes les diminutions sur les accessoires de la Taille, accordées à des malheureux que des désastres ont mis dans l'impossibilité de pouvoir payer : diminutions qui leur sont dues, mais qui ne doivent être accordées qu'à ceux à qui on les doit réellement, si on rapporte en augmentation sur les uns ce qui a été diminué sur les autres. Voilà, Sire, sur quoi on a voulu que l'Intendant pût statuer seul, sans la présence importune de ceux qui assistent au Département.

Votre Cour des Aides fit au feu Roi, dans l'année 1768, des Remontrances dans lesquelles le système de ces deux brevets fut développé; mais comme, depuis plus d'un siècle, la Cour des Aides ne prend aucune connaissance juridique de ce qui se fait au Département, elle ne put que faire des Remontrances, et ne rendit aucun Arrêt. Ces Remontrances furent vraisemblablement renvoyées par le feu Roi aux Administrateurs, c'est-à-dire, à ceux mêmes qui avaient voulu introduire cette nouvelle clandestinité dans la répartition.

Mais à présent que nous espérons que Votre Majesté voudra bien nous entendre, nous attestons que de toutes les opérations faites par le despotisme, il n'en est aucune où ce funeste esprit de clandestinité se soit plus manifesté que dans ce système des deux brevets. En effet, puisque les Elus n'ont plus de voix délibérative au Département, qu'ils n'y ont plus aucun pouvoir, nous ne concevons pas quelles intentions honnêtes on a pu avoir en écartant, de pareils témoins.

Il nous reste, Sire, à vous parler de la quatrième et dernière répartition, de celle qui se fait entre les Contribuables par le rôle de chaque Paroisse.

Quand les règlements sur la Taille ont été faits, le despotisme n'avait pas encore fait tous les progrès qu'on a vus depuis, et dont nous parlerons à l'occasion de la Capitation et du Vingtième : ainsi on ne croyait pas encore que l'autorité arbitraire pût statuer sur le sort de chaque Particulier individuellement. Cette autorité ne s'est donc pas encore entièrement emparée de cette quatrième répartition; cependant elle y a déjà porté plusieurs atteintes.

Nous en avons déjà indiqué deux principales : l'une consiste dans l'usage où sont plusieurs Intendants de faire faire tous, ou presque tous, les rôles en présence des Commissaires; l'autre consiste dans les diminutions accordées par l'autorité du seul Intendant.

Quant aux rôles par Commissaires, ou rôles d'office, il est certain que la présence du Commissaire, dans une assemblée de gens de la campagne, est trop imposante pour laisser ni aux Collecteurs la liberté de faire leur rôle suivant *leur âme et conscience,* ni aux Particuliers, qui se croient lésés, celle de se pourvoir. Cet inconvénient avait été prévu par la Cour des Aides, lorsque ces rôles par les Commissaires furent permis. Elle pensa qu'il ne faudrait en faire que rarement, et pour quelque cas extraordinaire, par exemple, quand on vient de faire un nouveau règlement sur la confection des rôles, et qu'on veut l'expliquer aux Habitants des Communautés. Cette Cour crut y pourvoir en défendant aux Commissaires de rien recevoir des Contribuables, et pensa que ces commissions ne seraient pas fréquentes quand elles ne seraient pas utiles, et que les Intendants ne seraient pas engagés à les multiplier par le désir de donner des places à leurs protégés : cependant dans plusieurs Généralités tout se fait par Commissaires, et sûrement on les paie fort cher. On a donc rendu inutile la précaution prise par la Cour des Aides. Il n'y a cependant pas d'apparence que les Intendants fassent supporter ces frais par le Roi; mais il est vraisemblable qu'on impose sur les Paroisses une somme destinée à cette dépense. C'est une concussion, puisque la Loi l'a défendu; c'est cependant ce que l'Intendant peut toujours faire impunément, puisque l'imposition absolue des Paroisses se fait au Département où il est le maître.

Quant aux diminutions accordées aux Particuliers qui ont fait des pertes, nous avons déjà observé qu'on les regarde comme des grâces provenues de la libéralité du Roi, et que c'est sous ce prétexte qu'on les fait annoncer par l'Intendant au Département.

Car si ce ne sont pas des grâces, et que la somme dont un Particulier est diminué se rapporte sur le général des Habitants, ce doit être à ceux qui font les rôles, à statuer sur les diminutions : autrement une diminution serait une gratification que l'Intendant accorderait à ses favoris, en la faisant payer par le Peuple. C'est encore ce que la Cour des Aides a prévu, et à quoi elle a voulu pourvoir, en ordonnant expressément que les modérations ou décharges accordées par l'Intendant, ne pourront en aucun cas être réimposées sur les redevables : mais les Intendants ont encore éludé cette disposition, en faisant cette réimposition au Département où ils sont les maîtres; et nous avons déjà observé qu'ils ont eu grand soin de faire mettre les diminutions dans le brevet secret, de peur que leur conduite à cet égard ne fût critiquée.

Au fond, la diminution accordée à un Particulier sur son imposition, n'est point une grâce, c'est une justice, et souvent même une nécessité : car il est nécessaire de faire une remise à celui que la grêle ou un incendie a mis dans l'impossibilité physique de payer. Ce ne serait donc point de la puissance arbitraire des Intendants que devraient dépendre les diminutions, et ils devraient encore moins faire une telle opération dans un acte secret et clandestin où toutes les injustices sont à couvert. La Cour des Aides a dévoilé et démontré clairement tous ces articles et les abus qui en doivent résulter, dans ses Remontrances de 1768, sur lesquelles nous avons déjà observé qu'il n'a pas été rendu justice au Peuple, parce que l'examen en fut renvoyé aux Auteurs des abus qu'on dénonçait, et les Intendants sont restés maîtres d'accorder des grâces à leurs protégés aux dépens du Peuple, sous le nom de diminution d'imposition.

Il est encore d'autres injustices et d'autres infractions aux règlements, commises dans la confection des rôles des Tailles; il est peut-être aussi des changements nécessaires à apporter aux Lois existantes. On dit que la plupart de vos Administrateurs le pensent, et peut-être votre Cour des Aides pensera-t-elle de même. Ces changements exigeront une longue discussion, qui doit être faite avec vos Ministres; mais dès à présent nous devons demander à Votre Majesté elle-même d'obvier au moins à la clandestinité des trois premières répartitions.

Nous supplions Votre Majesté de commencer par se faire représenter les Remontrances faites par sa Cour des Aides en 1768. Elle y verra la discussion des deux brevets de Taille; elle y verra aussi spécialement ce qui concerne les diminutions; et nous espérons qu'après que ces éclaircissements auront été mis sous les yeux de Votre Majesté, tout système de clandestinité et d'iniquité ne subsistera plus.

Mais ce n'est point à cela, Sire, que se termineront nos demandes et nos espérances sous le règne de Votre Majesté : nous la supplions aussi de rendre à ces Assemblées provinciales, qu'on nomme Départements, la consistance et l'authenticité qu'elles n'ont plus depuis un siècle.

Nous la supplions d'y faire porter toutes les impositions qui se lèvent chaque année sur la Province, sans aucune exception, c'est-à-dire, non seulement la Taille et ses accessoires, mais la Capitation, le Vingtième, ce qui s'impose pour la construction des Presbytères et autres dépenses locales, et même la Milice et la Corvée. Nous la supplions d'ordonner que toutes ces impositions soient annoncées publiquement, que les répartitions soient faites, que les rôles en soient publiés dans un temps qui permette, à ceux qui se croient lésés, de recourir à votre justice.

Enfin, Sire, il nous semble qu'il est temps de rendre à vos Peuples le droit qu'ils avaient anciennement de nommer des représentants pour assister à cette assemblée où il est statué sur le sort de la Province.

Nous avons déjà fait connaître que la présence de ces Elus ne pourra point faire comparer l'assemblée du Département à des Etats provinciaux : ainsi le despotisme lui-même n'en pourra prendre aucun ombrage.

Elle ne portera non plus aucun préjudice aux Elus en titre d'office, qui ne perdront rien des fonctions actuellement attachées à leurs charges [3].

Enfin cet établissement n'apportera aucun changement à cette Assemblée provinciale qu'on nomme le Département : il peut donc être fait dès à présent, sans aucune dépense, sans aucune opération préalable. Ce n'est point, Sire, une innovation que nous proposons à Votre Majesté, puisque c'est l'ancienne constitution du Royaume que nous la supplions de faire revivre, en accordant à chaque Province ce qui est accordé partout à chaque Particulier, le droit d'être entendu avant d'être jugé [4].

On a supprimé les anciens Elus, parce qu'ils avaient une puissance en qualité d'Asséeurs des impositions, et qu'il y avait alors des Ministres qui voulaient détruire toute puissance qui n'était pas émanée d'eux; mais aujourd'hui que c'est l'Intendant qui fait cette assiette de sa seule autorité, les prétextes cessent; et si jusqu'à présent les Rois n'ont pas rendu cette justice à la Nation, c'est sans doute parce qu'elle ne leur a jamais eté demandée. Nous avons déjà avoué que dans tous les temps les Magistrats ont trop peu insisté sur le rétablissement de ce qui est étranger à leur Juridiction : voilà pourquoi, dans le temps qu'on donna aux Intendants voix prépondérante aux Départements, les Cours ne firent pas observer que puisque cet acte de despotisme était fait, il fallait au moins rendre aux Provinces le droit de choisir elles-mêmes leurs Elus. Peut-être demandera-t-on de quelle utilité sera à la Nation la simple assistance de ces représentants, qui n'auront aucun pouvoir réel : mais ignore-t-on *à combien d'abus la seule présence d'un homme considéré peut mettre obstacle?* Les Administrateurs du dernier règne ne l'ignoraient certainement pas, puisque par leur système des deux brevets ils ont voulu dérober leurs opérations à la connaissance même des Elus en titre d'office, qui certainement ne leur imposaient pas autant que des gens choisis par la Province.

D'ailleurs il n'est pas vraisemblable qu'on refuse à de véritables Elus le droit de recourir à Votre Majesté, quand leurs représentations n'auront pas été écoutées du Département, puisqu'elles y seront sans pouvoir. Ils ne pourront jamais retarder l'exécution, mais ils jouiront du droit naturel qu'ont tous vos Sujets, et il leur sera permis d'en faire usage pour le bien de la Province.

Nous devons aussi prévenir Votre Majesté que si ces Elus choisis par la Province sont rarement des représentations contre la conduite des Intendants, ou même si celles qu'ils feront se trouvent quelquefois mal fondées, il ne faudra pas en conclure que leur existence soit inutile; car le vrai bien qu'ils auront fait sera le mal que leur présence aura empêché.

Nous pensons donc, Sire, que si Votre Majesté veut bien rendre aux Provinces ces antiques représentants, et qu'il ne soit fait par leur ministère aucune plainte bien fondée de l'administration, ce sera une première preuve de l'utilité de cet établissement; et que si, malgré la rareté ou le peu de succès de leurs plaintes, l'administration fait encore des efforts et cherche des prétextes pour se débarrasser de cette censure incommode, ce sera le complément de cette preuve.

Enfin quand nous avons représenté les inconvénients des deux premières répartitions qui se font arbitrairement dans votre Conseil, nous ne vous avons indiqué aucun moyen d'y remédier, parce que jusqu'à présent il n'y a personne dans les Provinces qui en connaisse assez bien la situation pour la faire connaître à votre Conseil.

Mais quand il y aura dans le ressort de chaque

Election des Citoyens qui auront assisté avec mission dans un Département où la répartition de tout ce qui se lève sur la Province aura été faite en leur présence, ils seront en état de donner des Mémoires instructifs, et nous ne doutons pas que Votre Majesté ne leur permette et ne leur ordonne même de faire passer de tels Mémoires aux Ministres de la Finance, et à tous ceux qui composent le Conseil : alors les Intendants auront des contradicteurs, et le Peuple des défenseurs.

Et nous croyons, Sire, que les Intendants, qui régissent à présent vos Provinces, ne craindront point d'être exposés à cette contradiction.

Nous croyons qu'eux et les Ministres qui composent actuellement votre Conseil, désireront ardemment d'être éclairés et guidés dans une opération aussi importante que la répartition des impôts, qui cependant jusqu'à présent ne se pouvait faire qu'au hasard.

Les deux autres impositions, dont nous allons entretenir Votre Majesté, sont établies sur des principes différents de ceux de Taille. Nous avons déjà observé que la Taille est le plus ancien des impôts directs, et que pendant longtemps ce fut le seul. Elle fut créée par Charles VII, pour subvenir à la solde des Troupes réglées qui, vers ce siècle, furent établies dans presque toute l'Europe.

Cependant la Noblesse était toujours assujettie au service militaire de fief; il était donc juste qu'elle fût exempte de la Taille.

Mais dans les siècles suivants, le service militaire fut tout à fait oublié, et la Noblesse ne servit plus l'Etat que dans des Troupes enrégimentées et soudoyées.

Dans le même temps on commença à moins respecter les privilèges de la Noblesse, parce qu'étant accordés à des charges vénales, ils devinrent le partage de la richesse.

Alors les Administrateurs des Finances conçurent le projet de les enfreindre; mais ce fut d'abord indirectement, et la plus forte de ces infractions fut d'imposer les roturiers pour les biens qu'ils tenaient à ferme des Nobles ou autres exempts.

Enfin Louis XIV, dans ses dernières guerres, créa deux impôts auxquels les Nobles et les privilégiés furent assujettis directement en leur nom; ce fut d'abord la Capitation, et ensuite le Dixième.

Nous nous étendrons peu sur la Capitation; nous croyons que ce que nous aurions à en dire serait superflu. En effet, cette imposition est trop vicieuse, sous quelque aspect qu'on la considère, pour que les Ministres de Votre Majesté n'en soient pas convaincus.

Elle a été établie dans des temps malheureux où l'on saisissait sans examen toutes les ressources qui se présentaient. En 1713, lors de la paix faite après une guerre malheureuse, Louis XIV ne crut pas pouvoir remplir l'engagement qu'il avait pris avec ses Peuples de la supprimer, et cette imposition a eu depuis le même sort que beaucoup d'autres; on a mieux aimé conserver un impôt vicieux et enregistré, que d'en substituer un plus raisonnable, mais qu'il aurait fallu soumettre à la critique de l'enregistrement.

D'ailleurs un intérêt encore plus puissant a rendu cette imposition plus précieuse que toutes les autres aux yeux de quelques Administrateurs; c'est l'arbitraire qui y règne. Il est tel, que les excédents de Capitation, dont la somme est incertaine et variable, sont entièrement à la disposition des Administrateurs : et c'est cette somme qui est réservée depuis longtemps pour les dépenses favorites et secrètes.

Votre Majesté concevra à présent pourquoi on a fermé les yeux sur les inconvénients évidents de la Capitation. Peut-être dira-t-on aujourd'hui à Votre Majesté que ces excédents de Capitation sont nécessaires, parce que ce sont les seuls fonds avec lesquels on puisse faire des dépenses utiles pour les Provinces. Si cela est, il faudrait que Votre Majesté s'informât des moyens qu'on employait avant que la Capitation fût connue en France.

Au fond, Sire, non seulement la Capitation de vos Sujets est fixée à la volonté d'un seul homme, non seulement les rôles en sont secrets, mais ceux qui sont chargés de cette répartition, et qui voudraient ne la pas faire arbitrairement, n'ont aucune règle qui puisse les guider.

Autrefois un Gentilhomme de chaque Généralité devait être associé à l'Intendant pour faire les rôles de la Noblesse : cette formalité est tombée en désuétude, et il faut y avoir peu de regret; car ce Gentilhomme n'était point choisi par la Province; il était nommé par le Gouvernement, et toujours sur la présentation de l'Intendant; ainsi ce n'était qu'un témoin oisif de ses opérations.

Il est cependant quelques ordres de Citoyens dont la Capitation n'est point arbitraire.

Par exemple, la Capitation des Taillables est devenue un accessoire de la Taille.

On permet aussi, dans quelques grandes Villes, aux Communautés d'Artisans de répartir cette imposition sur elles-mêmes, et on a remédié par ce moyen à l'arbitraire pour la répartition entre ces Contribuables. Mais d'après quelle Loi, d'après quelle règle la somme générale doit-elle être imposée sur chaque Corps d'Artisans? C'est ce que nous ignorons, et ce qui vraisemblablement dépend tout à fait de la volonté des Administrateurs.

Il est aussi d'autres Sujets de Votre Majesté dont la Capitation est fixée : ce sont ceux qui la paient par retenue sur les gages de leurs Offices. Mais si celle-là n'est pas arbitraire, elle est injuste. Elle ne le serait pas, si la Capitation réelle était un impôt réel qui affectât chacun des biens des Contribuables. Elle est injuste, puisque c'est un impôt personnel qu'on devait proportionner à toutes les facultés de ceux qui sont imposés.

Or il y a souvent une très grande différence de fortune entre ceux qui possèdent une charge semblable; cependant ils paient la même Capitation. Pour celle qui ne se lève ni par retenue des gages, ni par contribution des Corps et Communautés, ni comme accessoire de la Taille, c'est un impôt absolument arbitraire, c'est un asservissement honteux de tous les Citoyens aux Administrateurs.

Si nous voulions faire connaître à Votre Majesté tous les abus qui en ont résulté, nous craindrions d'être soupçonnés d'exagération.

Par exemple, serait-on cru de Votre Majesté, si on lui alléguait qu'on a vu des Intendants se glorifier d'avoir menacé des Habitants de leurs Généralités de les doubler à la Capitation, s'ils ne se prêtaient à des arrangements que sans doute ces Administrateurs croyaient utiles à la Province, mais auxquels ils n'avaient pas le droit de forcer directement des Citoyens?

Il nous est impossible, Sire, de vous donner la preuve de tous les faits de ce genre, puisqu'un des vices principaux de cette imposition est la clandestinité. Il est cependant un abus qui se commet tous les ans, et qui est d'un genre si grave, que nous nous croyons obligés d'en avertir Votre Majesté, quoique nous ne puissions pas le prouver; mais il sera aisé à Votre Majesté de le vérifier.

Daignez, Sire, faire constater s'il est vrai que dans beaucoup de Villes on impose chaque année tous les Officiers de Justice à une Capitation plus forte que celle qu'on peut leur faire payer, ce qui les force à venir demander une grâce à l'Intendant, et les met ainsi dans la dépendance absolue de ce Magistrat.

Et sur qui s'exerce cette tyrannie? Sur les Juges qui ont à statuer sur le sort des hommes, par conséquent sur l'ordre des Citoyens auquel il serait le plus nécessaire de conserver la liberté et son indépendance.

Voilà, Sire, à quoi servent les impositions arbitraires et clandestines, et jusqu'où peuvent se porter des despotes qui sont sûrs de n'être ni surveillés ni critiqués.

En effet, sans diminuer le pouvoir des Intendants, si on les obligeait seulement à publier les rôles de la Capitation, il ne serait pas possible qu'ils y laissassent voir une cote sur chaque Juge, qui serait diminuée tous les ans, excepté dans l'année où le Juge leur aurait déplu.

Nous ne vous disons rien de plus, Sire, sur la Capitation; nous sommes seulement obligés de revendiquer notre Juridiction sur cet objet. La Capitation est un impôt : par conséquent votre Cour des Aides devrait en connaître, et elle ne peut se dispenser de réclamer son droit dans toutes les occasions, parce qu'elle ne doit jamais renoncer volontairement à aucune portion de la Juridiction qui lui a été donnée pour le bien du Peuple et pour le maintien de la Justice.

Mais ce que nous demandons bien plus vivement à Votre Majesté, c'est de révoquer tout à fait la Capitation, qui est une source intarissable d'injustices, ou au moins d'en changer entièrement la nature; et nous rendons, Sire, aux Magistrats Municipaux de Paris et aux Intendants de Provinces la justice de croire qu'ils désirent ardemment d'être déchargés de cette répartition fantastique, et aussi désagréable pour des Magistrats qui aiment la règle, qu'elle est chère à ceux qui veulent en abuser.

Il est temps, Sire, de parler à Votre Majesté du Vingtième, cet impôt qui est aujourd'hui l'objet des plus fortes réclamations du Peuple, parce qu'il avait été regardé comme une ressource extraordinaire réservée pour les temps malheureux, jusqu'au moment où l'on a profité de l'absence de la Magistrature pour en faire un impôt perpétuel.

Nous serions exposés, Sire, aux reproches les plus justes de toute la Nation, si nous ne faisions les plus grands efforts pour obtenir de Votre Majesté d'en fixer la durée.

S'il est vrai que la prolongation de cette imposition pendant la paix fut nécessaire pour payer les dettes de la guerre, fallait-il ôter aux Peuples l'espérance d'en voir le terme? Et quelle nécessité d'accabler la Nation par cette perspective de perpétuité? Depuis quarante ans cette imposition a été renouvellée presque sans discontinuation; et Votre Majesté sait combien peu de résistance a éprouvé chacun de ces renouvellements. C'était seulement une occasion de mettre sous les yeux du Roi la malheureuse situation de son Peuple; aurait-on dû priver de cette consolation un Peuple si réellement malheureux?

Mais nous ne craignons pas, Sire, que sous votre règne, des représentations faites pour le Peuple ne soient qu'une simple consolation.

Nous supplions Votre Majesté de se rappeler ce qui vient de lui être dit de la Capitation.

Si après la guerre de 1701 le terme de cette imposition eût été fixé, et qu'on se fût contenté de la prolonger par des renouvellements successifs, peut-être se serait-il trouvé un moment favorable où les Cours en auraient fait reconnaître les abus; et au moins les Administrateurs ne se seraient pas portés à tant d'excès, s'ils avaient eu à craindre qu'à chaque renouvellement leur conduite fût critiquée.

C'est ce qui était arrivé, Sire, à l'occasion du Vingtième, avant qu'il fût rendu perpétuel.

On avait reconnu en 1763 que cet impôt, déjà si onéreux par lui-même, l'était devenu encore davantage par l'inquisition qu'on exerçait pour le lever; et dans le temps d'un renouvellement, le Parlement de Paris y avait remédié par une clause qui ne fut point désapprouvée par le Roi, et qui fut imitée par toutes les autres Cours. L'objet du Parlement était de mettre un terme aux inquisitions, et pour cela on défendit d'augmenter les cotes de l'année 1763.

Mais cette clause, qui remédiait aux abus, déplut à ceux qui voulaient les conserver : aussi quand l'impôt a été rétabli en notre absence, la clause n'a été mise ni dans la Loi même, ni dans l'enregistrement fait par ceux qui occupaient nos places.

Le Peuple n'a pas tardé à ressentir les cruels effets de cet impôt rétabli dans la clause de 1763; car dans l'instant même presque tous les Sujets de Votre Majesté ont vu augmenter considérablement leurs cotes, sans qu'il leur fût donné aucune raison de cette augmentation subite, et on a annoncé dans tout le Royaume de nouvelles recherches, et une rigueur dont il n'y avait pas encore eu d'exemples; comme si les Administrateurs avaient voulu se venger de la contrainte où ils avaient été depuis 1763 jusqu'en 1771, oserons-nous dire, Sire, *comme s'ils avaient voulu faire sentir au peuple tout ce qu'il avait perdu en perdant ses anciens Magistraux.*

Les choses en sont venues au point qu'aujourd'hui la perpétuité même de l'impôt est peut-être moins accablante pour le Peuple, que le despotisme qu'il entraîne.

Voilà, Sire, l'objet duquel il est nécessaire que Votre Majesté daigne s'occuper, et nous croyons qu'il n'en est aucun qui soit plus digne de son attention; car c'est la nature même des impositions qu'il faut examiner : ce sont les principes fondamentaux de cette partie de l'administration que nous allons tâcher d'éclaircir.

En effet, si nous ne demandions à Votre Majesté que de fixer la durée du Vingtième, ce serait uniquement votre amour pour vos Peuples que nous aurions à invoquer : mais pour faire connaître la nécessité de rétablir la clause de 1763, ou d'y substituer quelqu'autre disposition équivalente, il faut donner à Votre Majesté une notion simple et juste de cet impôt, qui a été connu en France au commencement de ce siècle, sous le nom de Dixième, et depuis sous celui de Vingtième, de sou pour livre du Dixième, etc. et pour rendre cette définition claire et sensible, il faut remonter au principe, il faut déterminer la vraie nature des impôts réels.

On nomme, Sire, impôt réel, celui qui se lève non sur la personne des Contribuables, mais sur leurs biens; en sorte que c'est chaque bien, chaque fonds de terre qui est imposé proportionnellement à son produit.

Toutes les fois qu'on veut établir un tel impôt, il semble qu'on doit commencer par déterminer la somme totale que le Roi veut percevoir sur son Peuple, et chercher ensuite la forme de répartition et de perception la moins dispendieuse pour le Roi, et qui livre le moins le Peuple au pouvoir arbitraire et aux vexations qui en sont la suite nécessaire.

Ce n'est point là ce qu'on a fait dans l'imposition du Dixième et des Vingtièmes; on a voulu que chaque Particulier portât au Trésor royal une certaine portion de son revenu; et pour faire exécuter cette Loi, on a établi, surtout dans les derniers temps, une régie qui a le double défaut de coûter au Roi des frais considérables, et de soumettre le Peuple au pouvoir arbitraire.

Sur cela, nous représentons à Votre Majesté, premièrement, qu'une imposition réelle, dont la somme totale n'est pas fixée, est une injustice commise envers la Nation; secondement, que ce genre d'imposition est vicieux en lui-même, parce qu'il entraîne nécessairement et les frais et l'arbitraire.

Nous osons dire à Votre Majesté qu'un tel impôt est une injustice commise envers la Nation, d'après le grand principe qu'un Roi ne doit jamais imposer sur ses Sujets ni plus ni moins que ce qu'exigent les besoins de l'Etat. En effet, si un impôt tel que le Dixième ou les Vingtièmes, produit moins qu'il ne faut pour le besoin de l'Etat, il faut chercher d'autres ressources, et on en trouve qui sont moins onéreuses au Peuple qu'un impôt direct. Si, au contraire, le Dixième ou Vingtième produit plus qu'il n'est nécessaire, vous ne pouvez pas douter, Sire, que ce surplus ne soit employé à des dépenses pour lesquelles il n'aurait pas été juste de mettre un nouvel impôt sur vos Peuples.

Nous avons dit aussi que ce genre d'imposition entraîne nécessairement les frais et l'arbitraire. Pour rendre cette vérité sensible, il faut faire connaître à Votre Majesté les différentes formes de répartitions employées dans les différentes Provinces pour les impositions dont la somme est fixée. Nous en examinerons, le plus sommairement qu'il sera possible, les avantages et les inconvénients réciproques, et il sera aisé de se convaincre que l'imposition du Vingtième réunit tous les inconvénients; qu'elle occasionne plus de frais, plus de despotisme et plus d'injustices de tous les genres qu'aucune espèce de répartition, et que la clause de 1763 était un remède nécessaire à apporter à des abus qui ne pouvaient plus être supportés.

Il est des pays où, quand la somme de l'imposition est déterminée, on en laisse faire chaque année la répartition par les Contribuables eux-mêmes. Il en est d'autres où l'on fait un cadastre, c'est-à-dire, une évaluation fixe de tous les biens des Contribuables, d'après laquelle les sommes imposées chaque année se trouvent réparties par une simple opération d'arithmétique, et sans que personne s'en mêle. Il y a des raisons de préférence pour et contre ces deux systèmes de répartition.

On peut dire en faveur de la répartition annuelle par les Contribuables, qu'elle n'entraîne aucun frais, et ne soumet point le Peuple au despotisme des préposés envoyés par le Gouvernement.

On peut dire aussi que les Contribuables sont les seuls qui puissent faire la répartition avec justice, parce qu'il n'est point de cultivateur qui ne connaisse très bien la valeur de la terre de son voisin, et qu'il est impossible qu'un étranger acquière jamais cette connaissance. Aussi soutient-on que tous les cadastres sont injustes, qu'on en convient dans les Provinces cadastrées, et que cette injustice provient, ou de ce que le cadastre a été fait originairement par des gens incapables de le bien faire, parce qu'ils étaient étrangers à la Paroisse; ou de ce que depuis que le cadastre est fait, il est survenu des variations dans la valeur des biens, ce qui peut arriver et arrive très souvent par mille causes différentes.

Les partisans du cadastre disent que dans les Provinces cadastrées il n'y a non plus ni frais de répartition, ni arbitraire. Il est vrai que dans le temps de la confection du cadastre il y a des frais énormes, et une autorité despotique dans la personne des Commissaires au cadastre qui ont à statuer sur le sort de tous les Particuliers; mais ce temps malheureux une fois passé, la tranquillité du Peuple est assurée pour toujours.

En effet, dans les pays de cadastres, non seulement il n'y a ni frais ni arbitraire, mais il n'y a point non plus de procès, au lieu que la répartition annuelle entre les Contribuables est une source intarissable de divisions, de haines et de contestations.

Quant à l'objection que les Contribuables ont plus de connaissances de leurs facultés réciproques que ne peut en avoir un Commissaire étranger, on répond qu'ils ont aussi des intérêts personnels et des passions qui les empêchent d'opérer avec justice. Or on prétend avoir remédié à tout à la fois, en faisant faire le cadastre par un Commissaire. Cet homme étranger à la Paroisse ne doit avoir d'autre intérêt que celui de la justice; et si les connaissances du local lui manquent, il y supplée en écoutant contradictoirement les Contribuables, dont l'universalité a toujours intérêt à contredire chaque déclaration particulière.

On dit aussi en faveur du cadastre, et contre la répartition annuelle par les Contribuables, que cette connaissance de leurs facultés réciproques qu'ont les Contribuables, ne peut servir que pour la répartition entre les Habitants d'une même Communauté; mais il y a aussi des répartitions à faire entre les Communautés de chaque Province, et entre toutes les Provinces du Royaume, et on soutient que celles-là ne peuvent être faites avec justice que par un cadastre, et par des Commissaires envoyés par le Gouvernement.

Il est bon de faire observer à Votre Majesté que cette dernière objection contre la répartition par les Contribuables, n'a lieu que parce qu'on ne veut pas que les Communautés et les Provinces aient des représentants; car si elles en avaient, rien n'empêcherait que toutes les Communautés ne s'assemblassent par ces représentants, et ne répartissent elles-mêmes sur elles-mêmes la somme imposée sur la Province, comme les Habitants d'une Communauté peuvent répartir eux-mêmes et sur eux-mêmes la somme imposée sur la Communauté. Peut-être réunirait-on tous les avantages en faisant faire un cadastre par les Contribuables eux-mêmes, et non par des Commissaires, dès qu'il serait fait, il n'y aurait plus jamais ni frais, ni arbitraire, ni procès : et comme il aurait été fait par ceux qui connaissent par eux-mêmes la valeur des biens, et entre qui l'intérêt commun est que chacun soit imposé avec justice, il y a lieu de croire que cette répartition serait plus juste que toute autre.

Ce genre de cadastre aurait encore un avantage, c'est que quand il surviendrait une variation dans la valeur des biens, qui rendrait nécessaire une réformation de cadastre, la Communauté elle-même verrait cette nécessité, et pourrait procéder à cette réformation, sans attendre qu'elle fût ordonnée par le Gouvernement.

Enfin en faisant faire ainsi le cadastre, on y gagne tous les frais de la confection, qui sont énormes, et qui le plus souvent empêchent d'employer cette forme de répartition. En effet, ces frais sont premièrement ceux du séjour d'un Commissaire étranger successivement dans tous les villages d'une Province, et ceux-là n'auraient pas lieu; secondement ceux de l'arpentage; et nous croyons aussi qu'on pourrait s'en passer : car nous concevons que l'arpentage est nécessaire à un Commissaire étranger, qui, ne connaissant pas par lui-même la valeur des terres, ne peut que s'informer en général de celles qui sont bonnes, mauvaises ou médiocres, et imposer chaque fonds à raison du nombre d'arpents qu'il contient, et qu'il croit être de bonne, mauvaise ou médiocre qualité : mais les gens du pays qui ont la science directe de la valeur de chaque pièce de terre, n'ont pas besoin de ce travail, et peuvent faire leur cadastre sans arpentage préalable.

Disons plus : le cadastre se fera de lui-même, sans que le Gouvernement l'ordonne, pourvu que l'impôt réparti sur les Contribuables soit un impôt réel, un impôt dont chaque cote s'applique à chaque pièce de terre, et que chacune de ces pièces de terre soit exactement désignée. En effet, quand il y aura eu une fois un rôle bien fait dans une Paroisse, tous les fonds s'y trouveront évalués. On saura que le rôle de cette année était bien fait, parce qu'une Communauté d'Habitants est un Public, et qu'*aucun Public ne se refuse à une vérité évidente*. Ce rôle reconnu pour bon sera donc le cadastre.

Si jusqu'à présent l'impôt de la Taille, qui se répartit par les Contribuables, n'a point produit de cadastre entre les Taillables, malgré les rôles qui se font tous les ans, c'est que la Taille n'est point un impôt réel, que les cotes ne s'appliquent point à chaque bien, qu'on impose chaque Contribuable pour la totalité des biens qu'il possède, ce qui change d'une année à l'autre; qu'on fait aussi entrer dans le motif de la cote le commerce et l'industrie; qu'il y a des privilèges personnels; en sorte que le bien pour lequel on a imposé une année le roturier taillable, est possédé une autre année par un exempt : ainsi les rôles d'une année sont inutiles pour les années suivantes.

Voilà, Sire, à peu près ce qu'il y a à dire sur les deux formes usitées pour la répartition d'une imposition dont la somme est fixée. Il peut y avoir sur cela différentes opinions, entre lesquelles nous ne prendrons aucun parti, car nous ne voulons présenter à Votre Majesté sur cet objet que des vérités incontestables.

Or la vérité incontestable est que l'impôt du Dixième ou des Vingtièmes, l'impôt où l'on n'a point une somme à répartir, mais où l'on exige de tous les Particuliers une certaine portion du produit de leurs biens, a par sa nature plus d'inconvénients, entraîne plus de frais, occasionne plus d'injustices qu'aucune des différentes répartitions dont nous venons de donner le tableau.

Voilà ce qu'il faut démontrer à Votre Majesté, et nous lui ferons connaître ensuite qu'à ces vices dérivants de la nature de l'imposition, on a ajouté en France une clandestinité inutile.

Nous avons observé que dans les répartitions entre les Contribuables il n'y a point de frais et point d'arbitraire, mais qu'il y a des procès continuels; et que dans le cadastre il n'y a ni frais, ni arbitraire, ni procès, lorsque le cadastre est fait; mais que la confection exige de grands frais, et que l'autorité arbitraire y préside, à moins qu'on ne fasse faire le cadastre par les Contribuables eux-mêmes.

Dans l'impôt du Vingtième, si on veut le percevoir avec exactitude, on a tous les ans et continuellement les mêmes frais de régie qui sont nécessaires une fois pour la confection d'un cadastre : il faut aussi que le Peuple soit soumis à perpétuité à ce pouvoir arbitraire auquel il est soumis pour un temps pendant la confection du cadastre. Enfin il y a continuellement des procès, comme dans les pays où la répartition se fait tous les ans par les Contribuables, et n'a pas encore produit une évaluation certaine.

Tous ces inconvénients de l'imposition du Vingtième ont une cause commune; c'est que dans le système de cet impôt le Roi a en son nom un procès continuel avec chaque Particulier de son Royaume, et que ce procès dépend de l'évaluation de chaque pièce de terre.

Il faudrait donc, pour que l'impôt fût bien perçu, qu'il y eût dans chaque lieu un homme du Roi chargé de stipuler ses intérêts. Il faudrait donc couvrir la France entière d'une armée de Commis; et si jusqu'à présent le nombre de ces Commis n'est pas si considérable, c'est que l'impôt n'est pas encore perçu avec toute la rigueur dont il est susceptible, et à laquelle il est certain qu'on le portera un jour, si Votre Majesté n'y met un frein en corrigeant la Loi. Aussi il est certain que cette rigueur, et les frais qu'elle entraîne, ont continuellement augmenté depuis que cet impôt existe, excepté pendant le temps qu'a duré la clause de 1763. Outre ces frais perpétuels, nous disons qu'il y a aussi un arbitraire perpétuel, car il n'est pas possible que le pouvoir de ces Préposés ne soit pas arbitraire. Ils ont, dit-on, l'Intendant pour Juge; mais est-il possible que l'Intendant prononce en connaissance de cause sur autant de procès qu'il y a de fonds de biens dans la Généralité? Et comment tous ces procès pourraient-ils être instruits?

Il faut donc absolument qu'il s'en rapporte au Préposé. Ce Préposé est donc le vrai Juge des Peuples. Or peut-on douter, Sire, que le Gouvernement ne donne à chacun de ces Préposés une gratification lorsqu'il a fait augmenter la totalité des cotes du Vingtième dans son Département? En effet, sans cet encouragement, quel serait l'homme qui irait s'exposer gratuitement à la haine de tout un pays?

Cependant il s'ensuit que non seulement un pouvoir arbitraire préside à cette imposition, mais que celui à qui ce pouvoir est confié a intérêt de vexer le Peuple : et néanmoins il faut avouer que cet encouragement à la vexation n'est pas encore suffisant pour l'intérêt de la Finance; car il y a toujours des Contribuables qui savent donner au Préposé des motifs encore plus puissants pour les ménager.

Et daignez, Sire, considérer à cette occasion, que tel est le double inconvénient des impositions arbitraires : on y vexe le faible, sous prétexte de l'intérêt du Roi; et on y favorise le puissant ou l'intrigant, contre l'intérêt du Roi.

Enfin nous disons aussi que le Vingtième doit être, comme la Taille, une source intarissable de procès.

Il est évident que cela doit arriver jusqu'à ce que le procès général du Roi avec tous les Particuliers de son Royaume soit irrévocablement terminé, c'est-à-dire, qu'on ait fait un cadastre par le moyen des rôles du Vingtième. Or nous croyons, Sire, qu'il ne se fera jamais par cette voie, ou que ce ne sera que très lentement et très imparfaitement : en voici la raison, que Votre Majesté trouvera sensible.

Il est reconnu qu'il n'y a que les Habitants d'un pays qui connaissent réciproquement la valeur de leurs biens : le cadastre ne peut donc être bien fait que quand il l'est par eux, ou au moins avec eux.

Aussi avons-nous indiqué comme la meilleure méthode pour faire faire un cadastre, celle d'en charger les Communautés elles-mêmes.

Cependant nous avons aussi observé que quand on envoie un Commissaire au cadastre, ce Commissaire peut s'aider des lumières des Habitants, parce que l'intérêt général du pays est que l'opération soit bien faite, et que la déclaration de chaque

Particulier ait pour contradicteur la Communauté entière.

Mais un Préposé au Vingtième ne peut s'aider des lumières de personne, parce que personne n'a intérêt à l'éclairer, et qu'au contraire l'intérêt général est de tromper cet homme, qui est l'ennemi commun de tout le pays.

Nous avons aussi annoncé à Votre Majesté qu'à ces inconvénients qui dérivent de la nature de l'imposition d'un Dixième ou d'un Vingtième, on a joint sans nécessité ceux de la clandestinité : on y trouve même les deux genres de clandestinité que nous avons définis, celle des opérations, et celle des personnes.

CLANDESTINITE D'OPERATIONS

Nous avons déjà exposé à Votre Majesté avec quelle ténacité le Ministère a empêché que les rôles du Vingtième ne fussent déposés, ce qui était avouer qu'on voulait qu'il y eût impunité toutes les fois qu'il aurait été accordé des faveurs ou exercé des déprédations.

CLANDESTINITE DE PERSONNES

Il faut qu'à cet égard Votre Majesté sache ce qui s'était introduit pendant le dernier Ministère. Autrefois celui qui se croyait trop imposé s'adressait à l'Intendant de la Province. On savait bien que l'Intendant s'en rapporterait au Préposé, mais au moins l'Intendant, le Préposé, le Contribuable habitaient dans la même Province où le bien était situé : ainsi on pouvait s'entendre contradictoirement, et il n'était pas impossible de vérifier des faits allégués de part et d'autre.

Sous le dernier Ministère, il a semblé que les

Ministres eux-mêmes fussent jaloux de cette autorité des Intendants des Provinces; et il y a eu un instant où ceux qui s'adressaient à l'Intendance, recevaient pour réponse qu'actuellement c'était au Conseil du Roi qu'il fallait s'adresser directement; comme s'il était possible que le Conseil résidant auprès de la personne du Roi, statuât sur la valeur d'un arpent de vigne ou de pré situé à l'extrémité du Royaume.

Quel serait donc le recours du Particulier qui serait vexé par la cupidité ou l'animosité d'un Préposé? On verrait évidemment que l'injustice qu'on éprouve ne peut être que le fait du Directeur du Vingtième; et cependant ce Directeur répondrait froidement que cela ne le regarde pas, que les rôles ont été faits au bureau général, et que ceux qui se croient trop imposés, n'ont qu'à faire le voyage de Paris pour se plaindre.

Cet abus, Sire, n'est pas ancien, c'est sous le dernier Ministère qu'il a été introduit : nous croyons qu'il ne subsiste plus sous le Ministère actuel, et nous espérons qu'on ne le verra plus reparaître sous votre règne. Cependant il était nécessaire de faire savoir à Votre Majesté qu'il a existé, et que l'esprit du despotisme et de clandestinité a pu se porter jusqu'à cet excès.

Il nous reste actuellement à expliquer à Votre Majesté, 1°. comment il est possible que ceux qui ont voulu, dans l'origine, établir en France un impôt réel, aient choisi la forme du Dixième ou du Vingtième, malgré les inconvénients que nous venons d'exposer.

2°. Pourquoi on n'a pas changé la nature de cet impôt, quand l'expérience en a fait reconnaître les abus.

3°. Quel a dû être l'effet de la clause de 1763 pendant qu'elle a eu lieu.

Nous ne devons pas, Sire, calomnier la mémoire des Ministres qui, en l'année 1710, imaginèrent et firent établir le Dixième. On était alors dans une situation forcée; et la régie fut si douce dans ces commencements, que les inconvénients ne se firent pas sentir.

Le Dixième fut imposé dans un temps où les calamités d'une guerre malheureuse étaient réunies à celle de la famine. Il n'était pas question de fixer alors la somme qu'on voulait lever sur le Peuple : on levait ce qu'on pouvait; et s'il eût été possible de lever des sommes bien plus considérables que ce que produisait le Dixième, on les aurait employées utilement aux besoins de l'Etat, qui étaient réels et excessifs.

Mais le grand objet qu'on se proposait pour lors, était de faire payer le Dixième par ceux qui n'étaient pas déjà épuisés par la Taille, c'est-à-dire, par la Noblesse et les privilégiés. Or la plupart avaient affermé leurs biens, et les baux étaient sincères, parce que jusqu'alors on n'avait eu aucun intérêt à en faire de simulés. Il ne fut donc fait aucune inquisition des facultés de chaque Particulier : on ne montra point de régie dispendieuse, chacun donna sa déclaration, l'Intendant en fut Juge, et il pouvait y suffire, parce que toutes les déclarations appuyées sur des baux n'étaient pas suspectes, et que pour les autres on ne fit aucunes, ou presque aucunes recherches.

Quand la même imposition fut établie en 1733, au commencement d'une guerre offensive, et après vingt ans de paix; quand, après une interruption de peu d'années, elle fut renouvelée en 1741, au commencement d'une autre guerre, et surtout quand le Dixième ou le Vingtième fut continué pendant la paix pour payer les dettes de la guerre, il aurait fallu commencer par fixer la somme que le Roi voulait percevoir, celle qui était nécessaire pour les besoins de l'Etat.

Ce n'est point ce qui fut fait. Les Ministres voulurent tirer de l'imposition tout le parti possible, et d'autre part les Particuliers, qui se voyaient imposés d'après leurs baux, employèrent aussi toutes les ruses possibles pour se soustraire à l'imposition par des baux simulés, des pots-de-vin, etc. et ce fut alors que le Gouvernement établit une inquisition aussi impraticable qu'odieuse, aussi onéreuse à Votre Majesté pour les frais, que préjudiciable au Peuple par les vexations.

C'est alors qu'il aurait fallu reprendre les vrais principes des impôts réels, changer entièrement la nature de l'imposition du Vingtième, et y substituer un autre impôt réel qui n'entraînât ni les frais perpétuels de régie, ni un perpétuel despotisme; mais alors il existait un autre intérêt que celui de la Finance, celui des Administrateurs.

En effet, après le tableau que nous venons de tracer, il est évident que les Administrateurs ont dans cette partie un pouvoir qu'on ne voit nulle part : car nous pensons, Sire, que dans les pays même où le Peuple est soumis au despotisme le plus décidé, et où la volonté du Ministre peut faire le sort de toute une Province, on n'a pas réservé à ce Ministre le pouvoir de statuer lui-même sur le sort de chaque Particulier de l'Etat.

C'est cependant ce que nous voyons en France. Il n'est aucun Propriétaire de biens dans le Royaume qui n'ait à solliciter les faveurs de l'Administrateur du Vingtième, ou à craindre les effets de son ressentiment. Or il n'est pas dans l'humanité que celui qui est revêtu d'un pouvoir si exorbitant s'en démette volontairement; et si cela arrive quelque jour, il faudra que celui qui fera ce sacrifice, soit doué d'une vertu peu commune.

Voilà, Sire, pourquoi l'impôt du Vingtième subsiste tel qu'il est : voilà pourquoi il a toujours été protégé : voilà pourquoi on a voulu en faire la base de toutes les autres impositions, malgré les abus évidents que l'expérience aurait dû faire connaître.

C'était donc la réclamation générale qui devait obliger à réformer une imposition si vicieuse, et c'est ce qui est arrivé en 1763.

Cependant, Sire, il faut avouer que le cri public ne fut pas encore aussi prompt ni aussi énergique qu'il aurait dû l'être, parce que la politique du despotisme est toujours d'avoir de grands ménagements pour ceux qui peuvent se faire entendre. La réclamation fut donc lente, parce que ce n'étaient pas les gens puissants qui avaient le plus à se plaindre de la régie du Vingtième; et ceci mérite, Sire, que Votre Majesté fasse de profondes réflexions.

Ce ne fut donc qu'en 1763 que le Parlement enregistra une prorogation du Vingtième, *à la charge que les premier et second Vingtièmes, tant qu'ils auront lieu, seront perçus sur les rôles actuels, dont les cotes ne pourront être augmentées, à peine contre les contrevenants d'être poursuivis extraordinairement.*

Nous ne devons point dissimuler à Votre Majesté que cette fameuse clause de 1763 changeait entièrement la nature de l'imposition, et la convertissait en un cadastre; et c'est par là qu'elle remédiait à tous les abus, et qu'elle remplissait toutes les conditions que nous avons annoncées comme nécessaires pour l'établissement d'un impôt réel.

1°. La somme imposée sur le Peuple par le Roi était fixée.

2°. Il n'y avait plus de despotisme des Préposés à craindre.

3°. Ces Préposés étant devenus inutiles, le Gouvernement devait s'épargner tous les frais de régie.

Cette clause ne pouvait donc être critiquée qu'en disant que les rôles de 1763 n'étaient pas assez bien faits pour en faire un cadastre : mais c'était avouer que le travail, fait depuis bien des années avec tant de dépenses, avait été inutile pour l'objet qu'on s'était proposé; car les Administrateurs n'avaient cessé d'annoncer que par leurs recherches sur le Vingtième, ils auraient bientôt une évaluation de tous les biens du Royaume, qui rendrait à l'avenir les répartitions simples et justes, et préviendrait tous les procès. On aurait donc conclu que la méthode employée était mauvaise, et qu'il fallait recourir à une autre forme d'imposition.

C'est à quoi les Administrateurs ne voulaient pas consentir. En conséquence ils se contentèrent de murmurer en secret contre la clause de 1763. Ils prétendaient qu'elle était injuste, parce qu'elle laissait subsister des impositions injustes; qu'on ne pourrait plus décharger ceux qui étaient trop imposés, puisqu'on ne pouvait plus augmenter ceux qui ne l'étaient pas assez. Mais tant que l'ancienne Magistrature a existé, on s'est bien gardé de proposer au feu Roi de remédier à ces inconvénients par une Loi contraire à la clause, parce qu'il était aisé de prévoir que l'examen de cette Loi produirait une explication qui pourrait faire découvrir les vices d'une imposition qu'on voulait conserver.

On prit donc le parti d'attendre des moments favorables; et cependant on conserva depuis 1763 jusqu'en 1771, aux frais du Roi, tous les bureaux et tous les Commis que la clause semblait avoir rendus inutiles.

On ne fit point non plus de dépôt des rôles, qui cependant par cette clause devenait plus nécessaire que jamais : car puisque ces rôles devenaient le cadastre de tout le Royaume, il fallait les rendre publics.

Le moment désiré arriva, ce fut celui de l'anéantissement de la Magistrature. Un Vingtième fut rendu perpétuel sans la clause de 1763, ni aucune autre clause équivalente, ce qui a fait revivre tous les abus à la fois, et ce qui a donné lieu à la nouvelle inquisition sous laquelle le Peuple gémit depuis quatre ans.

Nous nous plaignons, Sire, premièrement de la perpétuité de l'impôt, secondement de l'abolition de la clause de 1763, et nous supplions Votre Majesté, ou de la rétablir, ou d'y suppléer par une Loi qui ait les mêmes effets, qui fixe la somme totale de ce qui sera payé par les Peuples, qui dispense Votre Majesté des frais de régie, et qui ne laisse pas le Royaume entier soumis au despotisme des Administrateurs et des Préposés du Vingtième.

Les trois impositions que nous venons d'examiner sont les seuls impôts directs qui se lèvent dans votre Royaume, et s'il s'en lève d'autres dans quelques Provinces sous différents noms, ce sont des faits dont nous n'avons point de connaissance, et que nous n'avons pas eu l'occasion de vérifier. Nous avons aussi indiqué à Votre Majesté les prestations de service corporel, comme la Milice et la Corvée, et nous n'en dirons pas davantage. S'il y a des abus, nous ne doutons pas que les Ministres qui président à ces administrations, et en qui le Public a la plus grande confiance, ne travaillent à les réformer.

Le logement des gens de guerre est encore une autre espèce de service exigé du Peuple, et dont la Cour des Aides n'a point de connaissance juridique.

Nous protestons à Votre Majesté que nous

sommes bien éloignés de chercher à étendre notre Juridiction dans ce moment où nous ne devons être occupés que des intérêts des Peuples; mais ce n'est empiéter sur les droits d'aucune puissance, que d'avertir Votre Majesté en qui résident tous les genres de puissance, de ce qui s'est passé à cet égard.

Et dans ce jour, Sire, où nous présentons à Votre Majesté le tableau des impositions, nous ne pouvons vous laisser ignorer que sous vos yeux et dans votre Capitale il se lève une taxe sur beaucoup de maisons, sous le nom de logement de gens de guerre, qui est un véritable impôt réel établi sur vos Sujets sans aucune Loi, et sans qu'on connaisse les règles d'après lesquelles s'en fait l'assiette.

Nous savons que le produit de cette imposition est destiné au logement des Troupes, qui est un service militaire; mais ce n'est pas une raison suffisante pour que l'autorité militaire préside à la répartition. Quand la Taille fut créée sous Charles VII, elle fut destinée à la solde des Troupes, on n'imagina cependant pas de l'établir sans aucune Loi expresse, ni de la faire répartir, juger et lever par les gens de guerre.

Nous ignorons si, sous le même prétexte, on a établi de semblables taxes dans les Provinces, et nous n'avons pas cherché à nous en informer; nous espérons que ce sera Votre Majesté elle-même qui se fera rendre compte de tout ce qui concerne cette singulière imposition; et quant à la Ville de Paris, nous la supplions de faire vérifier, 1°. par quelle Loi l'impôt qu'on y lève a été établi originairement; 2°. suivant quelle Loi il s'augmente tous les jours; 3°. par qui et suivant quelle règle se fait la taxe de chaque maison; 4°. à qui peut s'adresser le Propriétaire qui se plaint de sa taxe. Quand Votre

Majesté sera déterminée sur cet objet, nous ne doutons pas qu'elle ne fasse connaître ses intentions par une Loi publique; car le Public a droit de demander à connaître les Lois auxquelles on veut le soumettre [5].

....

....

Nous protestons à Votre Majesté qu'en rapportant ces faits particuliers, notre intention n'est point d'animer sa sévérité contre les coupables; mais il faut bien faire connaître quelle a été la conduite des dépositaires du pouvoir arbitraire pendant qu'ils se sont crus affranchis de la censure de la Justice réglée, et nous regardons, Sire, ce moment où le despotisme, se croyant assuré de l'impunité, s'est montré à découvert, comme un moment précieux à saisir pour démontrer au Roi, ami de la Justice, les excès dont nous sommes menacés.

En effet, Sire, quand nous remontons à la source des abus, et que nous proposons à Votre Majesté des remèdes inutiles depuis longtemps, comme celui de faire porter les impositions de tous les genres au Département qui se fait dans chaque Province, ou d'admettre à ce même Département des représentants du Peuple oubliés depuis plusieurs siècles, nous prévoyons bien qu'on dira à Votre Majesté que ce sont des nouveautés que nous voulons introduire dans l'administration.

Il faut donc que Votre Majesté voie clairement que si nous lui proposons ce qu'on appelle des nouveautés, et ce qui cependant n'est que le rétablissement des anciennes règles, c'est parce que les progrès et les véritables innovations que fait tous les jours le despotisme, rendent le rétablissement des vrais principes absolument nécessaire.

Il ne faut point vous le dissimuler, Sire, puisque vous voulez faire le bonheur perpétuel de cette

Nation, qui, dans l'instant de votre avènement, s'est jetée dans vos bras avec une confiance si touchante. Ce n'est point à la réformation des abus particuliers que vous devez borner vos soins, c'est le système de l'administration qu'il faut attaquer.

On sait que Votre Majesté aime la Justice, on sait que vos Ministres actuels veulent la faire fleurir; mais tant que le bien que vous ferez au Peuple ne sera fondé que sur votre justice personnelle, ou sur celle de vos Ministres, ce ne sera qu'un bien passager, et la génération future verra le despotisme se venger sur le Peuple de la contrainte qu'il aura éprouvée sous votre règne. Il faut donc que le temps de ce règne soit employé à donner au Peuple des préservatifs contre le despotisme, et surtout contre la clandestinité.

Ce n'est donc point des faits particuliers que nous avons dû nous plaindre, ou au moins nous n'avons dû les employer que comme preuves du système général, et nous devons invoquer cet amour de la justice dont Votre Majesté est pénétrée, pour obtenir des Lois qui fassent le bonheur perpétuel de votre Royaume, des Lois telles que cette justice qui est dans votre cœur, survive à Votre Majesté elle-même, et se fasse sentir à nos derniers neveux.

Voilà, Sire, les vues générales qu'ont dû vous présenter d'anciens Magistrats, qui, comme les autres Citoyens, ont été témoins du malheur du Peuple, et qui, ayant consacré leur vie aux Jugements des procès occasionnés par les impôts, ont vu de plus près quelques-unes des causes de ce malheur.

Nous vous présentons ces réflexions avec confiance, parce que nous savons que le sentiment qui nous les a dictées les fera agréer de Votre Majesté. Mais nous reconnaissons qu'en agitant un si grand nombre de questions, nous avons pu tomber dans quelques erreurs. Et comment aurions-nous pu les éviter, puisque depuis si longtemps les Administrateurs ne cherchent qu'à se couvrir d'un voile impénétrable, et que le vice principal de leurs opérations est cette clandestinité, qui ne permet de rien éclaircir et de rien constater? Mais nous aurions mal rempli notre ministère, si la crainte de nous tromper sur quelques détails nous avait empêchés de mettre sous vos yeux une masse de vérités utiles et incontestables; et vous-même, Sire, nous oserons le dire à Votre Majesté, vous tomberiez dans des pièges que vous tendent les ennemis de Votre Peuple, si la découverte de ces légères erreurs vous rendait suspectes les vérités qu'il était si important de vous faire connaître.

Nous n'aurions pas non plus la témérité de croire que d'autres que nous ne puissent pas vous fournir d'autres lumières, et nous n'imiterons point, Sire, la présomption coupable de ces Administrateurs qui, depuis plus d'un siècle, ont cherché à écarter du Trône tous ceux qui pouvaient éclairer le Roi, comme si la vérité ne devait parvenir au Souverain que par leur organe.

Nous pensons, Sire, comme toute la Nation, sur les Ministres que Votre Majesté a appelés auprès d'elle; mais il est encore bien des vérités qui ne vous parviendront ni par les Ministres, ni par les Magistrats.

C'est sur le Peuple entier que pèsent les impôts, et leur complication est telle que chaque Province, chaque Corps, chaque Profession est soumise à quelque Loi bursale qui lui est particulière, et à des griefs personnels à exposer à Votre Majesté.

Il n'est pas juste qu'un Ministre statue seul et sans contradicteur sur cette multitude d'objets, et il n'est pas possible non plus qu'un Corps de Magistrature soit seul auprès de Votre Majesté l'interprète de cette quantité énorme de différents intérêts.

La preuve la plus réelle que nous puissions donner à Votre Majesté de la sincérité de notre zèle, est de lui faire connaître dans quel cas et jusqu'à quel point elle doit être en garde contre les Ministres et les autres Administrateurs, et comment elle peut être garantie de la séduction par d'autres que par les Magistrats, qui depuis longtemps jouissent seuls dans le Royaume du droit de représentation, et sont quelquefois insuffisants pour remplir dans toute son étendue cet important ministère.

La confiance que nous inspire l'administration actuelle ne doit point nous fermer la bouche. Nous croyons au contraire devoir saisir le moment où Votre Majesté est entourée des hommes les plus instruits et les plus irréprochables, et nous espérons qu'ils se réuniront à nous, et qu'ils désirerons autant que nous-mêmes, que Votre Majesté se fasse éclairer sur l'usage du pouvoir qui leur est confié, et dont ils ne veulent point abuser.

Il est certain qu'à beaucoup d'égards, et peut-être sur le plus grand nombre des objets, les Ministres d'un Roi méritent sa confiance plus que personne; car on peut dire en général que tout ce qui intéresse la gloire de son règne, intéresse aussi celle de leur ministère. Ainsi le Souverain ne peut pas douter que ses Ministres ne prennent le plus sincère intérêt au succès de ses armes, au maintien de son autorité dans l'intérieur de son Royaume, à sa considération chez les Puissances étrangères...

Mais sur d'autres objets l'intérêt du Ministre n'est pas toujours celui du Roi. Par exemple, quand il est question d'asservir les Peuples à tous les suppôts de l'administration, sous prétexte de maintenir l'Autorité royale, ou d'étendre cette administration jusque sur les plus petits objets, il y a une grande différence entre ces deux intérêts : car il n'est pas étonnant qu'un Sujet devenu Ministre soit flatté des plus petits détails de la puissance, qu'il ait partout des amis à protéger et des ennemis à persécuter, que son orgueil se repaisse de la multiplicité des hommages qu'entraîne la multiplicité des pouvoirs; mais un Roi est trop grand, trop puissant, trop supérieur à ses Sujets pour être mû par ces petites passions, et il ne peut voir son autorité intéressée que dans les objets dignes de lui.

Il est un troisième genre d'affaires dans lequel les Ministres non seulement n'ont pas le même intérêt que le Roi, mais en ont un absolument contraire. De ce nombre sont toutes celles où il est question d'introduire l'administration clandestine; car l'intérêt du Roi est toujours d'éclairer la conduite de ses Ministres, et celui des Ministres est quelquefois de n'être pas éclairés.

Il est enfin un grand nombre d'objets sur lesquels l'intérêt du Roi étant contraire à celui des Ministres, le Peuple a le même intérêt que le Roi; mais tous les Grands de l'Etat, tous les gens considérés, tous ceux qui aprochent du Roi ou qui sont à portée de se faire entendre de lui, ont les mêmes intérêts que les Ministres; et voilà, Sire, ce qui mérite le plus votre attention, ce qui doit même être l'objet de vos profondes réflexions : car il n'est que trop vrai que l'intérêt des Ministres réuni à celui de tous les gens puissants, l'emporte presque toujours sur celui du Roi réuni à celui du Peuple.

C'est ce que nous avons déjà fait voir au sujet du Vingtième et de la Capitation. Ces deux impositions, où les Ministres et leurs subordonnés se sont réservés le droit de taxer vos Sujets ou de modérer leurs taxes arbitrairement et à volonté, donnent lieu à un despotisme odieux à la France, et honteux pour une Nation libre : despotisme contraire aux vrais intérêts de Votre Majesté, même à l'intérêt fiscal, que les despotes sacrifient toujours aux considérations qui leur sont personnelles; mais despotisme très utile à tous les gens considérables, parce que ce sont toujours eux qui sont traités favorablement par les Ministres, par les Intendants, par les autres despotes de cette partie.

Tel est aussi l'excès des dépenses. On se propose sans cesse d'y mettre un frein, et tout le monde applaudit dans la spéculation à ces projets de réformation; mais dans l'exécution, tous les Ministres, tous les Ordonnateurs des dépenses s'y refusent, et ils sont appuyés par toutes les puissances de la Cour, et même de la Capitale, parce que ce sont toujours des gens puissants qui ont part aux faveurs des Ministres.

Tel est encore l'abus des Lettres-de-cachet accordées sur la demande des Particuliers, et que chaque personne puissante dans le Royaume se croit en droit d'obtenir. Et nous-mêmes Magistrats, qui nous regardons comme les représentants du Peuple, mais qui sommes aussi du nombre de ces gens considérés qui ont accès chez les Ministres, n'avons-nous pas à nous reprocher de n'avoir jamais réclamé avec assez d'énergie contre les abus de ce genre?

Mais sur tous ces objets, Sire, il existe nécessairement deux partis dans un Royaume; d'un côté, tous ceux qui approchent du Souverain; de l'autre, tout le reste de la Nation. Il faut donc qu'un Roi qui veut être juste, puise ses sentiments dans son propre cœur, et ses lumières dans celles de la Nation entière.

Mais comment établir une relation entre le Roi

et la Nation, qui ne soit pas interceptée par tous ceux dont un Roi est entouré?

Nous ne devons point vous le dissimuler, Sire; le moyen le plus simple, le plus naturel, le plus conforme à la constitution de cette Monarchie, serait d'entendre la Nation elle-même assemblée, ou au moins de permettre des assemblées de chaque Province : et personne ne doit avoir la lâcheté de vous tenir un autre langage : personne ne doit vous laisser ignorer que le vœu unanime de la Nation est d'obtenir ou des Etats Généraux, ou au moins des Etats Provinciaux.

Mais nous savons aussi que depuis plus d'un siècle la jalousie des Ministres, et peut-être celle des Courtisans, s'est toujours opposée à ces assemblées nationales; et si la France est assez heureuse pour que Votre Majesté s'y détermine un jour, nous prévoyons qu'on fera naître encore des difficultés de formes.

Ces difficultés seront aisément surmontées quand Votre Majesté le voudra; elles ne sont pas de nature à faire un obstacle réel à ce qui vous est demandé par les vœux ardents de ce Peuple que vous aimez. Il est cependant possible qu'elles retardent encore pendant quelque temps le rétablissement de ces Etats tant désirés; et en attendant n'existera-t-il aucune autre voie par laquelle les vœux du Peuple puissent parvenir à un Roi qui veut les entendre?

Dans ce moment, Sire, nous ne vous parlons point une langue qui vous soit étrangère. Toute l'Europe a su que le premier sentiment de Votre Majesté, lors de son avènement à la Couronne, a été de faciliter à tous ses Sujets les approches de son Trône, et qu'elle s'est fait une règle de recevoir tous les Mémoires qui lui sont présentés. Mais la clandestinité de l'administration s'oppose sans cesse à ce désir mutuel que le Roi et la Nation auraient à s'entendre, et rend inutile ce premier sentiment d'un jeune Roi, si précieux pour le Peuple qu'il doit gouverner.

Vous recevez, Sire, les Requêtes de tous vos Sujets; mais les grands abus ne peuvent jamais vous être présentés, parce que le tableau des opérations du Gouvernement n'existe nulle part. Il faut donc, pour que Votre Majesté puisse être instruite par les Requêtes qu'elle reçoit, que l'administration ne se tienne plus cachée; il faut que tous les actes d'autorité faits en votre nom soient connus et du Public et des Particuliers qui ont droit de s'en plaindre; il faut que les motifs soient également publiés, et qu'à chacun de ces actes d'autorité soit annexé le nom de celui de qui il est émané, et qui doit répondre de l'abus qu'il a fait de son pouvoir. Sans cela, les Requêtes présentées au Roi n'ont qu'un objet vague, et les abus d'autorité resteront toujours ignorés et impunis.

Vous recevez les Requêtes de tous vos Sujets; mais il ne leur est permis de recourir à votre justice que pour les affaires personnelles : et cependant les Corps, les Provinces, l'Etat lui-même restent sans défenseurs. Il faut donc, Sire, en attendant que Votre Majesté ait établi les Etats, qu'il existe au moins des Députés de chaque Province, choisis par la Province elle-même, qui remplissent auprès de Votre Majesté et de son Conseil intime, une des fonctions que les Procureurs Généraux remplissent dans les Cours, celle de stipuler les intérêts du Public; et surtout de la Province qui leur aura donné mission. Cet établissement n'exige point indispensablement celui d'une assemblée d'Etats dans chaque Province. Nous avons déjà observé à Votre Majesté qu'on distinguait anciennement les pays d'Etat, des pays d'Elections. Ces derniers, sans avoir d'Etats, élisaient des représentants, et rien n'empêcherait de rétablir cet antique usage [6].

En effet, la nécessité évidente a fait appeler auprès du Conseil des Députés du Commerce de chaque Province : les intérêts du commerce sont-ils donc les seuls que chaque Province ait à stipuler?

Vous recevez les Requêtes de tous vos Sujets; mais ignorez-vous, Sire, que le plus grand nombre de vos Sujets, et nommément ceux qui auraient le plus besoin de votre protection, sont absolument hors d'état de l'implorer; parce qu'ils n'ont ni la capacité nécessaire pour faire eux-mêmes un Mémoire, ni les facultés nécessaires pour le faire faire par un autre, ni les relations nécessaires pour le faire parvenir à Votre Majesté? Et quelle est la ressource de ceux qui languissent dans les prisons, et qu'on se gardera bien d'en laisser sortir, quand on prévoira que le premier usage qu'ils feront de leur liberté sera d'implorer votre justice? Il faudrait donc que les représentants de chaque Province fussent spécialement autorisés à se constituer les défenseurs des pauvres, des faibles, des opprimés, surtout des captifs, comme en Justice réglée les Procureurs et Avocats Généraux sont les défenseurs-nés des absents, des interdits, des mineurs, de tous ceux, en un mot, qui ne peuvent pas se défendre eux-mêmes.

Vous recevez les Requêtes de tous vos Sujets; mais il est une importante vérité, Sire, que nous oserons vous dire aujourd'hui, parce qu'il n'est pas possible que l'expérience d'une année ne vous en ait déjà convaincu; c'est que ce recours de tous les Particuliers à la seule personne du Roi est absolument illusoire, parce qu'il n'est pas possible que Votre Majesté seule statue en connaissance de cause sur les plaintes et les demandes, souvent indiscrètes, de plusieurs millions d'hommes.

Il faut donc que ces Requêtes soient renvoyées, et elles le sont dans les différents Départements. Or vous savez, Sire, que c'est renvoyer chaque Requête précisément à celui contre qui elle est dirigée; car on ne recourt à Votre Majesté elle-même que quand on a épuisé toutes les autres voies, et que c'est du Ministre qu'on veut se plaindre. Or nous venons de faire connaître que sur des objets très importants le Ministère entier, et même tous ceux qui approchent de votre Personne, ont un intérêt contraire à celui de Votre Majesté et à celui de la Nation.

Puisque ce sont les lumières de toute la Nation qu'il faudrait communiquer à Votre Majesté, serait-il possible que ce fût la Nation elle-même qui fît le premier examen de toutes ces Requêtes, et que ce fût son suffrage qui indiquât à Votre Majesté celles qui méritent son attention personnelle?

Ici nous devons nous arrêter, Sire. Nous avons osé avancer que le recours de tous les Sujets à la seule personne du Roi est inutile et illusoire, parce que c'est une vérité évidente dont Votre Majesté elle-même est certainement convaincue; mais si nous allions jusqu'à proposer d'admettre une réclamation publique contre les abus de l'Administration, ne serions-nous pas taxés de témérité? Tous les ennemis de la liberté publique, et surtout ceux qui ont le privilège de parler en votre nom, ne diraient-ils pas que ce sont les actions de Votre Majesté elle-même qu'on veut soumettre à la censure publique?

Une telle objection est faite pour nous imposer le silence le plus respectueux. Nous vous demandons cependant, Sire, qu'il nous soit seulement permis de vous rendre compte de ce qui se passe sous nos yeux dans l'administration de la Justice contentieuse.

Celui qui se pourvoit en Cour souveraine, a le droit de faire imprimer ses Mémoires et de les faire publier; et quand il est appelant de la Sentence d'un Tribunal inférieur, le Mémoire imprimé est nécessairement la critique du Jugement de ce Tribunal. Nous n'ignorons pas non plus que les Particuliers qui se pourvoient à Votre Majesté elle-même contre un Arrêt de Cour souveraine par demande en cassation, en revision ou autrement, usent du même droit, et qu'il s'imprime et se publie des Mémoires signés d'Avocats au Conseil, où les Particuliers critiquent les Arrêts de Cour souveraine par lesquels ils se croient lésés.

Nous savons, Sire, que cette publicité des Mémoires n'est pas unanimement approuvée : on dit qu'il est même des Magistrats qui la regardent comme un abus, et qui soutiennent que les Mémoires ne devraient être faits que pour l'instruction des Juges qui doivent prononcer sur chaque procès, mais que le Public ne doit pas se constituer le Juge des Tribunaux.

Pour nous, Sire, nous avons toujours cru et nous croyons toujours devoir répondre à Votre Majesté et à la Nation, de la justice que nous rendons aux Particuliers; et s'il est vrai que quelques Magistrats ne pensent pas de même, nous qui venons d'avertir Votre Majesté qu'elle doit récuser le témoignage des Ministres, quand ils soutiennent l'Administration clandestine : nous devons avouer qu'il faut aussi récuser celui des Juges, quand ils s'opposent à la publicité des Mémoires.

Au fond, l'ordre commun de la Justice en France est qu'elle soit rendue publiquement. C'est à l'audience publique que se portent naturellement toutes les causes; et quand on prend le Public à témoin par des Mémoires imprimés, ce n'est qu'augmenter la publicité de l'audience. Si on objectait que la profusion, avec laquelle se publient les Mémoires, est une nouveauté introduite depuis peu d'années, ce reproche d'innovation ne serait pas une objection suffisante; car il y a des nouveautés utiles : et si l'on avait rejeté les innovations, nous vivrions encore sous l'empire de l'ignorance et de la barbarie. Mais d'ailleurs, bien loin que cet usage puisse être regardé comme une innovation dangereuse, nous pensons, Sire, que c'est le rétablissement de l'ancien ordre judiciaire de ce Royaume, qu'il tient peut-être à la constitution primitive de la Monarchie; et cette observation ne sera pas indigne de votre attention.

Une très ancienne Monarchie a toujours subi des révolutions de bien des genres, surtout quand elle a été fondée dans des siècles d'ignorance, et qu'elle a subsisté jusqu'au siècle le plus éclairé. Si on considère sous cet aspect l'histoire de cette Nation, on verra que le progrès des lumières a mis une différence infinie entre les mœurs et les Lois des différents âges.

Du temps de nos premiers ancêtres, toutes les conventions des hommes étaient verbales, et il fallait que la foi due aux témoins suppléât à des actes que personne n'aurait su dresser. On n'avait aussi que des Lois mal rédigées, et consistant souvent dans une tradition incertaine, et qui laissait tout à l'arbitrage du Juge.

Les abus de cette Justice arbitraire étaient énormes. Ce fut vraisemblablement l'excès du mal qui fit recourir au remède le plus simple et le plus efficace, la publicité. Les Rois rendirent eux-mêmes la justice à la Nation assemblée dans le champ de

Mars, avec un éclat et une authenticité dont il n'y a pas eu d'exemple dans les temps modernes; et à leur exemple, les Grands de l'Etat la rendirent aussi, chacun dans leur territoire, en présence du Peuple.

Il faut observer que dans ce premier âge l'Administration n'était pas encore séparée de la Justice contentieuse; l'une et l'autre étaient exercées par le Roi lui-même, aidé des suffrages publics. Ces Monarques si redoutés permettaient donc qu'on vînt se plaindre publiquement à eux des fautes de leurs Ministres; ils ne craignaient point les humbles Requêtes de ceux qui venaient implorer leur appui, mais ils voulaient se garantir des séductions de ceux qui interposent leur puissance précaire entre le Roi et le Peuple.

Dans l'âge suivant, on commença à écrire les actes qui fixent l'état des hommes et leurs obligations, et il se forma aussi un Corps de Jurisprudence écrite à laquelle il fallut se conformer dans les Jugements. Cet âge, qu'on peut nommer celui de l'écriture, eut des grands avantages sur celui qui avait précédé, puisque alors les droits des Citoyens furent fondés sur des titres constants, et qu'on espéra de n'être plus jugé par des fantaisies des hommes, mais par la Loi elle-même.

Cependant ce nouvel ordre judiciaire eut d'autres inconvénients inconnus aux siècles antérieurs. On eut des Lois précises; mais l'étude en devint si compliquée, que personne, excepté ceux qui s'y livrèrent entièrement, ne put ni faire la fonction de Juge, ni même avoir connaissance de ses propres affaires. Il s'éleva dans la Nation un nouvel ordre de Citoyens, qui furent les Gens de Loi: les uns furent subrogés aux Grands de l'Etat dans la fonction de rendre la justice, les autres se chargèrent de stipuler les droits particuliers; et la Nation, dont la plus grande partie était encore livrée à l'ignorance, fut obligée de leur accorder une confiance aveugle.

Ce fut aussi alors que la Justice cessa d'être aussi publique que dans les premiers temps. Elle se rendit cependant encore publiquement dans les audiences tenues dans l'enceinte de chaque Tribunal.

Mais quand les détails d'un procès exigèrent un examen de pièces, les Juges procédèrent à cet examen dans des délibérations secrètes, et on perdit l'avantage d'avoir le Public pour témoin de la conduite des Juges.

Nous observons encore que ce fut dans cet âge que l'Administration fut séparée de la Justice contentieuse. Les procès, et surtout les appels s'étant multipliés, et la Jurisprudence étant devenue une science profonde, il ne fut plus possible que la justice fût rendue par le Roi ni par les Grands. Les Rois se reposèrent de cette fonction sur les magistrats, Jurisconsultes et Gradués, mais ils se réservèrent l'Administration; et comme elle s'exerça par des Lettres du Prince, au lieu de proclamations publiques autrefois usitées, tout se fit dans le secret du cabinet [7].

Enfin est venu un troisième âge, que nous nommerons celui de l'Impression : c'est celui où l'Art de l'Imprimerie a multiplié les avantages que l'écriture avait procurés aux hommes, et en a fait disparaître les inconvénients.

Les connaissances s'étant étendues par l'Impression, les Lois écrites sont aujourd'hui connues de tout le monde, chacun peut entendre ses propres affaires. Les Légistes ont perdu cet empire que leur donnait l'ignorance des autres hommes. Les Juges eux-mêmes peuvent être jugés par un Public instruit; et cette censure est bien plus sévère et plus équitable quand elle peut être exercée dans une lecture froide et réfléchie, que quand les suffrages sont entraînés dans une assemblée tumultueuse.

L'Art de l'Imprimerie a donc donné à l'écriture la même publicité qu'avait la parole dans le premier âge, au milieu des assemblées de la Nation. Mais il a fallu plusieurs siècles pour que la découverte de cet Art fît tout son effet sur les hommes. Il a fallu que la Nation entière ait pris le goût et l'habitude de s'instruire par la lecture, et qu'il se soit formé assez de gens habiles dans l'art d'écrire pour prêter leur ministère à tout le Public, et tenir lieu de ceux qui, doués d'une éloquence naturelle, se faisaient entendre de nos pères dans le champ de Mars ou dans les plaids publics.

Ce moment est arrivé, Sire, vos Sujets en éprouvent les effets dans la Justice réglée, depuis que l'usage est établi d'instruire et d'intéresser le Public par des Mémoires imprimés; et Votre Majesté pourrait faire jouir du même privilège, du même avantage ceux de ses Sujets qui se plaignent de l'Administration.

Il semble que le recours à votre Conseil ou à vos Ministres contre un Intendant, contre un Commandant de Province, pourrait être aussi public que le recours aux Cours souveraines contre un Tribunal inférieur; et puisqu'on se pourvoit à la personne même de Votre Majesté par des mémoires imprimés et en présence du Public, contre des Arrêts rendus en votre nom dans les Cours supérieures, dans ces Cours si anciennement révérées, dans ces Cours composées d'un grand nombre de Magistrats, dans ces Cours où les Arrêts ne passent qu'à la pluralité des suffrages, et après une longue discussion; pourquoi ne pourrait-on pas se pourvoir avec la même publicité contre d'autres actes d'autorité qui sont aussi faits en votre nom, mais qui ne sont que l'ouvrage d'un seul homme, qui ont été enfantés dans le secret, et sans aucune discussion préalable.

La différence est, dit-on, qu'on fait que Votre Majesté ne tient jamais en personne ses Cours de Justice, mais qu'on ignore toujours si les actes d'autorité sortis du cabinet, ne sont pas son propre ouvrage : et telle est depuis longtemps la politique des Ministres, que leur personne est toujours à couvert, et que le nom de Votre Majesté, dont il est permis de se revêtir, ou une signature qui ressemble à la vôtre, et sur laquelle le respect ne permet pas d'élever aucun doute, ont mis dans la même classe les actes de votre volonté personnelle, et ceux qui se prodiguent à votre insu; en sorte que les Citoyens opprimés craignent toujours de s'écarter du respect en se plaignant de l'injustice, et ne savent jamais si ce n'est pas manquer à la puissance suprême que de l'invoquer.

Voilà donc, Sire, où l'on en est réduit par la clandestinité des personnes, cette branche du système général que nous avons développé à Votre Majesté.

La France a le bonheur d'avoir un Maître dont le premier désir a été d'être éclairé, et qui a voulu permettre à tous ses Sujets de recourir à la justice personnelle contre tous les abus d'autorité; et quand on démontre à Votre Majesté, quand elle-même a reconnu par son expérience que ce recours est impossible, par le nombre infini des Requêtes auxquelles il donne lieu; et que le seul moyen de faire parvenir la voix du Peuple jusqu'au Roi, est de permettre à chaque Citoyen d'invoquer le témoignage du Public, comme dans les Tribunaux où s'exerce la Justice réglée; on croit pouvoir opposer à notre zèle un obstacle invincible, on croit devoir nous imposer silence en prononçant le nom sacré de Votre Majesté, et on veut que des milliers d'injustices soient impunies à perpétuité, qu'elles soient à l'abri de toutes réclamations, qu'il soit impossible de vous les manifester, par la crainte imaginaire qu'il n'y ait une occasion où l'on parle avec trop peu de respect d'un ordre qui se trouvera émané de Votre Majesté elle-même : comme si l'on pouvait douter de l'extrême circonspection dont useront toujours ceux qui vous adresseront leurs Requêtes, et ceux qui, par état, seront chargés de les rédiger et de les signer.

Cependant, Sire, puisqu'on allègue cette crainte, toute chimérique qu'elle est, puisqu'on veut se prévaloir du respect personnel dû à Votre Majesté, il ne nous est pas possible d'insister davantage; mais c'est là le cas où Votre Majesté doit se déterminer elle-même.

Nous vous avons rappelé l'exemple de ces anciens Rois qui ne croyaient point leur autorité blessée par la liberté donnée à leurs Sujets de venir implorer leur justice en présence de la Nation assemblée.

C'est à vous à juger, Sire, si ce sera affaiblir votre puissance, que d'imiter en cela Charlemagne, ce Monarque si fier, et qui porta si loin les prérogatives de sa Couronne.

C'est à son exemple que vous pouvez encore régner à la tête d'une Nation qui sera toute entière votre Conseil; et vous en tirerez bien plus de ressources, parce que vous vivez dans un siècle bien plus éclairé.

Daignez songer enfin, Sire, que le jour que vous aurez accordé cette précieuse liberté à vos Sujets, on pourra dire qu'il a été conclu un traité entre le Roi et la Nation, contre les Ministres et les Magistrats; contre les Ministres, s'il en est d'assez pervers pour vouloir vous cacher la vérité; contre les

Magistrats, s'il en est jamais d'assez ambitieux pour prétendre avoir le privilège exclusif de vous la dire.

Ce sont là,

SIRE,

Les très humbles et très respectueuses Remontrances qu'ont cru devoir présenter à Votre Majesté

Vos très humbles, très obéissants, très fidèles et très affectionnés Serviteurs et Sujets, les gens tenants votre Cour des Aides.

A Paris, en la Cour des Aides, le 6 mai 1775.

NOTES

1. Le Roi a demandé et retiré la minute desdites Remontrances, comme on le verra ci-après.

On a découvert une copie qui a été imprimée format in-12 en 1778. C'est sur cette édition que celle-ci est prise : ainsi on ne sera pas surpris d'y trouver les mêmes lacunes qu'il a été impossible de rétablir. L'édition in-12 contient des notes très intéressantes que l'on trouvera ici; et pour les distinguer de celles que l'on ajoutera, on aura soin de mettre en tête des premières : Note de l'édition in-12.

NOTE DE L'ÉDITION in-12.

2. Il s'est trouvé ici une lacune dans le manuscrit sur lequel on a imprimé, et qui avait pour objet les Lettres de cachet.

Pour en tenir lieu, l'Editeur pourrait-il se permettre de pénétrer les intentions secrètes de la Cour des Aides? Il lui semble que cette Cour n'a pas osé dire tout ce qu'elle espérait sur les Lettres de cachet.

Quand les abus sont anciens dans un Gouvernement, on en a tiré quelques avantages réels : on a pourvu, à la faveur même de ces abus, à quelques objets utiles, auxquels on aurait pourvu par d'autres moyens, si l'abus n'avait pas existé. Il s'ensuit que souvent il serait imprudent de réformer purement et simplement l'abus sans apporter beaucoup de précautions.

Mais les fauteurs des abus ne manquent pas de s'en prévaloir; ils se gardent bien de présenter aucun remède, aucune précaution qui puissent suppléer à l'abus qu'il faut déraciner, et ils insistent sur la nécessité de maintenir une administration vicieuse et favorable à leur despotisme.

Cette vérité ne peut être rendue plus sensible par aucun exemple que par celui même dont il est question dans cet article des Remontrances.

L'usage des Lettres de cachet et autres ordres illégaux est ancien. Sans en rechercher l'origine, il est certain qu'il existait avant le règne de Louis XIV; car on sait par les monuments du temps, qu'il répondit aux personnes qui avaient droit à sa confiance, et qui lui en représentaient l'abus, qu'il n'aurait pas introduit cet usage, mais qu'il l'avait trouvé établi.

Or c'est sous le règne de Louis XIV que la Police a été établie. On sait qu'avant lui il n'y avait ni sûreté pour les Citoyens dans la Ville de Paris, ni clarté, ni propreté dans les rues, etc. C'est par son autorité, et par les soins de MM. de la Reynie et d'Argenson, qu'on peut aujourd'hui marcher en sûreté pendant la nuit, dans les rues, sans être armé ni accompagné, et qu'on ne peut plus gagner des assassins pour exercer une vengeance.

Les moyens employés pour établir cette Police, ont été plusieurs établissements très utiles, qui ont encore été perfectionnés depuis; mais de plus, un grand nombre d'ordres contre la liberté des Citoyens, ordres non seulement illégaux, mais souvent décernés sur des indices légers. Il n'est pas étonnant que dans un pays où l'exercice du pouvoir arbitraire était introduit, ce soient des actes d'autorité arbitraire que les premiers fondateurs de la Police aient choisis comme le meilleur moyen, parce que ce sont réellement les plus faciles, les plus commodes pour eux, et ceux qui leur donnent cette énorme puissance dont ils peuvent se servir à leur choix, ou pour le bien, ou pour le mal.

On tient aujourd'hui que ces ordres illégaux sont nécessaires pour la sûreté de la Ville : on est même si attaché à cette opinion, que dès qu'il se commet quelques désordres, le cri d'une grande partie du Public est qu'on a sans doute détendu les ressorts de la Police. AVEUGLE ET MALHEUREUSE NATION, TOUJOURS PRÊTE À DEMANDER DE NOUVEAUX FERS DANS LE TEMPS MÊME OÙ ELLE SE PLAINT AVEC TANT D'AMERTUME DE CEUX SOUS LESQUELS ELLE GÉMIT!

Il est vrai qu'on peut craindre avec quelque fondement que la sûreté de la Ville ne souffrît un grand préjudice de la suppression pure et simple des Lettres de cachet et des ordres de Police; mais il paraît vrai aussi que MM. de la Reynie et d'Argenson, et leurs successeurs, auraient pu fonder une aussi bonne Police par d'autres moyens. La Ville de Paris n'est pas la seule dont la Police soit perfectionnée depuis un siècle. Dans les autres Villes du Royaume, et dans beaucoup d'autres pays, on n'a point employé de moyens aussi onéreux pour le Public, et aussi dispendieux pour l'Etat : cependant la Police s'y fait aussi bien, et peut-être mieux qu'à Paris, c'est-à-dire, que le vrai et seul objet d'une Police, qui est la sûreté publique, y est aussi bien rempli pour le moins.

Il ne nous semble donc pas douteux qu'on ne pût, à Paris, pourvoir au même objet par d'autres précautions. Disons plus, il y a des faits notoires d'où l'on peut conclure que souvent les moyens employés à Paris nuisent à la société plus qu'ils n'y servent.

Par exemple, on sait que dans cette Ville où tant de Particuliers réputés vagabonds sont arrêtés sur des soupçons, et enfermés, on est obligé de leur rendre, après quelques mois, leur liberté, sans quoi les Maisons de force n'y pourraient pas suffire. Or en avouant, tant qu'on voudra, que ces ordres sont décernés avec la plus grande justice et la plus grande impartialité, il est certain qu'ils tombent ou sur des criminels contre lesquels on n'a pas pu acquérir des preuves juridiques, ou sur ceux qu'on a voulu ménager par égard pour leur famille, ou sur des libertins qui n'étaient pas encore criminels, mais très disposés à le devenir. De telles gens passent le temps de leur captivité ensemble, c'est-à-dire, dans la plus funeste de toutes les sociétés, et dans une oisiveté qui ne leur laisse d'autre occupation que de se préparer à de nouveaux crimes. Peut-on douter que le simple libertin n'y devienne criminel, et que celui qui avait commis seul quelques délits, et qui, par cette raison, était peu dangereux, ne sorte de la prison enrôlé dans une bande de scélérats? Ainsi en procurant au Public le bienfait momentané de séquestrer quelques mauvais sujets, on relâche tous les ans des troupes entières de malfaiteurs, devenus bien plus redoutables qu'avant leur détention.

Il est certain qu'un autre système de Police n'aurait pas les mêmes inconvénients. Par exemple, on pourrait réserver seulement à la Police d'une grande Ville le droit d'en écarter les gens suspects : droit qui ne serait pas tyrannique, pourvu qu'on en exceptât ceux qui, par leur état ou par leurs répondants, peuvent donner en quelque sorte une caution de leur conduire; qu'on n'écartât pas non plus sur de simples soupçons ceux qui ont une profession qui ne peut être exercée que dans une grande Ville; et que pour tous les autres il y eût dans quelques Provinces des travaux établis, où l'on pût les conduire, et où ils pussent subsister, en sorte que lorsqu'ils entreraient à Paris malgré les défenses, ils pussent être regardés avec justice comme délinquants, sans avoir l'excuse qu'ils ont contrevenu à la défense, par la nécessité de vivre, et l'impossibilité de vivre ailleurs qu'à Paris. Peut-être les frais de ces établissements seraient-ils moindres que ce qu'il en coûte à la Police pour l'espionnage intérieur, et pour bien d'autres soins qu'on pourrait s'épargner sans nuire au bon ordre et à la sûreté de la Ville.

Mais il est toujours vrai que jusqu'à ce que ces précautions soient prises, la suppression pure et simple des ordres du Roi pourrait être imprudente et prématurée.

Il en serait sans doute de même des ordres demandés par des familles contre des sujets dont la liberté est dangereuse pour leurs parents, et dangereuse aussi pour la société. Ces ordres ont été demandés et obtenus, dans l'origine, par des motifs très plausibles; et toujours il se trouve des circonstances où il n'est pas possible de les refuser, parce que l'usage établi depuis longtemps de demander des ordres du Roi, n'a laissé établir aucun moyen légal de pourvoir à l'honneur des familles, et en même temps de prévenir des crimes, ce qui vaut toujours mieux que d'avoir à les punir. Mais s'ensuit-il qu'un seul Ministre, un seul homme doive avoir le pouvoir terrible de statuer arbitrairement sur la liberté d'un Citoyen, même avec le consentement d'une famille, pendant qu'on sait trop, à la honte de l'humanité, que les familles sont quelquefois mues par des motifs bien contraires à ceux de la Justice? Je ne doute point qu'on ne pût aussi, sur cet objet, établir une Police légale et non arbitraire, qui, dans ce genre d'affaires, pût remplir à la fois l'objet qui intéresse les familles, c'est-à-dire, de leur épargner l'infamie; et celui qui doit intéresser le Ministère Public, c'est-à-dire, de séquestrer les coupables de la société. Cependant jusqu'à ce que cela soit établi, il serait difficile de proscrire l'usage de ces ordres; car que pourrait répondre un Ministre à un père qui viendrait avouer que son fils a commis un assassinat, qui offrirait d'en administrer une preuve, que cependant ce père ne remettra jamais sous les yeux de la Justice; et qui supplierait le Roi de le mettre à l'abri de l'infamie qu'il prévoit qu'un tel fils lui fera encourir, et en même temps de pourvoir à la vie de ceux de ses Sujets qui pourraient devenir un jour les victimes du scélérat qu'on laisserait dans la société?

Sans doute il pourrait exister une Magistrature qui pourvût à cette double fin, et le plan en est indiqué dans le texte des Remontrances; mais tant qu'elle n'existera pas, il est impossible que le Gouvernement ne se rende pas quelquefois à la demande qui lui est faite d'ordres arbitraires; et s'il y a des cas où l'on en accorde, n'est-il pas évident qu'à moins qu'il n'y ait des règles établies et fixes, ces ordres dégénéreront en abus qui n'auront plus de bornes?

Il semble, d'après ces observations, que la Cour des Aides n'a pas été jusqu'à demander la suppression totale des Lettres de cachet, 1° parce qu'elle n'a pas voulu discuter le droit qui est regardé depuis longtemps en France, par le Roi et les Ministres, comme une partie de la prérogative royale, dont l'intention de cette Cour, manifestée expressément dans ses Remontrances, était de ne point parler; et réellement la Cour des Aides ne pouvait en parler sans être sûre d'être pleinement d'accord avec le Parlement de Paris et avec toutes les autres Cours du Royaume. Le pouvait-elle même sans avoir une mission expresse de la Nation, qui ne pouvait être donnée que dans des Etats Généraux?

2° Quant à l'usage de ce droit, elle a écrit sans doute ne devoir demander que ce qu'elle espérait obtenir. Or si elle avait pu obtenir que les ordres du Roi contraires à la liberté des Citoyens, ne dépendissent plus du caprice d'un homme; que les motifs en fussent constatés; qu'ils fussent sujets à réclamation et à révision par d'autres que par celui par qui cet ordre a été signé; que les principes pour décerner ces ordres et pour établir la preuve, fussent établis; elle n'a pas douté que bientôt le Roi ne substituât une procédure légale à un pouvoir arbitraire. Quand on a des Lois, on peut avoir des Juges. Ce n'est que le désir de statuer arbitrairement qui a pu faire commettre l'exercice de la Justice à un seul homme. La nécessité du secret est un vain prétexte : car peut-on douter que quand un pareil ordre est décerné, il ne soit su de vingt personnes, qui sont précisément ceux de la famille, de la ville, de la société du Particulier qu'on voit disparaître, ceux par conséquent à qui la famille, désirerait le plus d'en dérober la connaissance? Il faut bien qu'il le soit de tous ceux qui vivaient avec le coupable, et de tous ceux de qui on a pris le témoignage; à moins qu'on n'ait assez mauvaise opinion de l'Administration pour croire qu'elle accorde un pareil ordre sur la simple allégation, sans constater les faits. Dès lors peut-on s'arrêter par la crainte d'associer de plus à ce secret un petit nombre de personnes choisies comme devraient l'être ceux à qui une telle commission serait confiée? disons plus, dans le système actuel, n'admet-on pas nécessairement dans le secret le Ministre, les Commis qui font l'extrait, ceux qui expédient l'ordre, les Officiers chargés de la conduite du prisonnier, tous les gardiens de la maison dans laquelle il est détenu, et tous les autres prisonniers compagnons de son infortune? On n'en veut donc exclure uniquement que le petit nombre de personnes dont le concours serait nécessaire pour faire obstacle au despotisme.

La Cour des Aides a donc raisonnablement dû se flatter que quand les principes de ces prescriptions seraient fixés, l'arbitraire cesserait bientôt; et que les Ministres n'ayant plus un pouvoir aussi exorbitant que celui qui fait dépendre le sort d'un homme du caprice d'un autre homme, ils n'auraient plus de motifs pour se refuser aux arrangements qui, sans blesser la loi naturelle et les lois positives, rempliraient efficacement l'objet qu'on se propose aujourd'hui par les ordres illégaux.

Il a suffi, en 1775, de demander à un Roi qui venait de monter sur le trône, de prendre sérieusement connaissance de l'usage qui s'était fait des Lettres de cachet; et elle a eu la plus ferme confiance que quand les abus auraient été remis sous ses yeux, il ne trouverait le remède; et c'est une espérance qu'elle ne doit pas encore avoir perdue.

NOTE DE L'ÉDITION IN-12

3. Pour éclaircir la question et ne laisser aucun nuage, nous pensons qu'il ne faudra rendre aux représentants qu'élira la Province, que la séance au Département, et non la fonction de Juges au Tribunal de l'Election : en voici les raisons.

1° Si on voulait leur donner les fonctions de Juges, le Roi serait obligé à rembourser les Elus en titre d'office, au lieu qu'il ne leur sera rien dû quand on ne donnera aux vrais Elus que l'assistance au Département, et qu'eux-mêmes Elus en titre d'office n'en seront point privés, et continueront d'y assister.

2° Les Elus sont actuellement des Juges Royaux, mais Juges inférieurs, Juges à la charge de l'appel. Ils ont des affaires contentieuses à juger, ce qui les oblige à être initiés dans la Jurisprudence et à la pratique; et les fonctions journalières exigent d'eux de résider dans la Ville où est le siège de leur Tribunal. Il s'ensuit que si ceux qui seront choisis par la Province, devaient tenir le Tribunal de l'Election, le choix ne pourrait être fait qu'entre ceux qui habitent la Ville, et à qui il convient de se livrer aux fonctions de Juges, et de siéger dans un Tribunal qui n'est pas souverain.

Or quand une Province aura à choisir des représentants pour défendre ses intérêts, soit au Département, soit par des Mémoires adressés au Roi, il faut que ce choix important puisse tomber sur tous les Habitants de la Province sans exception, il faut qu'on puisse toujours choisir le plus digne. Cependant il y a tel homme qui se croira honoré d'être le défenseur des droits de sa Province, qui s'assujettira volontiers à aller tous les ans, dans le temps du Département, dans la Ville où il se tient; mais il ne voudra ni résider dans cette petite Ville, ni consacrer sa vie entière au Jugement des procès particuliers.

Il faut donc que les représentants de la Province assistants au Département, soient des personnes différentes des Juges tenants le Tribunal de l'Election.

Il paraît que la Cour des Aides a craint que cette demande des Députés des Provinces n'effarouchât le Ministère, qui craindrait que ce ne fussent des Etats provinciaux, puisqu'elle a fait remarquer la différence essentielle qui se trouve entre des Etats qui accordent ou refusent, et de simples représentants qui n'auraient que le droit de réclamer.

Mais le Public, qui ne pense pas comme le Ministère sur les Etats provinciaux, trouvera peut-être que la demande de la Cour des Aides est insuffisante. Il nous semble que cette Cour a cru avoir déclaré assez clairement dans plusieurs articles, que ce n'était qu'au défaut des Etats, et en attendant qu'il plaise au Roi de les convoquer, qu'elle demandait des établissements provisoires; et sans doute elle n'a pas douté que la mission de ces Députés étant de stipuler tout ce qui était du bien du Peuple, ils ne regardassent comme leur principal devoir de demander de véritables Etats dès qu'ils croiraient les circonstances favorables.

Elle ne s'est pas expliquée sur la forme dans laquelle les Députés de la Nation seraient choisis, vraisemblablement parce qu'elle a cru que le premier objet devait être de les demander, et qu'ensuite la forme de l'élection serait aisée à déterminer.

Peut-être a-t-elle pensé qu'un scrutin y suffirait, sans faire des assemblées uniquement pour le choix.

Peut-être aussi a-t-elle cru que la forme de l'élection n'était pas aussi intéressante pour le choix de Députés qui n'auraient que le droit de parler et de remontrer, qu'elle l'est dans d'autres pays pour le choix des Députés qui participent à la législation et au gouvernement, parce que les Puissances n'ayant pas autant d'intérêt à corrompre de tels Députés, il y aurait moins de précautions à prendre pour prévenir cette corruption. En un mot, elle a sûrement pensé que l'important était que la Nation eût des Députés quelconques, pourvu qu'ils fussent choisis par elle-même, et que tôt ou tard ces Députés, admis au moins comme témoins aux opérations de l'Administration, instruiraient la Province qui les aurait commis, de ses vrais intérêts, et en recevraient des instructions sur la fonction qu'ils auraient à remplir.

4. C'est sans doute d'après ces vues qu'a été rendu l'Arrêt du Conseil du 12 juillet 1778, qui établit une Administration municipale dans la Province du Berry. Qu'il serait à souhaiter qu'un projet si sage eût lieu dans toutes les Provinces du Royaume! La Cour des Aides avait proposé ces mêmes vues plusieurs fois.

NOTE DE L'ÉDITION IN-12

5. Il y a encore ici une lacune dans le manuscrit sur lequel on a imprimé : il paraît qu'il était question des vexations de plusieurs Ministres et Préposés des Finances.

NOTE DE L'ÉDITION IN-12

6. Il ne faut pas que cet établissement soit dispendieux pour la Province, et il est possible de l'éviter, car il n'est pas absolument nécessaire que ces Députés viennent se montrer et solliciter personnellement dans la Capitale. Cette fonction pourrait être remplie par les Elus que nous avons proposé de rétablir, et ce ferait par des Mémoires adressés à la Cour qu'ils stipuleraient les intérêts de leurs Provinces. On pourrait aussi avoir à la fois deux sortes de représentants qui ne coûteraient rien à la Province, et qui étant ensemble dans une relation continuelle, exerceraient conjointement leur ministère.

Les uns résideraient dans la Province, et en connaîtraient mieux les vrais intérêts que ceux qui résident près de la Cour, et ceux-là n'auraient aucune dépense à faire pour tenir mission, puisqu'ils ne se déplaceraient point. Les autres, entraînés par leurs affaires personnelles dans la Capitale, se chargeraient gratuitement de suivre les affaires de la Province, et tiendraient à honneur d'en être chargés. Nous croyons que pour que ces représentants soient bien choisis, et que la faveur n'ait aucune part à ce choix, il faut que ces commissions ne soient point utiles.

NOTE DE L'ÉDITION IN-12

7. Il n'est pas inutile d'observer que c'est dans le second âge qu'on crut pouvoir se passer des Etats; car jusqu'alors il fallait absolument que les Rois assemblassent la Nation pour lui faire entendre leurs volontés. Bientôt les Ministres trouvèrent le moyen de rendre ces assemblées de plus en plus rares, parce qu'il leur convenait d'écarter de leur gestion des contradicteurs; ensuite ils trouvèrent si commode de travailler dans l'obscurité, qu'ils cherchèrent à épaissir les voiles dont ils s'étaient couverts, c'est ce qui a donné naissance à cette administration clandestine qui a fait tant de progrès depuis la cessation des Etats Généraux jusqu'aux derniers temps : c'est donc dans l'âge de l'écriture qu'a commencé en France la clandestinité de l'administration; et si c'est dans celui de l'impression qu'elle a fait de grands progrès, c'est que jusqu'à présent le recours contre l'Administration par des Mémoires publics et imprimés n'a pas été permis.

TABLE DES MATIÈRES

CHAPITRE II

LES REMONTRANCES DE 1771 ET 1775

DEJA PARUS

ABELLIO **Assomption de l'Europe.**
ADOUT **Les raisons de la folie.**
ALAIN **Idées.**
ALQUIÉ **Philosophie du surréalisme.**
ARAGON **Je n'ai jamais appris à écrire ou les** *Incipit.*
ARNAUD, NICOLE **La logique ou l'art de penser.**
AXLINE Dr **Dibs.**
BADINTER **L'amour en plus.**
Les Remontrances de Malesherbes.
BARRACLOUGH **Tendances actuelles de l'histoire.**
BARTHES **L'empire des signes.**
BASTIDE **Sociologie des maladies mentales.**
BECCARIA **Des délits et des peines.**
BERNARD **Introduction à l'étude de la médecine expérimentale.**
BIARDEAU **L'hindouisme. Anthropologie d'une civilisation.**
BINET **Les idées modernes sur les enfants.**
BOIS **Paysans de l'Ouest.**
BONNEFOY **L'arrière-pays.**
BRAUDEL **Ecrits sur l'histoire.**
BRILLAT-SAVARIN **Physiologie du goût.**
BROUÉ **La révolution espagnole (1931-1939).**
BURGUIÈRE **Bretons de Plozévet.**
BUTOR **Les mots dans la peinture.**
CAILLOIS **L'écriture des pierres.**
CARRÈRE D'ENCAUSSE **Lénine, la révolution et le pouvoir.**
Staline, l'ordre par la terreur.
CASTEL **Le psychanalysme.**
CHAR **La nuit talismanique.**
CHASTEL **Éditoriaux de la Revue de l'art.**
CHAUNU **La civilisation de l'Europe des Lumières.**
CHEVÈNEMENT **Le vieux, la crise, le neuf.**
CHOMSKY **Réflexions sur le langage.**
CLAVEL **Qui est aliéné ?**
COHEN **Structure du langage poétique.**
CONDOMINAS **Nous avons mangé la forêt.**
CORBIN **Les filles de noce.**
DAVY **Initiation à la symbolique romane.**
DERRIDA **Éperons. Les styles de Nietzsche.**
La vérité en peinture.
DETIENNE, VERNANT **Les ruses de l'intelligence. La métis des Grecs.**
DEVEREUX **Ethnopsychanalyse complémentariste .**
DODDS **Les Grecs et l'irrationnel.**
DUBY **L'économie rurale et la vie des campagnes dans l'Occident médiéval** (2 tomes).
Saint-Bernard. L'art cistercien.
EINSTEIN, INFELD **L'évolution des idées en physique.**
ÉLIADE **Forgerons et alchimistes.**
ELIAS **La société de cour.**
ERIKSON **Adolescente et crise.**
ESCARPIT **Le littéraire et le social.**
*****Les états généraux de la philosophie.**
FABRA **L'anticapitalisme.**
FEBVRE **Philippe II et la Franche-Comté.**
FERRO **La révolution russe de 1917.**
FINLEY **Les premiers temps de la Grèce.**
FONTANIER **Les figures du discours.**
FUSTEL DE COULANGES **La cité antique.**
GARDEN **Lyon et les Lyonnais au XVIIIe siècle.**
GENTIS **Leçons du corps.**
GERNET **Anthropologie de la Grèce antique.**
Droit et institutions en Grèce antique.
GINZBURG **Les batailles nocturnes.**
GONCOURT **La femme au XVIIIe siècle.**
GOUBERT **100 000 provinciaux au XVIIe siècle.**
GREPH (Groupe de recherches sur l'enseignement philosophique) **Qui a peur de la philosophie ?**
GRIMAL **La civilisation romaine.**
GUILLAUME **La psychologie de la forme.**
GUSDORF **Mythe et métaphysique.**
GURVITCH **Dialectique et sociologie.**
HEGEL **Esthétique.** Tome I. **Introduction à l'esthétique.** Tome II. **L'art symbolique. L'art classique. L'art romantique.** Tome III. **L'architecture. La sculpture. La peinture. La musique.** Tome IV. **La poésie.**
JAKOBSON **Langage enfantin et aphasie.**
JANKÉLÉVITCH **La mort.**
Le pur et l'impur.
L'ironie.
L'irréversible et la nostalgie.
Le sérieux de l'intention.
JANOV **L'amour et l'enfant.**
Le cri primal.
KRIEGEL **Aux origines du communisme français.**
KROPOTKINE **Paroles d'un révolté.**
KUHN **La structure des révolutions scientifiques.**
LABORIT **L'homme et la ville.**
LAPLANCHE **Vie et mort en psychanalyse.**
LAPOUGE **Utopie et civilisations.**
LEAKAY **Les origines de l'homme.**
LEPRINCE-RINGUET **Science et bonheur des hommes.**
LE ROY LADURIE **Les paysans de Languedoc.**
Histoire du climat depuis l'an mil (2 tomes).
LOMBARD **L'Islam dans sa première grandeur.**
LORENZ **L'agression.**
L'homme dans le fleuve du vivant.
MACHIAVEL **Discours sur la première décade de Tite-Live .**
MANDEL **La crise 1974-1982.**

MARIE **Le trotskysme.**
MEDVEDEV **Andropov au pouvoir.**
MICHELET **Le peuple.**
La femme.
MICHELS **Les partis politiques.**
MOSCOVICI **Essai sur l'histoire humaine de la nature.**
MOULÉMAN MARLOPRÉ **Que reste-il du désert ?**
NOËL **Dictionnaire de la Commune** (2 tomes).
ORIEUX **Voltaire** (2 tomes).
PAPAIOANNOU **Marx et les marxistes.**
PAZ **Le singe grammairien.**
POINCARÉ **La science et l'hypothèse.**
PÉRONCEL-HUGOZ **Le radeau de Mahomet.**
PORCHNEV **Les soulèvements populaires en France au XVIIe siècle.**
POULET **Les métamorphoses du cercle.**
RENOU **La civilisation de l'Inde ancienne d'après les textes sanskrits.**
RICARDO **Des principes de l'économie politique et de l'impôt.**
RICHET **La France moderne. L'esprit des institutions.**
RUFFIÉ **De la biologie à la culture** (2 tomes).
SCHUMPETER **Impérialisme et classes sociales.**
SCHWALLER DE LUBICZ R.A. **Le miracle égyptien. Le roi de la théocratie pharaonique.**
SCHWALLER DE LUBICZ Isha **Her-Back, disciple.**
Her-Back « Pois Chiche ».
SEGALEN **Mari et femme dans la société paysanne.**
SIMONIS **Claude Lévi-Strauss ou la « Passion de l'inceste ».** Introduction au structuralisme.
STAROBINSKI **1789. Les emblèmes de la raison.**
Portrait de l'artiste en saltimbanque..
STOETZEL **La psychologie sociale.**
STOLERU **Vaincre la pauvreté dans les pays riches.**
SUN TZU **L'art de la guerre.**
TAPIÉ **La France de Louis XIII et de Richelieu.**
TRIBUNAL PERMANENT DES PEUPLES
Le crime de silence. Le génocide des Arméniens.
THIS **Naître... et sourire.**
ULLMO **La pensée scientifique moderne.**
VILAR **Or et monnaie dans l'histoire 1450-1920.**
WALLON **De l'acte à la pensée.**

Imprimerie HEMMERLÉ Paris - 1972-2-1985
Dépôt légal : Mars 1985 - No d'éditeur 10414
Imprimé en France